40 leçons

pour parler

espagnol

Langues pour tous

Collection dirigée par Jean-Pierre Berman, Michel Marcheteau et Michel Savio

ESPAGNOL

❏ Pour être opérationnel rapidement :
- **L'espagnol tout de suite !** (CD)
- **L'espagnol tout de suite ! Série Mains Libres (100 % audio)** (CD)

❏ Pour s'initier avec un « tout en un » :
- **40 leçons pour parler espagnol** (CD)

❏ Pour se perfectionner et connaître l'environnement :
- **Se perfectionner en espagnol** (CD)

❏ Pour évaluer et améliorer votre niveau :
- **200 tests**

❏ Pour aborder la langue spécialisée :
- **L'espagnol économique et commercial** (20 dossiers)
- **La correspondance commerciale espagnole**
- **Dictionnaire économique, commercial et financier**
- **L'espagnol au téléphone tout de suite !** (CD)
- **L'espagnol en réunion tout de suite !** (CD)
- **Le CV en espagnol tout de suite !**

❏ Pour s'aider d'ouvrages de référence :
- **Grammaire espagnole pour tous**
- **Vocabulaire de l'espagnol moderne**
- **Civilisation espagnole**
- **Correspondance pratique**

❏ Pour prendre contact avec des œuvres en version originale :
- **Série bilingue :**

L'espagnol par les chansons (CD) **Borges (Jorge Luis) :** • Histoire universelle de l'infamie **Nouvelles espagnoles contemporaines**	**Nouvelles hispano-américaines :** • Vol. I - Des Andes aux Caraïbes • Vol. II - Rêves et Réalités **M. V. Montalbán** • Vu des toits • Contes

---

❏ **Série Monolingue** **Zoé Valdés** • Cuentos de la Habana	**Julio Cortázar** • Cambio de Luces Segunda Vez

---

(CD) = Existence d'un coffret : Livre + (CD)

Attention : Les cassettes ne peuvent être vendues séparément du livre.
➡ Le livre seul est disponible.

Autres langues disponibles dans les séries de la collection **Langues pour tous** :
ALLEMAND · ANGLAIS · AMÉRICAIN · ARABE · CHINOIS · FRANÇAIS · GREC · HÉBREU · ITALIEN · JAPONAIS LATIN · NÉERLANDAIS · OCCITAN · POLONAIS · PORTUGAIS · RUSSE · TCHÈQUE · TURC · VIETNAMIEN

40 leçons pour parler espagnol

par

Pierre Gerboin et **Jean Chapron**

avec la collaboration de
Sol San Miguel

CD Version sonore

10e édition

Sommaire

5

© 1997, Pocket – Langues pour tous,
Département d'Univers poche
2009 pour cette nouvelle édition
ISBN 978-2-266-18915-6

Avant-propos

40 leçons pour parler espagnol est un outil d'auto-apprentissage complet appelé « tout en un » car il propose à son utilisateur :

- **une présentation méthodique, déjà mise au point avec succès dans sa précédente version, pour acquérir les bases de la langue, accompagnée d'une série d'exercices calibrés avec corrigés destinés à ancrer solidement les connaissances ;**
- **une batterie de tests permettant de mesurer les acquisitions ;**
- **un ensemble de repères géographiques, historiques et culturels pour mieux connaître et comprendre l'Espagne et donc mieux communiquer avec les hispanophones ;**
- **des dialogues vivants pour l'entraînement à la compréhension ;**
- **un guide pratique pour la vie de tous les jours ;**
- **une grammaire est un lexique bilingue.**

À qui s'adresse cet ouvrage ?

- à ceux, en premier lieu, qui *commencent à zéro* l'étude de l'espagnol, et qui pourront progresser à leur rythme, avec une totale autonomie ;
- à ceux qui n'ont pu accorder à l'étude de l'espagnol, le temps nécessaire, avec, pour conséquence, *un manque de structuration de leur apprentissage* ;
- enfin à ceux qui ont étudié l'espagnol dans de bonnes conditions *mais n'ont pu le pratiquer* pendant des années et ont besoin de rafraîchir leurs connaissances.

Les auteurs ont donc choisi :

- d'assurer *la connaissance claire et nette des bases principales* de la langue, en veillant à ce que tous les éléments présents soient définitivement assimilés ;
- d'illustrer les mécanismes décrits par des *formules de grande fréquence* et d'une utilisation courante ;
- d'éveiller *l'intérêt pour la langue et le pays* de ceux qui la parlent.

Ces caractéristiques font également de **40 leçons pour parler espagnol** *un ouvrage de complément*, tant pour les élèves et les étudiants que pour les participants aux sessions de formation continue.

La description et les conseils qui suivent vont vous permettre d'utiliser cette méthode et d'organiser votre travail de façon efficace.

PLAN DES LEÇONS

Vous retrouverez dans toutes les leçons une **organisation identique** destinée à faciliter l'auto-apprentissage ; elles comportent 4 parties :

A, **B**, **C** et **D**, de 2 pages chacune.

Ainsi vous pourrez travailler **au rythme qui vous conviendra**. Même si vous n'avez pas le temps d'apprendre l'ensemble d'une leçon, vous pourrez l'aborder et en **étudier une partie seulement**, sans perdre pied ni avoir le sentiment de vous disperser.

→ **A** et **B** présentent les éléments de base.

→ **C** propose des exercices avec corrigés et des points de civilisation.

→ **D** offre un guide pratique et des dialogues en situation.

■ **Parties A et B :**
   elles se subdivisent en 4 sections :

A 1 et **B 1** - PRÉSENTATION

Cette 1ère section vous apporte les matériaux de base nouveaux (*grammaire, vocabulaire, prononciation*) qu'il vous faudra connaître et savoir utiliser pour construire des phrases.

A 2 et **B 2** - APPLICATION

À partir des éléments présentés en **A 1** et **B 1** vous est proposée *une série de phrases modèles* (qu'il faudra par la suite vous entraîner à reconstruire par vous-même).

A 3 et **B 3** - REMARQUES

Diverses *remarques* portant sur les phrases de **A 2** et **B 2** précisent tel ou tel point de grammaire, vocabulaire ou prononciation.

A 4 et **B 4** - TRADUCTION

Cette dernière section apporte la *traduction intégrale* de **A 2** et **B 2**.

■ **Parties C :**
 elle est également subdivisée en 4 sections :

C 1 - EXERCICES

Ils servent à *contrôler l'acquisition* des mécanismes appris en **A** et **B**.

C 2 - RÉCAPITULATION

Il s'agit d'une *deuxième série d'exercices* démarrant à la leçon 6 destinée à renforcer vos acquisitions, les corrections sont données en fin d'ouvrage, p. 376.

C 3 - CORRIGÉS

Cette section donne la correction intégrale des exercices proposés en **C 1**.

C 4 - CIVILISATION

Rédigée en français, cette section permet de prendre contact avec des *information géographiques, historiques et culturelles,* afin de mieux connaître et comprendre vos futurs interlocuteurs. Elle peut être consultée en dehors de la progression imposée par les parties **A** et **B**.

■ **Parties D :**
 également subdivisée en 4 sections :

D 1 et **D 3** : proposent des listes de vocabulaire centré sur différents aspects de la *vie quotidienne* et leur traduction.

D 2 et **D 4** : proposent un *dialogue vivant* — et sa traduction — qui reprend le vocabulaire acquis en **A 1, B 1** et **D 1**.

→ **Les dialogues ne débutent qu'à partir de la leçon 6.**

■ **Leçons 10 bis, 20 bis, 30 bis, 40 bis**

- Effectuez chaque série de 10 tests *sans vous reporter aux leçons* en moins de cinq minutes.

- Reportez-vous au corrigé et étudiez les points sur lesquels vous vous êtes trompés.

→ Si vous n'êtes pas débutant faites l'ensemble des 40 tests, *sans vous reporter au livre* en 10 à 15 minutes et établissez votre diagnostic.

Présentation et conseils

■ **Précis grammatical et lexique bilingue**

- Le **précis** vous donne un résumé d'ensemble des problèmes grammaticaux de base.
- Le **lexique bilingue** reprend tout le vocabulaire nouveau rencontré en A, B, C et D.

CONSEILS GÉNÉRAUX

- **Parties A et B :** après avoir pris connaissance de **A 1** ou **B 1** en vous reportant aux remarques **A 3** ou **B 3**, lisez attentivement plusieurs fois **A 2** ou **B 2** ou mieux encore, utilisez la version sonore. Essayez de reconstituer **A 2** et **B 2** en partant de **A 4** et **B 4**.

- **Partie C 1, 2 et 3 :** faites les exercices par écrit avant de regarder les corrigés (10 minutes par leçon).

- **Partie C 4** (CIVILISATION) et **D** (GUIDE PRATIQUE) : vous pouvez consulter ces sections au fur et à mesure ou au hasard en fonction de vos besoins immédiats.

- **Travaillez régulièrement :** étudier une leçon 20 à 30 minutes par jour est plus profitable que de survoler plusieurs leçons 3 heures tous les 10 jours.

- **Programmez l'effort :** ne passez pas en **B** sans avoir bien retenu **A**.

- **Revenir en arrière :** n'hésitez pas à refaire plusieurs fois les leçons et les exercices qui vous semblent difficiles.

VERSION SONORE

Le coffret **40 leçons** comporte un enregistrement
réalisé en son numérique sur 2 CD.

Vous trouverez sur chacun d'eux :
– l'intégralité des parties **A 2, B 2** et **D 2**, portant les
symboles :

■ Cet enregistrement vous permettra de travailler chez
vous, mais aussi en déplacement (voiture, train, métro,
etc.)

■ Le **CD** vous offre un grand confort d'écoute et facilite
la recherche des leçons et l'accès rapide à ce que vous sou-
haitez ré-écouter, grâce aux index qui correspondent à
chaque leçon.

Il vous permettra un bon entraînement à la compréhension orale.

Il ne comporte pas de blanc pour la répétition mais en
utilisant la touche pause vous pourrez également vous
entraîner à répéter.

Conseils :
• Dans un premier temps, suivez l'enregistrement en
  vous aidant de votre livre.
• Puis, petit à petit, efforcez-vous de répéter et de comprendre sans votre livre !

El... la...

A 1 PRÉSENTATION

- Les mots **masculins** se terminent souvent par ~**o** et les mots **féminins** par ~**a**.
- **L'article défini** singulier est **el**, *le* au masculin et **la**, *la* au féminin.
- **L'adjectif** s'accorde en genre (masculin ou féminin) et en nombre (singulier ou pluriel) avec le nom auquel il se rapporte.

el plato	[pl**a**to]	*l'assiette*
la maleta	[mal**é**ta]	*la valise*
el papel	[pap**é**l]	*le papier*
Málaga	[m**á**laga]	*Malaga* (ville espagnole)
el año	[**a**nyo]	*l'année*
la llave	[lya**v**é]	*la clef*
la calle	[k**a**yé]	*la rue*
el chico	[tch**i**co]	*le garçon*
la chica	[tch**i**ca]	*la fille*
el vino	[b**i**no]	*le vin*
Cuba	[k**ou**ba]	*Cuba*
de	[dé]	*de*
nuevo	[nou**é**vo]	*nouveau*
nueva	[nou**é**va]	*nouvelle*

A 2 APPLICATION

1. **El plato nuevo.**
2. **La maleta nueva.**
3. **El papel nuevo.**
4. **El año nuevo.**
5. **La calle nueva.**
6. **La llave nueva.**
7. **El vino de Málaga.**
8. **La chica de Cuba.**

A 3   REMARQUES

■ Prononciation

- Toutes les lettres d'un mot espagnol se prononcent (sauf **h**).
- Le mot espagnol comporte toujours une **syllabe accentuée** prononcée sur un ton plus élevé.

  — Les mots qui se terminent par une **consonne**, **sauf ~n et ~s**, sont accentués sur la **dernière syllabe** (sans porter l'accent écrit).   Ex. : papel [pap**é**l]

  — Les mots qui se terminent par une **voyelle**, **ou ~n et ~s**, sont accentués sur **l'avant-dernière syllabe** (sans porter l'accent écrit).   Ex. : plato [pl**a**to]

  — Les mots qui n'obéissent pas à ces deux règles portent **l'accent écrit**.   Ex. : música [m**ou**ssika]

- La voyelle accentuée apparaît en caractères gras dans la transcription phonétique utilisée ici : [m**a**laga].
- **Les voyelles** espagnoles se prononcent comme en français sauf **e** qui se prononce comme le **é** français du mot *café* et **u** qui se prononce comme le mot *ou*.
- **Les consonnes** espagnoles se prononcent comme en français sauf :

  — **ñ** (n tilde) qui se prononce [ny] comme *~gne* dans *Espagne*.

  — **ll** (l mouillé) qui se prononce [ly] comme dans *lieu* au début d'un mot et [y] à l'intérieur d'un mot.

  — **ch** qui se pronònce [tch] comme dans *tchèque*.

  — **v** qui se prononce pratiquement comme la lettre **b** [b] surtout en début de mot.

(suite en B 3)

A 4   TRADUCTION

1. La nouvelle assiette.
2. La nouvelle valise.
3. Le nouveau papier.
4. La nouvelle année.
5. La nouvelle rue.
6. La nouvelle clef.
7. Le vin de Malaga.
8. La fille de Cuba.

B 1 PRÉSENTATION

- L'article indéfini masculin singulier est **un** [oun], *un*.
  L'article indéfini féminin singulier est **una** [**ou**na], *une*.

- **L'adjectif espagnol** est généralement placé après le nom auquel
  il se rapporte ; si cet adjectif est terminé par ~**o**, il forme son féminin en remplaçant le ~**o** par le ~**a**, s'il est terminé par ~**e**, il est
  invariable en genre (masculin, féminin).

el libro	[**li**bro]	*le livre*
un libro	[ou-n]	*un livre*
la hora	[**o**ra]	*l'heure*
una hora	[**ou**na]	*une heure*
el juego	[jou**é**go]	*le jeu*
un juego		*un jeu*
la caja	[k**a**ja]	*la caisse*
una caja		*une caisse*
un vaso	[b**a**sso]	*un verre*
una mesa	[m**é**ssa]	*une table*
un lápiz	[l**á**piz]	*un crayon*
una taza	[t**a**za]	*une tasse*
antiguo	[a-nt**i**gouo]	*ancien*
antigua	[a-nt**i**goua]	*ancienne*
grande	[gr**a**-ndé]	*grand*

B 2 APPLICATION

1. **El libro nuevo.**
2. **La hora antigua.**
3. **Un juego antiguo.**
4. **Una caja antigua.**
5. **Un vaso grande.**
6. **Una mesa grande.**
7. **Un lápiz nuevo.**
8. **Una taza grande.**

B 3 REMARQUES

■ Prononciation

- **s** se prononce toujours comme les deux s [ss] du mot français *cassé*.

- **r** est toujours **roulé**. Ce son est obtenu par le contact du bout de la langue contre le palais à un point proche de celui du **d** et en produisant l'effet d'une vibration.

- Le son du j français n'existe pas en espagnol. Le **j** espagnol, **la jota**, et le **g** devant **e** et **i** se prononcent comme le **ch** allemand de *Bach*. Ce son peut être obtenu à partir du r du mot *Paris* prononcé à la parisienne et accompagné d'un léger grattement de la gorge.
Dans la transcription phonétique utilisée, ce son est représenté par la lettre [j].

- Le son de **z** et celui de **c** devant **e** et **i** sont obtenus en plaçant l'extrémité de la langue, assez effilée, entre les dents légèrement écartées. Il est proche du son du **th** anglais. Ce son est représenté par la lettre [z].

- **an**, **on**, **en**, **in**, **un**. Le **n** s'entend toujours en espagnol, car il n'y a pas de son nasal. On prononcera donc [a-n, o-n, é-n, -i-n, ou-n]. Il en est de même avec **m** : **am** se prononce [a-m], etc.

- **gua**, **guo** se prononcent [goua], [gouo] mais **ga**, **go**, **gue** et **gui** se prononcent comme en français.

B 4 TRADUCTION

1. Le nouveau livre.
2. L'heure ancienne.
3. Un jeu ancien.
4. Une caisse ancienne.
5. Un grand verre.
6. Une grande table.
7. Un nouveau crayon.
8. Une grande tasse.

C 1   ÉNONCÉ

A. Compléter avec l'article défini *el* ou *la*

1. *la* .. hora
2. .. *el* .. vaso
3. . *la* . calle
4. *la* . chica
5. .. *el* papel
6. .. *el* año

B. Compléter avec l'article indéfini *un* ou *una*

1. *la* maleta
2. *un* lápiz
3. *un* juego
4. *un* libro
5. *una* taza
6. *una* llave

C. Compléter avec l'adjectif *nuevo* ou *nueva*

1. el plato *nuevo*
2. la taza . . . .
3. el papel . . .
4. la mesa . . .
5. el vaso . . . .
6. el lápiz . . . .

D. Traduire en espagnol

1. l'année nouvelle
2. un nouveau jeu
3. une grande tasse
4. une table ancienne
5. le vin nouveau de Malaga
6. un livre ancien

C 2   LAS PRIMERAS PALABRAS

buenos días	[bou**é**nos d**i**yas]
buenas tardes	[bou**é**nas t**a**rdés]
buenas noches	[bou**é**nas n**o**tchés]

señor	[sény**o**r]
señora	[sény**o**ra]
señorita	[sényor**i**ta]
señores	[sény**o**rés]
señoras	[sény**o**ras]

sí	
no	
bueno	[bou**é**no]
muy bien	[m**o**u**i** bi**é**-n]
adiós	[adi**ó**s]

C 3 CORRIGÉ

A.

1. la hora
2. el vaso
3. la calle
4. la chica
5. el papel
6. el año

B.

1. una maleta
2. un lápiz
3. un juego
4. un libro
5. una taza
6. una llave

C.

1. el plato nuevo
2. la taza nueva
3. el papel nuevo
4. la mesa nueva
5. el vaso nuevo
6. el lápiz nuevo

D.

1. el año nuevo
2. un juego nuevo
3. una taza grande
4. una mesa antigua
5. el vino nuevo de Málaga
6. un libro antiguo

C 4 TRADUCTION : Les premiers mots

bonjour (jusqu'au déjeuner)
bonjour (après le déjeuner)
bonsoir, bonne nuit

monsieur
madame
mademoiselle
messieurs
mesdames

oui
non
bon
très bien
au revoir

ESPAGNE :
les régions et leurs capitales

D 3   L'ESPAGNE

L'Espagne est située au sud-ouest de l'Europe. Elle occupe la majeure partie de la péninsule Ibérique, les îles Baléares et les îles Canaries, ainsi que **Ceuta** et **Melilla** situées au nord de l'Afrique. L'Espagne est baignée au nord-ouest par l'Atlantique, au sud et à l'est par la Méditerranée, **el Mediterráneo**. Sa surface est de 504 759 km² et sa population est actuellement de 39 600 000 habitants. Sa densité moyenne est de 78 habitants au km².

L'Espagne est divisée en 17 **Comunidades Autónomas**, *Communautés Autonomes*, qui regroupent 52 **provincias** qui correspondent à nos départements. Les **Comunidades** sont : **Andalucía**, *Andalousie*, **Aragón**, *Aragon*, **Asturias**, *Asturies*, **País Vasco**, *Pays Basque*, **Cantabria**, *Cantabrie*, **Castilla y León**, *Castille et Léon*, **Castilla-La Mancha**, *Castille-La Manche*, **Cataluña**, *Catalogne*, **Extremadura**, *Estrémadure*, **Galicía**, *Galice*, **Comunidad de Madrid**, *Communauté de Madrid*, **Región de Murcia**, *Région de Murcie*, **Navarra**, *Navarre*, **La Rioja**, *La Rioja*, **Comunidad Valenciana**, *Communauté de Valence*, **Canarias**, *Canaries*, et **Islas Baleares**, *les îles Baléares*. Depuis 1979 et 1982, ces 17 Communautés possèdent un statut d'autonomie et disposent chacune de **un Gobierno**, *un gouvernement*, et de **un Parlamento**, *un Parlement*, dont le nombre de membres est proportionnel à la population. Le pouvoir central demeure et dépendent de lui la justice, la politique extérieure, la planification de l'activité économique, la défense nationale, le système monétaire, les grands travaux et l'élaboration des lois de l'État. La nouvelle Constitution (6 décembre 1978) fait de l'Espagne un État démocratique, une monarchie parlementaire où le roi règne, mais ne gouverne pas.

Madrid, la capitale, est une agglomération de plus de 4 millions d'habitants, **Barcelona** en compte plus de 3,5 millions et des villes comme **Valencia**, **Sevilla** ou **Zaragoza** atteignent ou dépassent un million d'habitants.

A 1   PRÉSENTATION

● **Ser** [sér] *être*

Soy	[soï]	*Je suis*	**No soy**	*Je ne suis pas*	
Eres	[éré-s]	*Tu es*	**No eres**	*Tu n'es pas*	
Es	[é-s]	*Il est*	**No es**	*Il n'est pas*	

el muchacho	[moutchatcho]	*le jeune homme*
la muchacha		*la jeune fille*
un niño	[ninyo]	*un enfant*
una niña		*une enfant*
Pepito	[pépito]	*diminutif de Pepe (Joseph)*
Paquita	[pakita]	*diminutif de Paca (Françoise)*
español	[éspanyol]	*espagnol*
española		*espagnole*
pequeño	[pékényo]	*petit (garçon)*
pequeña	[pékénya]	*petite (fille)*

A 2   APPLICATION

1. Soy un muchacho.
2. Eres un niño.
3. Es español.
4. Soy una muchacha.
5. Eres una niña.
6. Es española.
7. Pepito es pequeño.
8. Paquita es pequeña.
9. El muchacho es español.
10. La muchacha es española.
11. No es un niño.
12. Es un muchacho.
13. No es una niña.
14. Es una muchacha.

2 Je ne suis pas un enfant

A 3 REMARQUES

Prononciation

- **Soy**, *je suis* se prononce comme le français [oïl] dans langue d'oïl.
- **Eres**, *tu es* : n'oubliez pas le **r** roulé.
- **Es**, *il est* : n'oubliez pas que le **s** espagnol se prononce comme deux s [ss] en français.
- Le groupe de lettres ~**qui**~ de **Paquita** se prononce comme en français.

Grammaire

- **Les pronoms sujets espagnols**, qui seront présentés à la leçon 4, ne s'emploient généralement pas. Ils sont inutiles puisque le verbe a des terminaisons différentes pour chaque personne. **Soy** suffit pour traduire *je suis*.
- **La forme négative** s'obtient en plaçant la négation **no** immédiatement avant le verbe.
- *c'est* se traduit simplement par **es**.

A 4 TRADUCTION

1. Je suis un jeune homme.
2. Tu es un enfant.
3. Il est espagnol.
4. Je suis une jeune fille.
5. Tu es une enfant.
6. Elle est espagnole.
7. Joseph est petit.
8. Françoise est petite.
9. Le jeune homme est espagnol.
10. La jeune fille est espagnole.
11. Ce n'est pas un enfant.
12. C'est un jeune homme.
13. Ce n'est pas une enfant.
14. C'est une jeune fille.

B 1   PRÉSENTATION

● **Ser** [sér] *être*

Somos	[so**mo**-s]	*Nous sommes*	**No somos**	*Nous ne sommes pas*
Sois	[sois]	*Vous êtes*	**No sois**	*Vous n'êtes pas*
Son	[so-n]	*Ils sont*	**No son**	*Ils ne sont pas*

los chicos	[**tchi**cos]	*les garçons*
las chicas		*les filles*
las sillas	[**si**yas]	*les chaises*
los cuadros	[kou**a**dros]	*les tableaux*
guapo	[gou**a**po]	*beau*
guapa		*belle, jolie*
viejo	[**bie**jo]	*vieux*
vieja		*vieille*
muy	[m**ou**i]	*très*

B 2   APPLICATION   ⓒⒹ

1. Somos chicas.
2. Sois guapas.
3. Son muy guapas.
4. Somos chicos.
5. No sois niños.
6. No son muy viejos.
7. Es guapa.
8. Es una chica guapa.
9. Son guapas.
10. Son chicas muy guapas.
11. Es un cuadro antiguo.
12. Son cuadros antiguos.
13. Es una silla muy vieja.
14. Son sillas muy viejas.

B 3 REMARQUES

■ Prononciation

- Rappel : attention à la prononciation de la **jota** [j] dans le mot **viejo** (p. 15).
- **s** à la fin d'un mot se prononce toujours [somo-s].
- **on** ; le **n** s'entend toujours ; on doit prononcer [o-n].

■ Grammaire

- Rappel : **les pronoms sujets espagnols**, qui seront présentés à la leçon 4, ne s'emploient généralement pas.
- **Le pluriel** des noms terminés par une voyelle se forme en ajoutant un ~**s** et celui des mots terminés par une consonne en ajoutant ~**es**.
- Pluriel des articles définis : **el** devient **los** et **la** devient **las**.
- Les articles indéfinis **un** et **una** ne sont pas utilisés au pluriel.
- **L'adjectif** s'accorde avec le nom auquel il se rapporte.
- *c'est* se traduit par **es** et *ce sont* par **son**.

B 4 TRADUCTION

1. Nous sommes des filles.
2. Vous êtes jolies.
3. Elles sont très jolies.
4. Nous sommes des garçons.
5. Vous n'êtes pas des enfants.
6. Ils ne sont pas très vieux.
7. Elle est jolie.
8. C'est une jolie fille.
9. Elles sont jolies.
10. Ce sont des filles très jolies.
11. C'est un tableau ancien.
12. Ce sont des tableaux anciens.
13. C'est une chaise très vieille.
14. Ce sont des chaises très vieilles.

C 1 ÉNONCÉ

A. Conjuger le verbe *ser*

. . . .

B. Mettre au pluriel

1. Soy un chico.
2. Eres guapa.
3. El cuadro es antiguo.
4. Soy española.
5. Eres una muchacha.
6. Es la silla.

C. Mettre au singulier

1. Somos pequeños.
2. No sois muchachos.
3. Las sillas son viejas.
4. Somos los chicos.
5. Sois guapas.
6. Son cuadros.

D. Traduire

1. Je suis une fille.
2. Tu es jolie.
3. Le tableau est ancien.
4. Nous sommes petits.
5. Vous n'êtes pas vieux.
6. Les chaises sont neuves.

C 2 LA NUMERACIÓN

1 uno (un, una)
  un plato
  una maleta
2 dos
  dos platos
  dos maletas
3 tres
4 cuatro
5 cinco
6 seis
7 siete
8 ocho
9 nueve
10 diez

11 once
  once platos
12 doce
  doce maletas
13 trece
14 catorce
15 quince
16 dieciséis
17 diecisiete
18 dieciocho
19 diecinueve
20 veinte

C 3 CORRIGÉ

A.

soy   eres   es   somos   sois   son

B.

1. Somos chicos.
2. Sois guapas.
3. Los cuadros son antiguos.
4. Somos españolas.
5. Sois muchachas.
6. Son las sillas.

C.

1. Soy pequeño.
2. No eres un muchacho.
3. La silla es vieja.
4. Soy el chico.
5. Eres guapa.
6. Es un cuadro.

D.

1. Soy una chica.
2. Eres guapa.
3. El cuadro es antiguo.
4. Somos pequeños.
5. No sois viejos.
6. Las sillas son nuevas.

C 4 REMARQUES sur la numération

■ La forme **uno** ne se présente que lorsque ce chiffre n'est pas suivi d'un nom.

uno, dos, tres, ...   *un, deux, trois, ...*

■ Devant un nom **uno** devient **un** (masc.) ou **una** (fém.) et s'emploie comme article indéfini.

un plato   *une assiette*
una maleta   *une valise*

D 3 LES ESPAGNOLS

Au cours des dernières années, l'Espagne a changé à une vitesse vertigineuse. De grands événements en 1992 — l'Exposition Universelle à Séville, les Jeux Olympiques à Barcelone, le 500e anniversaire de la découverte de l'Amérique, Madrid capitale culturelle de l'Europe — ont fait découvrir ou redécouvrir l'Espagne. En dépit des bouleversements intervenus dans les domaines économiques, politiques, culturels et sociaux, le peuple espagnol a su conserver son identité profonde. Les nombreuses invasions, certaines très longues, qu'a connues le pays ont forgé un homme unique, complexe, souvent plein de contradictions, dont les caractéristiques générales sont les suivantes : sens parfois exacerbé de l'honneur, fierté, individualisme mais goût pour la famille, pour les échanges animés, parfois grandiloquents, générosité, fidélité en amitié, sens de l'hospitalité et surtout un plaisir de vivre le moment présent, un amour profond de la vie.

Ces traits communs au peuple espagnol n'ont pas effacé toutefois les différences notables qui existent entre les habitants du Nord, du Sud, de l'Est et du Centre. Le régionalisme est une réalité bien visible. Les Andalous sont de loin le peuple d'Espagne le plus exubérant, insouciant et plein d'humour. Les Galiciens sont tout le contraire, austères, réservés, traditionalistes. Les Basques sont tenus pour de gros travailleurs, silencieux, voire taciturnes, sobres, acharnés. Les Catalans partagent avec les Basques le désir de rompre ou du moins de prendre leurs distances avec le reste du pays ; ils sont travailleurs, entreprenants, bons commerçants, fiers d'être Catalans, ouverts sur le monde extérieur. Les Castillans sont réputés pour leur sérieux, parfois leur austérité, leur application, leur sens du devoir.

Cette diversité n'empêche pas que chacun se sente espagnol, prompt à se dénigrer mais fier du passé glorieux qu'il partage avec les autres peuples d'Espagne.

3 ¿ Está contento ?

● **Estar** *être*

Estoy	[éstoï]	*Je suis*	¿ Estoy ?	*Suis-je ?*
Estás	[ésta-s]	*Tu es*	¿ Estás ?	*Es-tu ?*
Está	[ésta]	*Il est*	¿ Está ?	*Est-il ?*

el campo	[ka-mpo]	*la campagne*
en el campo	[é-n]	*à la campagne*
la casa	[kassa]	*la maison*
en casa		*à la maison*
el hombre	[o-mbré]	*l'homme*
en Lima		*à Lima*
Pedro	[pédro]	*Pierre*

contento	[ko-nté-nto]	*content*
enfermo	[é-nférmo]	*malade*
triste	[tristé]	*triste*

sí		*oui*
no		*non*

A 2 APPLICATION

1. Estoy contento.
2. ¿ Estoy contento ?
3. Estás triste.
4. ¿ No estás contenta ?
5. El hombre no está triste.
6. ¿ Está triste ?
7. ¿ Estás en Lima ?
8. — Sí, estoy en Lima.
9. ¿ Está Pedro en casa ?
10. — No, está en el campo.
11. ¿ Estás enfermo ?
12. — No, no estoy enfermo.

3 | Est-il content ?

A 3 REMARQUES

■ Prononciation

- Rappel : le **s** espagnol se prononce comme les deux s contenus dans le mot français *cassé*.
- Rappel : il n'y a pas de son nasal en espagnol. Le **n** s'entend toujours : **on**, **en**, **in**, **an**, **un** se prononcent [o-n] [é-n] [i-n] [a-n] [ou-n].
- Le **h** ne se prononce jamais en espagnol : **hombre** [**o**-mbré].

■ Grammaire

- **L'interrogation** se forme en inversant le verbe et le sujet. Le pronom personnel sujet étant très souvent omis en espagnol, l'intonation seule permet de distinguer l'interrogation dans la langue parlée. Un point d'interrogation inversé est placé au début de la question écrite.
- Lorsqu'il n'y a pas mouvement, la préposition française *à* se traduit **en** en espagnol :

Estoy en Lima. *Je suis à Lima.*

- Rappel : l'adjectif espagnol terminé par ~**e** est invariable en genre (masculin, féminin).

A 4 TRADUCTION

1. Je suis content.
2. Suis-je content ?
3. Tu es triste.
4. N'es-tu pas contente ?
5. L'homme n'est pas triste.
6. Est-il triste ?
7. Es-tu à Lima ?
8. — Oui, je suis à Lima.
9. Pierre est-il à la maison ?
10. — Non, il est à la campagne.
11. Es-tu malade ?
12. — Non, je ne suis pas malade.

B 1 PRÉSENTATION

● **Estar** *être*

Estamos	[éstamo-s]	*Nous sommes*	¿ **Estamos** ?	*Sommes-nous ?*
Estáis	[éstaïs]	*Vous êtes*	¿ **Estáis** ?	*Êtes-vous ?*
Están	[ésta-n]	*Ils sont*	¿ **Están** ?	*Sont-ils ?*

la playa	[playa]	*la plage*
la escuela	[éskouéla]	*l'école*
el paseo	[passéo]	*la promenade*
el señor	[sényor]	*le monsieur*
la señora	[sényora]	*la dame*
en Madrid	[madriz]	*à Madrid*
en París	[Pari-s]	*à Paris*
bueno	[bouéno]	*en bonne santé*
cansado	[ka-nsado]	*fatigué*
malo		*malade*
y	[i]	*et*

B 2 APPLICATION

1. Estamos buenos.
2. No estamos malos.
3. ¿ Estáis buenas ?
4. — No estamos malas.
5. El señor está cansado.
6. La señora está cansada.
7. Están cansados.
8. ¿ Estáis en Madrid ?
9. — No, no estamos en Madrid.
10. Estamos en París.
11. ¿ Están los niños en la escuela ?
12. — No, están en la playa.
13. ¿ Estáis cansadas ?
14. — Sí, estamos muy cansadas.

B 3   REMARQUES

■ Prononciation

- Rappel : le **r** espagnol est toujours **roulé**.
- Le **d** final espagnol peut être prononcé comme un **z** affaibli (prononciation madrilène) ou pas du tout : **Madrid** [madri**z**] ou [madri].

■ Grammaire

- Il y a **deux verbes** *être* en espagnol : **ser** et **estar**.
  Ser exprime l'existence de qualités essentielles à un être ou à une chose.
  Estar exprime une circonstance, durable ou non ; il désigne le lieu où quelqu'un se trouve (p. 350).
- Certains adjectifs changent complètement de sens selon qu'ils sont employés avec **ser** ou avec **estar** :

ser bueno	*bon*	**estar bueno**	*en bonne santé*
ser malo	*méchant*	**estar malo**	*malade*
ser cansado	*fatigant*	**estar cansado**	*fatigué*

- **Les adjectifs** ou **participes passés** employés avec **ser** ou **estar** s'accordent en genre et en nombre avec le (ou les) sujet(s).

B 4   TRADUCTION

1. Nous sommes en bonne santé.
2. Nous ne sommes pas malades.
3. Êtes-vous en bonne santé ?
4. — Nous ne sommes pas malades.
5. Le monsieur est fatigué.
6. La dame est fatiguée.
7. Ils sont fatigués.
8. Êtes-vous à Madrid ?
9. — Non, nous ne sommes pas à Madrid.
10. Nous sommes à Paris.
11. Les enfants sont-ils à l'école ?
12. — Non, ils sont à la plage.
13. Êtes-vous fatiguées ?
14. — Oui, nous sommes très fatiguées.

C 1 ÉNONCÉ

A. Conjuger le verbe *estar*

. . . .

B. Mettre au pluriel

1. Estoy bueno.
2. Estás mala.
3. Está contento.
4. La señora está cansada.
5. El chico está en casa.
6. La niña está triste.

C. Faire la question correspondante

1. La señora está en casa.
2. Está mala.
3. La casa está en Madrid.
4. Las señoras están en Lima.
5. Están contentas.
6. No están tristes.

D. Traduire

1. Êtes-vous à Madrid ?
2. Sont-ils contents ?
3. Sommes-nous en bonne santé ?
4. Nous ne sommes pas à Madrid.
5. Il ne sont pas tristes.
6. Vous n'êtes pas malades.

C 2 LA NUMERACIÓN (continuación)

20 veinte	21 veintiuno
	29 veintinueve
30 treinta	33 treinta y tres
40 cuarenta	44 cuarenta y cuatro
50 cincuenta	55 cincuenta y cinco
60 sesenta	66 sesenta y seis
70 setenta	77 setenta y siete
80 ochenta	88 ochenta y ocho
90 noventa	99 noventa y nueve
100 ciento	cien maletas
	cien libros

105 ciento cinco
167 ciento sesenta y siete

C 3   CORRIGÉ

A.

estoy   estás   está   estamos   estáis   están

B.

1. Estamos buenos.
2. Estáis malas.
3. Están contentos.

4. Las señoras están cansadas.
5. Los chicos están en casa.
6. Las niñas están tristes.

C.

1. ¿ Está la señora en casa ?
2. ¿ Está mala ?
3. ¿ Está la casa en Madrid ?

4. ¿ Están las señoras en Lima ?
5. ¿ Están contentas ?
6. ¿ No están tristes ?

D.

1. ¿ Estáis en Madrid ?
2. ¿ Están contentos ?
3. ¿ Estamos buenos ?

4. No estamos en Madrid.
5. No están tristes.
6. No estáis malos.

C 4   REMARQUES sur la numération (suite)

■ **y** ne s'emploie qu'entre les dizaines et les unités.

■ De 16 à 29 inclus, au lieu de **diez y seis**, . ., **veinte y nueve**, il est préférable d'écrire : **dieciséis, diecisiete, dieciocho, diecinueve, veintiuno (veintiún chicos, veintiuna chicas), veintidós, veintitrés, veinticuatro, veinticinco, veintiséis, veintisiete, veintiocho, veintinueve**.

■ La forme **ciento** ne se présente que devant un autre numéral de dizaines ou d'unités.
Ciento devient **cien** lorsqu'il est suivi d'un nom ou d'un numéral supérieur à la centaine (**mil, millón**).

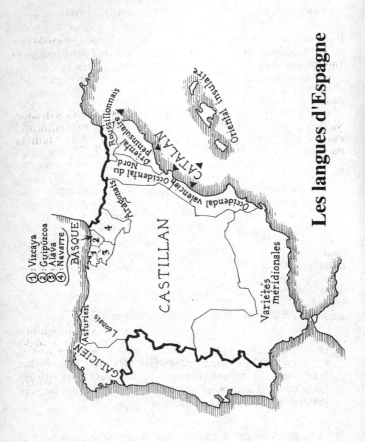

Les langues d'Espagne

CASTILLAN

CATALAN

GALICIEN

BASQUE

① : Vizcaya
② : Guipúzcoa
③ : Álava
④ : Navarre

Asturien

Léonais

Aragonais

Roussillonnais

Oriental péninsulaire

Occidental valencien du Nord

Occidental valencien

Oriental insulaire

Variétés méridionales

D 3 | L'ESPAGNOL DANS LE MONDE

L'espagnol est la langue officielle nationale de l'Espagne mais plusieurs Communautés Autonomes pratiquent des langues régionales qui ont, à côté de l'espagnol, le rang de langue officielle régionale : *le catalan*, **el catalán** en Catalogne, *le basque*, **el vasco** ou **euskerra**, au Pays Basque, *le galicien*, **el gallego** en Galice, *le valencien*, **el valenciano**, dans la Communauté valencienne.

L'espagnol est aussi la langue officielle de la *Guinée équatoriale*, **Guinea Ecuatorial**. Enfin c'est la langue officielle de nombreux pays d'Amérique latine : **México**, **Guatemala**, **Honduras**, **El Salvador**, **Nicaragua**, **Costa Rica**, **Panamá**, **Cuba**, **República Dominicana**, **Puerto Rico**, **Venezuela**, **Colombia**, **Ecuador**, **Perú**, **Bolivia**, **Paraguay**, **Uruguay**, **Argentina** et **Chile**. Il faut y ajouter les nombreux émigrés hispanophones qui sont installés aux États-Unis (Floride, Californie, New York, Chicago) où 10 % de la population est de souche hispanique. On estime qu'au début du XXIᵉ siècle, l'espagnol sera la langue maternelle de plus de 500 millions de personnes.

Certains pays d'Amérique latine sont bilingues, ils parlent espagnol mais n'ont pas pour autant oublié leur propre langue indienne : le **guaraní** au Paraguay, le **quechua** dans les pays andins, l'**arawak**, le **chibcha** et le **maya** en Amérique centrale, le **nahuatl** au Mexique.

Les différences entre l'espagnol d'Espagne et celui d'Amérique portent essentiellement sur le vocabulaire et parfois sur des structures grammaticales. Par exemple, bon nombre des pays d'Amérique utilisent, au lieu de la deuxième personne du pluriel (**vosotros tenéis vuestro libro**), la troisième personne du pluriel avec **Ustedes** (**ustedes tienen su libro**) et donc ne font pas de différence au pluriel entre le tutoiement et le vouvoiement. Quelques autres, l'Argentine, le Chili et l'Urugay particulièrement, pratiquent le **voseo** : au lieu de **tú tienes un libro**, ils utilisent **vos** suivi de la deuxième personne du pluriel modifiée, **vos tenés un libro**, *tu as un livre*.

Tengo mi libro

A 1 PRÉSENTATION

yo		*je*	**mi(s)**	*mon, ma, (mes)*
tú	[tou]	*tu*	**tu(s)** [tou]	*ton, ta, (tes)*
él, ella	[**é**ya]	*il, elle*	**su(s)** [sou]	*son, sa, (ses)*

- **Tener** *avoir*

  (Yo) tengo [t**é**-ngo] **mi libro.** *J'ai mon livre.*
  (Tú) tienes [t**ié**né-s] **tu carta.** *Tu as ta lettre.*
  (Él) tiene [t**ié**né] **su libro.** *Il a son livre.*
  (Ella) tiene sus periódicos. *Elle a ses journaux.*

el cuarto	[kou**a**rto]	*la chambre, la pièce*
el hermano	[**é**rm**a**no]	*le frère*
la hermana		*la sœur*
el hijo	[**i**jo]	*le fils*
la hija		*la fille*
el periódico	[p**é**ri**o**diko]	*le journal*
la ventana	[b**é**-nt**a**na]	*la fenêtre*
varios/as	[b**a**rio-s]	*plusieurs*

A 2 APPLICATION

1. Yo tengo mi carta.
2. Tú tienes tus periódicos.
3. Él tiene sus cartas.
4. Ella tiene su periódico.
5. ¿ Tienes el periódico del 8 ?
6. — No, tengo el periódico del 10.
7. ¿ Tiene tu hermana mi carta ?
8. — No, no tiene tu carta.
9. ¿ Tiene tu hermano hijos ?
10. — Sí, tiene un hijo y dos hijas.
11. ¿ Tiene su casa varios cuartos ?
12. — Sí, su casa tiene cinco cuartos.
13. ¿ Tiene su cuarto varias ventanas ?
14. — Sí, su cuarto tiene cuatro ventanas.

4   J'ai mon livre

A 3   REMARQUES

■ Prononciation

- Rappel : attention à la prononciation de la **jota** [j], le **j** espagnol ou le **g** devant **e** et **i**, (p. 15).

■ Grammaire

- Le verbe **tener** *avoir* signifie *posséder*. Il n'est pas employé comme auxiliaire.

- Les pronoms personnels sujets **yo**, **tú**, **él**, **ella** sont généralement omis. On les emploie seulement pour la clarté, **él tiene** *il a*, **ella tiene** *elle a*, ou pour insister : **yo tengo** *moi, j'ai*.

- Les adjectifs possessifs **mi**, **tu**, **su**, s'accordent en nombre (singulier-pluriel) avec le nom qu'ils précèdent. À la troisième personne, s'il y a doute, on peut ajouter **de él** ou **de ella** : **su casa de él**, **su casa de ella**.

- Il n'y a **pas d'article partitif** en espagnol : **tiene pan**, *il a du pain* ; **no tiene libro**, *il n'a pas de livre*.

- **Del**, contraction de **de** + **el**, correspond au français *du*, contraction de *de* + *le*.

A 4   TRADUCTION

1. Moi, j'ai ma lettre.
2. Toi, tu as tes journaux.
3. (Lui) il a ses lettres.
4. (Elle) elle a son journal.
5. As-tu le journal du 8 ?
6. — Non, j'ai le journal du 10.
7. Ta sœur a-t-elle ma lettre ?
8. — Non, elle n'a pas ta lettre.
9. Ton frère a-t-il des enfants ?
10. — Oui, il a un fils et deux filles.
11. Sa maison a-t-elle plusieurs pièces ?
12. — Oui, sa maison a cinq pièces.
13. Sa chambre a-t-elle plusieurs fenêtres ?
14. — Oui, sa chambre a quatre fenêtres.

B 1   PRÉSENTATION

nosotros/as	*nous*	**nuestro/a/os/as**	*notre, nos*
vosotros/as	*vous*	**vuestro/a/os/as**	*votre, vos*
ellos, ellas	*ils, elles*	**su(s)**	*leur, leurs*

● **Tener** *avoir*

(Nosotros) tenemos nuestro coche.	*Nous avons notre voiture.*
(Vosotras) tenéis vuestras ideas.	*Vous avez vos idées.*
(Ellos) tienen su coche.	*Ils ont leur voiture.*
(Ellas) tienen sus costumbres	*Elles ont leurs habitudes.*

el amigo		*l'ami*
el billete	[biy**é**té]	*le billet*
el bolígrafo		*le crayon à bille*
el coche	[k**o**tché]	*la voiture*
la costumbre	[kost**ou**mbré]	*l'habitude, la coutume*
el dinero	[din**é**ro]	*l'argent*
la idea	[id**é**a]	*l'idée*
también	[ta-mbi**é**n]	*aussi*

B 2   APPLICATION

1. **Nosotras tenemos nuestro coche.**
2. **Vosotros tenéis vuestras costumbres.**
3. **Ellos tienen su coche.**
4. **Ellas tienen sus ideas.**
5. **¿ Tienen ellos su coche ?**
6. **— Sí, tienen su coche.**
7. **¿ Tenéis vuestros bolígrafos ?**
8. **— Sí, tenemos nuestros bolígrafos.**
9. **¿ Tenemos nuestros billetes ?**
10. **— Si, tenéis vuestros billetes.**
11. **¿ Tienen vuestros amigos dinero ?**
12. **— Sí, nuestros amigos tienen dinero.**
13. **¿ Tenéis dinero también ?**
14. **— No, no tenemos dinero.**
15. **Nuestros amigos tienen sus ideas.**
16. **Tienen sus costumbres también.**

Ils ont leur voiture

B 3   REMARQUES

Prononciation

- Rappel : **ch** espagnol se prononce [tch] : **coche** [c**o**tché] *voiture*.
- Attention à l'accentuation : **tenemos** [tén**é**mo-s], **tenéis** [tén**é**-is], **tienen** [ti**é**né-n]

Grammaire

- Les pronoms personnels sujets **nosotros**, **vosotros**, **ellos**, ont une forme féminine : **nosotras**, **vosotras**, **ellas**.
  Ils sont généralement inutiles puisque le verbe a une terminaison différente pour chaque personne.
  Si le pronom sujet représente un groupe mixte, le masculin l'emporte sur le féminin, comme en français.

- Les adjectifs possessifs **nuestro** et **vuestro** s'accordent en genre (masculin, féminin) et en nombre (singulier, pluriel) avec le nom qu'ils précèdent.
  L'adjectif possessif **su(s)** s'emploie aux troisièmes personnes du singulier et du pluriel. Il traduit donc *son*, *sa*, *leur*, devant un nom singulier et *ses*, *leurs*, devant un nom pluriel.

B 4   TRADUCTION

1. Nous, nous avons notre voiture.
2. Vous, vous avez vos habitudes.
3. (Eux) ils ont leur voiture.
4. (Elles) elles ont leurs idées.
5. Ont-ils leur voiture ?
6. — Oui, ils ont leur voiture.
7. Avez-vous vos crayons à bille ?
8. — Oui, nous avons nos crayons à bille.
9. Avons-nous nos billets ?
10. — Oui, vous avez vos billets.
11. Vos amis ont-ils de l'argent ?
12. — Oui, nos amis ont de l'argent.
13. Avez-vous aussi de l'argent ?
14. — Non, nous n'avons pas d'argent.
15. Nos amis ont leurs idées.
16. Ils ont aussi leurs habitudes.

4 Exercices

A. Conjuger le verbe *tener*

....

B. Mettre au singulier
1. Tenemos nuestras llaves.
2. Tenéis vuestras tazas.
3. Tienen sus platos.
4. Tenemos vino.
5. Tenéis vuestros vasos.
6. Tienen sus sillas.

C. Mettre au pluriel
1. Tengo mi libro.
2. Tienes tu bolígrafo.
3. Tiene dinero.
4. Tengo mi billete.
5. Tienes tu llave.
6. Tiene su periódico.

D. Traduire
1. Moi, j'ai mes tableaux.
2. Toi, tu as tes journaux.
3. Il a ses habitudes.
4. Elle a ses idées.
5. Nous, nous avons notre clef.
6. Vous, vous avez vos tasses.
7. Ils ont leurs maisons.
8. Elles ont leur voitures.

C 2 LA NUMERACIÓN (continuación)

200	doscientos (as)	1 000	mil
	doscientos chicos	1 001	mil uno
300	trescientos (as)	2 000	dos mil
	trescientas chicas	100 000	cien mil
400	cuatrocientos (as)	500 000	quinientos mil
500	quinientos (as)	1 000 000	un millón
600	seiscientos (as)	2 000 000	dos milliones
700	setecientos (as)	1 000 000 000	mil millones
800	ochocientos (as)	2,50	dos y medio
900	novecientos (as)	10,25	diez coma vienticinco

1 531 724 euros : un millón quinientos treinta y un mil setecientos veinticuatro euros.

3 741 963 euros : tres millones setecientas cuarenta y un mil novecientas sesenta y tres euros.

C 3 CORRIGÉ

A.

tengo   tienes   tiene   tenemos   tenéis   tienen

B.

1. Tengo mi llave.
2. Tienes tu taza.
3. Tiene su plato.

4. Tengo vino.
5. Tienes tu vaso.
6. Tiene su silla.

C.

1. Tenemos nuestros libros.
2. Tenéis vuestros bolígrafos.
3. Tienen dinero.

4. Tenemos nuestros billetes.
5. Tienéis vuestras llaves.
6. Tienen sus periódicos.

D.

1. Yo, tengo mis cuadros.
2. Tú, tienes tus periódicos.
3. (Él) tiene sus costumbres.
4. (Ella) tiene sus ideas.

5. (Nosotros) tenemos nuestra llave.
6. (Vosotros) tenéis vuestras tazas.
7. (Ellos) tienen sus casas.
8. (Ellas) tienen sus coches.

C 4 REMARQUES sur la numération (suite)

■ De 200 à 900, les centaines se terminent par **~as** devant les noms féminins : **doscientas euros, trescientas casas**, etc.

■ **Mil** est invariable en tant que numéral. Il peut être mis au pluriel dans le sens de *millier*.

■ Le mot espagnol **millón** se comporte comme un nom. Il prend la forme du pluriel : **dos millones** ; s'il n'est pas séparé du nom auquel il se rapporte par un autre numéral, on intercale, comme en français, la préposition **de** : **dos millones de euros**.

■ Le mot français *milliard* se traduit en espagnol **mil millones**.

■ **uno y medio**   *un et demi*
   dos y media   *deux et demie*
   coma .   *virgule*

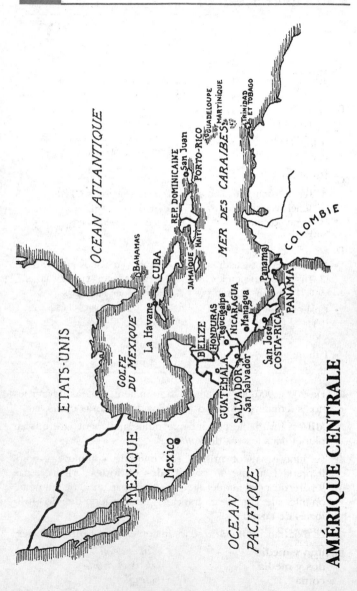

AMÉRIQUE CENTRALE

D 3 MEXIQUE, AMÉRIQUE CENTRALE ET ANTILLES

- Le Mexique, **México** : 2 000 000 km², 90 000 000 d'h. La capitale est **México DF** (**distrito federal**), plus de 20 000 000 d'h. La monnaie est le **peso**. Pays agricole et industriel, grosses réserves de pétrole, membre d'un marché commun qu'il forme avec le Canada et les États-Unis.

- Le **Guatemala**, 110 000 km², 10 000 000 d'h. La capitale est (**Ciudad de**) **Guatemala**, 2 500 000 d'h. La monnaie est le **quetzal**. Pays essentiellement agricole et gros producteur de bananes.

- **Honduras**, 110 000 km², 5 500 000 d'h. La capitale est **Tegucigalpa** (800 000 h.). La monnaie est le **lempira**. Pays agricole (café, banane, coton, canne à sucre).

- Le Salvador, **El Salvador**, 21 000 km², 5 500 000 d'h. La capitale est **San Salvador** (plus de 2 500 000 h.) La monnaie est le **colón**. Pays agricole (café, coton, canne à sucre, tabac, fruits).

- **Nicaragua**, 130 000 km², 4 500 000 d'h. La capitale est **Managua** (1 000 000 h.). La monnaie est le **córdoba**. Pays agricole (café, canne à sucre, coton, viande) et industriel (bière, sucre).

- **Costa Rica**, 51 000 km², 3 400 000 d'h. La capitale est **San José** (900 000 h.). La monnaie est le **colón**. Pays agricole (banane, café, canne à sucre, cacao, fruits).

- **Panamá**, 77 000 km², 2 500 000 d'h. La capitale est **Panamá**, (1 000 000 h.). La monnaie est le **balbao**. Le secteur tertiaire fait la richesse du pays (canal, oléoduc, pavillons de complaisance), banques.

- **Cuba**, 110 000 km², 11 000 000 d'h. La capitale est **La Habana** (2 400 000 d'h.). La monnaie est le **peso**. Pays agricole (canne à sucre, tabac, fruits, élevage) et essor récent du tourisme.

- La République Dominicaine, **República Dominica**, 50 000 km², 7 000 000 d'h. La capitale est **Santo Domingo** (2 600 000 h.). La monnaie est le **peso**. Pays agricole (café, cacao, canne à sucre, bananes) et minier (nickel, or) ; tourisme important.

- Porto Rico, **Puerto Rico**, 8 900 km², 3 700 000 d'h. La capitale est **Sans Juan** (1 200 000 h.). La monnaie est le **dólar** (État libre associé aux États-Unis depuis 1952). Pays agricole et surtout industriel (agro-alimentaire, pharmacie, électronique, cosmétique, textile) ; tourisme.

A 1   PRÉSENTATION

- **T.S.** tutoiement singulier   **V.S.** vouvoiement singulier

(Tú) tienes *Tu as*	Usted (Ud) tiene *Vous avez*

T.S.	**Tienes tu pasaporte.**	*Tu as ton passeport.*
V.S.	**Ud tiene su pasaporte**	*Vous avez votre passeport.*
V.S.	**¿ Qué tiene Ud ?**	*Qu'avez-vous?*
V.S.	**¿ Tiene Ud mi cartera ?**	*Avez-vous ma serviette ?*
	— Sí, tengo su cartera.	*— Oui, j'ai votre serviette.*

la cartera	[kartéra]	*la serviette, le porte-documents*
el guardia	[gouardia]	*l'agent (de police)*
el médico	[médiko]	*le médecin*
el pasaporte	[passaporté]	*le passeport*
el vecino	[bézino]	*le voisin*
por favor		*s'il vous plaît*
¿ qué ?	[ké]	*que ? quoi ?*
¿ quién ?	[kié-n]	*qui ?*

A 2   APPLICATION

1. ¿ Qué tengo ?
2. — Tienes tu pasaporte.
3. — Ud tiene su pasaporte.
4. ¿ Qué tienes ?
5. ¿ Qué tiene Ud ?
6. — Tengo mi cartera.
7. ¿ Quién soy ?
8. — Eres el médico.
9. — Ud es el médico.
10. ¿ Quién eres ?
11. — Soy tu amigo.
12. ¿ Quién es Ud ?
13. — Soy su vecino.
14. Soy un guardia.
15. ¿ Tiene Ud su pasaporte, por favor ?

A 3   REMARQUES

■ Prononciation

- Rappel : attention à la prononciation du mot **vecino**, *voisin*. Le **c** devant **e** et **i** se prononce comme le **z** [z] en plaçant l'extrémité de la langue entre les dents (p. 15).

■ Grammaire

- **T.S. (tutoiement singulier) :** en espagnol, si l'on s'adresse familièrement à une personne, on emploie comme en français le pronom **tú** suivi de la 2ᵉ personne du singulier.

- **V.S. (vouvoiement singulier) :** si l'on s'adresse respectueusement à quelqu'un, on emploie le pronom **usted**, que l'on écrit en abrégé **Ud**, suivi de la 3ᵉ personne du singulier. **Usted** est la contraction d'une forme ancienne **Vuestra Merced**, *Votre Grâce*, qui était évidemment suivie de la 3ᵉ personne du singulier.

- **L'adjectif possessif** correspondant à **Ud (usted)** est, très logiquement, celui de la 3ᵉ personne, c'est-à-dire **su(s)** : **Ud tiene su libro**, *vous avez votre livre*.

- Les mots interrogatifs portent toujours l'accent écrit : **¿ Qué ?**, **¿ Quién ?**, **¿ Dónde ?**, **¿ Cómo ?**, etc.

A 4   TRADUCTION

1. Qu'ai-je ?
2. — Tu as ton passeport.
3. — Vous avez votre passeport. (V.S.)
4. Qu'as-tu ?
5. Qu'avez-vous ? (V.S.)
6. — J'ai ma serviette (mon porte-documents).
7. Qui suis-je ?
8. — Tu es le médecin.
9. — Vous êtes le médecin. (V.S.)
10. Qui es-tu ?
11. — Je suis ton ami.
12. Qui êtes-vous ? (V.S.)
13. — Je suis votre voisin. (V.S.)
14. Je suis un agent (de police).
15. Avez-vous votre passeport, s'il vous plaît ? (V.S.)

B 1 PRÉSENTATION

• **T.P.** tutoiement pluriel   **V.P.** vouvoiement pluriel

(Vosotros) tenéis *Vous avez* **Ustedes (Uds) tienen** *Vous avez*

T.P.	**Tenéis vuestras cartas.**	*Vous avez vos lettres.*
V.P.	**Uds tienen sus cartas.**	*Vous avez vos lettres.*
V.P.	**¿ Qué tienen Uds ?**	*Qu'avez-vous?*
V.P.	**¿ Tienen Uds mi libro ?**	*Avez-vous mon livre ?*
	— Sí, tenemos su libro.	*— Oui, nous avons votre livre.*

el estudiante	[éstoudi-**a**-nté]	*l'étudiant*
la oficina	[ofi**z**ina]	*le bureau*
la universidad	[ounivérsid**az**]	*l'université*
gracias	[gr**a**cia-s]	*merci*
también	[ta-mbi**é**-n]	*aussi*
¿ quiénes ?	[ki**é**nés]	*qui ?*
¿ dónde ?	[d**o**-ndé]	*où ?*
¿ cómo ?	[c**o**mo]	*comment ?*

B 2 APPLICATION

1. ¿ Qué tenemos ?
2. — Tenéis vuestros libros.
3. — Uds tienen sus libros.
4. ¿ Quiénes sois ?
5. — Somos vuestros vecinos.
6. ¿ Quiénes son Uds ?
7. — Somos sus estudiantes de español.
8. ¿ Cómo estáis ?
9. ¿ Cómo están Uds ?
10. — Estamos muy bien, gracias.
11. ¿ Dónde estáis ?
12. — Estamos en la oficina.
13. ¿ Dónde está vuestra oficina ?
14. ¿ Dónde están Uds ?
15. — Estamos en la universidad.
16. ¿ Dónde está la universidad ?

B 3   REMARQUES

■ **T.P. (tutoiement pluriel) : vosotros** est suivi de la 2ᵉ personne du pluriel.

■ **V.P. (vouvoiement pluriel) :** en espagnol, si l'on s'adresse respectueusement à plusieurs personnes, on emploie le pluriel de **usted**, c'est-à-dire **ustedes**, que l'on écrit **Uds** en abrégé, suivi de la 3ᵉ personne du pluriel.

■ Récapitulation : le *vous* français se traduit de trois manières différentes en espagnol :
    T.P. : vosotros + 2ᵉ personne du pluriel
    V.S. : Ud (usted) + 3ᵉ personne du singulier
    V.P. : Uds (ustedes) + 3ᵉ personne du pluriel

■ **L'adjectif possessif** correspondant à **Uds (ustedes)** est évidemment celui de la 3ᵉ personne, c'est-à-dire **su(s) :**
    Uds tienen su coche, *vous avez votre voiture*
    sus amigos son estudiantes, *vos amis sont étudiants*

B 4   TRADUCTION

1. Qu'avons-nous ?
2. — Vous avez vos livres. (T.P.)
3. — Vous avez vos livres. (V.P.)
4. Qui êtes-vous ? (T.P.)
5. — Nous sommes vos voisins. (T.P.)
6. Qui êtes-vous ? (V.P.)
7. — Nous sommes vos étudiants d'espagnol. (V.P.)
8. Comment allez-vous ? (T.P.)
9. Comment allez-vous ? (V.P.)
10. — Nous allons très bien, merci.
11. Où êtes-vous ? (T.P.)
12. — Nous sommes au bureau.
13. Où est votre bureau ? (T.P.)
14. Où êtes-vous ? (V.P.)
15. — Nous sommes à l'université.
16. Où est l'université ?

C 1 ÉNONCÉ

A. Mettre au vouvoiement singulier (avec *Ud*)

1. Tienes tu casa.
2. Estás en París.
3. Eres español.
4. Estás cansado.

B. Mettre au vouvoiement pluriel (avec *Uds*)

1. Tenéis vuestras llaves.
2. Sois estudiantes.
3. Estáis en Madrid.
4. Sois guapas.

C. Faire la question correspondante avec le mot interrogatif et *Ud* ou *Uds*

1. Estoy en casa.
2. Soy el médico.
3. Tengo mi pasaporte.
4. Estamos muy bien.
5. Somos franceses.
6. Tenemos nuestros vasos.

D. Traduire

1. Comment allez-vous ? (V.P.)
2. Avez-vous vos livres ? (V.P.)
3. Où est votre passeport ? (V.S.)
4. Êtes-vous fatigué ? (V.S.)
5. Qui êtes-vous ? (V.S.)
6. Qu'avez-vous ? (V.P.)
7. J'ai votre clef. (V.S.)
8. Je suis votre ami. (V.P.)

C 2 LA NUMERACIÓN (fin)

1. Soy el primero.
2. Tú eres el segundo.
3. Él es el tercero.
4. Ella es la cuarta.
5. Somos los quintos.
6. Sois los sextos.
7. Ud es el séptimo.
8. La octava maravilla del mundo
9. La novena sinfonía
10. La décima vez
11. El rey Felipe Segundo
12. Luis trece
13. El capítulo quince
14. El siglo veinte

C 3 CORRIGÉ

A.

1. Ud tiene su casa.
2. Ud está en Paris.
3. Ud es español.
4. Ud está cansado.

B.

1. Uds tienen sus llaves.
2. Uds son estudiantes.
3. Uds están en Madrid.
4. Uds son guapas.

C.

1. ¿ Dónde está Ud ?
2. ¿ Quién es Ud ?
3. ¿ Qué tiene Ud ?
4. ¿ Cómo están Uds ?
5. ¿ Qué son Uds ?
6. ¿ Qué tienen Uds ?

D.

1. ¿ Cómo están Uds ?
2. ¿ Tienen Uds sus libros ?
3. ¿ Dónde está su pasaporte ?
4. ¿ Está Ud cansado ?
5. ¿ Quién es Ud ?
6. ¿ Qué tienen Uds ?
7. Tengo su llave (de Ud).
8. Soy su amigo (de Uds).

C 4 TRADUCTION : la numération (fin)

Tous les ordinaux existent en espagnol, mais ils ne sont employés que jusqu'à « *dixième* » ; au-delà, on utilise le cardinal.

1. *Je suis le premier.*
2. *Toi, tu es le second.*
3. *Lui est le troisième.*
4. *Elle est la quatrième.*
5. *Nous sommes les cinquièmes.*
6. *Vous êtes les sixièmes (T.P.).*
7. *Vous êtes le septième.*
8. *La huitième merveille du monde*
9. *La neuvième symphonie*
10. *La dixième fois*
11. *Le roi Philippe II*
12. *Louis XIII*
13. *Le chapitre quinze*
14. *Le vingtième siècle*

AMÉRIQUE DU SUD

D 3 L'AMÉRIQUE DU SUD

- L'Argentine, **Argentina**, 2 800 000 km², 33 000 000 d'h. La capitale est **Buenos Aires** (12 000 000 h.). La monnaie est le **peso**. Forte puissance agricole (bovins dans la pampa, céréales, soja, canne à sucre, fruits, vin) ; énormes richesses minières (fer, charbon, argent, pétrole, gaz naturel) ; industrialisation croissante.

- La Bolivie, **Bolivia**, 1 000 000 km², 8 000 000 d'h. La capitale est **La Paz** (1 100 000 h.) ; (**Sucre** est la capitale constitutionnelle). La monnaie est le **boliviano**. Pays agricole (coton, soja, coca) et minier (gaz naturel, argent, étain).

- Le Chili, **Chile**, 750 000 km², 13 500 000 d'h. La capitale est **Santiago** (5 000 000 h.). La monnaie est le **peso**. Pays agricole (céréales, vins, élevage), de pêche (5ᵉ rang mondial) et minier (nitrate, cuivre).

- La Colombie, **Colombia**, 1 200 000 km², 34 000 000 d'h. La capitale est **Bogotá** (4 000 000 h.). La monnaie est le **peso**. Pays agricole (café, fruits, cacao, coton, canne à sucre, céréales, élevage), minier (gaz, charbon, pétrole, or) et industriel (textile, agro-alimentaire, chimie, métallurgie).

- L'Équateur, **El Ecuador**, 270 000 km², 11 000 000 d'h. La capitale est **Quito** (1 300 000 h.). La monnaie est le **sucre**. Pays agricole (café, bananes, cacao), de pêche (élevage de crevettes, en particulier) ; pétrole.

- Le **Paraguay**, 406 000 km², 4 500 000 d'h. La capitale est **Asunción** (1 000 000 h.). La monnaie est le **guaraní**. Pays agricole (coton, soja, élevage) ; hydroélectricité.

- Le Pérou, **Perú**, 1 300 000 km², 22 000 000 d'h. La capitale est **Lima** (6 700 000 h.). La monnaie est le **nuevo sol**. Pêche, agriculture (coton, canne à sucre, cacao, fruits), mines (argent, cuivre, fer, plomb, or, pétrole, gaz).

- L'**Uruguay**, 176 000 km², 3 200 000 d'h. La capitale est **Montevideo** (1 400 000 h.). La monnaie est le **peso**. Pays agricole (céréales, élevage), industrie du cuir, agro-alimentaire.

- Le **Venezuela**, 912 000 km², 20 400 000 d'h. La capitale est **Caracas** (4 000 000 h.). La monnaie est le **bolívar**. Pays agricole (cacao, café, canne à sucre, élevage), mais surtout producteur de pétrole et industries dérivées.

6 ¿ No tomáis pan ?

- Infinitif en ~ar : présent de l'indicatif

tom	~ar	tomar	*prendre*
tom	~o	tomo	*je prends*
tom	~as	tomas	*tu prends*
tom	~a	toma	*il, elle prend*
tom	~amos	tomamos	*nous prenons*
tom	~áis	tomáis	*vous prenez*
tom	~an	toman	*ils, elles prennent*

el autobús	*l'autobus*	mucho	*beaucoup de*
el español	*l'espagnol*	esperar	*attendre*
el metro	*le métro*	hablar	*parler*
el pan	*le pain*	nada	*rien*
el tren	*le train*	¿ por qué ?	*pourquoi ?*

A 2 APPLICATION

1. ¿ Tomas pan ? — Sí, tomo pan. Mucho pan.
2. ¿ No tomáis pan ? — No, no tomamos pan.
3. ¿ Qué habla Ud ? — Yo hablo español.
4. ¿ Hablan Uds español ? — Sí, hablamos español.
5. ¿ Por qué tomamos el autobús ?
6. Tomamos el metro. — No, no tomamos el metro.
7. ¿ Qué esperas ? ¿ el metro ? — Sí, espero el metro.
8. Y él, ¿ qué espera ? — Él no espera nada.
9. ¿ Qué esperan Uds ? — Nada, no esperamos nada.
10. Y vosotros, ¿ qué esperáis ? — Nosotros esperamos el tren.
11. Tomo el autobús. Tomas el metro. Ella toma el tren.

A 3 REMARQUES

Prononciation

- Rappel : le **s** espagnol se prononce comme les deux s français de *cassé*.
- Le **ch** de **mucho** se prononce [tch] comme dans *tchèque*.
- Il n'y a pas de son nasal en espagnol, le **n** s'entend toujours : **pan** se prononce comme le mot français *panne*.

Grammaire

- **tomar** est composé d'un radical : **tom~** qui ne change jamais et qu'on trouve à toutes les personnes du verbe, et d'une terminaison : **~ar** qui, elle, change à toutes les personnes, (p. 266).
  Au présent de l'indicatif des verbes réguliers, la première personne du singulier se termine toujours en **~o** :

  tomar : tom~o ; esperar : esper~o

  Pour les autres personnes, c'est la voyelle de la terminaison de l'infinitif qui est utilisée :

  tomar : ~o, ~as, ~a, ~amos, ~áis, ~an

- *vous*, sans autre précision, correspond ici au **V.S.** (vouvoiement singulier) ; dans le cas contraire, **T.P.** = tutoiement pluriel et **V.P.** = vouvoiement pluriel.

A 4 TRADUCTION

1. Prends-tu du pain ? — Oui, je prends du pain. Beaucoup de pain.
2. Vous ne prenez pas de pain (T.P.) ? — Non, nous ne prenons pas de pain.
3. Que parlez-vous ? — Moi, je parle espagnol.
4. Parlez-vous (V.P.) espagnol ? — Oui, nous parlons espagnol.
5. Pourquoi prenons-nous l'autobus ?
6. Nous prenons le métro. — Non, nous ne prenons pas le métro.
7. Qu'attends-tu ? le métro ? — Oui, j'attends le métro.
8. Et lui, qu'attend-il ? — Lui, il n'attend rien.
9. Qu'attendez-vous (V.P.) ? — Rien, nous n'attendons rien.
10. Et vous (T.P.), qu'attendez-vous ? — Nous attendons le train.
11. Je prends l'autobus. Tu prends le métro. Elle prend le train.

6   Que él tome la palabra

B 1   PRÉSENTATION

- Infinitif en **~ar** : présent du subjonctif

tom	~ar	**tomar**	*prendre*
tom	~e	**tome**	*que je prenne*
tom	~es	**tomes**	*que tu prennes*
tom	~e	**tome**	*qu'il, elle prenne*
tom	~emos	**tomemos**	*que nous prenions*
tom	~éis	**toméis**	*que vous preniez*
tom	~en	**tomen**	*qu'ils, elles prennent*

el agua	*l'eau*
la palabra	*le mot, la parole*
otro, otra	*un autre, une autre*
es útil que	*il est utile que*
¿ es útil ?	*est-ce utile ?*
hace falta que	*il faut que*
hace falta que no **no hace falta que**	*il ne faut pas que*
¿ hace falta ?	*le faut-il ?*

B 2   APPLICATION

1. Él toma agua. — ¿ Es útil ? — Sí, es útil que él tome agua.
2. Nosotros también tomamos agua. — ¿ Hace falta ? — Sí, hace falta que toméis también agua.
3. Ellos toman la palabra. — ¿ Es útil ? — No, no es útil que ellos tomen la palabra.
4. Hace falta que Ud tome la palabra.
5. ¿ Hace falta que Uds tomen otro tren ?
6. No, no hace falta que tomemos otro tren.
7. Uds esperan el metro. — ¿ Es útil ? — Sí, es útil que esperemos el metro.
8. Hace falta que tú tomes agua y él también.
9. Habláis : hace falta que no habléis.
10. Tomáis vino : no hace falta que toméis vino.
11. Esperáis : no es útil que esperéis.

B 3   REMARQUES

◼ Prononciation

● Rappel : le **u** de **útil** se prononce [ou].
Le **e** se prononce [é].

◼ Grammaire

● Quand l'infinitif d'un verbe est en ~**ar**, la voyelle de la terminaison du subjonctif présent est toujours ~**e** (p. 354).

● **es útil que**, **hace falta que** sont suivis du subjonctif présent (p. 111).

● Les **première** et **troisième personnes** du singulier du subjonctif présent sont **semblables** : **tome**. S'il y a risque de confusion entre *je*, *il*, *elle* ou le *vous* de vouvoiement singulier (**Ud** + la 3ᵉ personne du singulier), il convient de mettre le pronom personnel sujet : **yo**, **él**, **ella** ou **Ud** :

> **hace falta que yo / ella tome...**
> *il faut que je / qu'elle prenne...*

● **otro, otra**, adjectifs ou pronoms, ne sont jamais précédés de l'article indéfini (**un, una**).

B 4   TRADUCTION

1. Lui, il prend de l'eau. — Est-ce utile ? — Oui, il est utile qu'il prenne de l'eau.

2. Nous aussi nous prenons de l'eau. — Le faut-il ? — Oui, il faut que vous preniez (T.P.) aussi de l'eau.

3. Ils prennent la parole. — Est-ce utile ? — Non, ce n'est pas utile qu'ils prennent la parole.

4. Il faut que vous preniez la parole.

5. Faut-il que vous preniez (V.P.) un autre train ?

6. Non, il ne faut pas que nous prenions un autre train.

7. Vous attendez (V.P.) le métro. — Est-ce utile ? — Oui, il est utile que nous attendions le métro.

8. Il faut que toi, tu prennes de l'eau et lui aussi.

9. Vous parlez (T.P.) : il ne faut pas que vous parliez.

10. Vous prenez (T.P.) du vin : il ne faut pas que vous preniez de vin.

11. Vous attendez (T.P.) : il n'est pas utile que vous attendiez.

C 1   ÉNONCÉ

A. Traduire   *(gagner* = **ganar**)

1. Je prends de l'eau.
2. Il prend la parole.
3. Vous attendez le métro.
4. Il ne parle pas espagnol.
5. Nous gagnons.
6. Vous gagnez (V.P.).
7. Eux, ils gagnent.
8. Nous ne gagnons rien.

B. Traduire   *(oublier* = **olvidar**)

Il faut ...

1. que je gagne.
2. que tu oublies.
3. que vous parliez.
4. que tu prennes le train.
5. qu'il prenne de l'eau.
6. que vous gagniez (T.P.).
7. qu'elle n'oublie rien.
8. qu'elle attende.

C. Traduire avec *Uds* (V.P.)   *(trop de* = **demasiado**)

1. Il est utile que, vous aussi, vous attendiez.
2. Il n'est pas utile que vous preniez l'autobus.
3. Il ne faut pas que vous preniez trop de vin.
4. Il faut que vous parliez espagnol.

C 2   RÉCAPITULATION

A. Mettre au pluriel

1. Estoy en casa.
2. Él está muy cansado.
3. Soy un muchacho.
4. Eres una niña.
5. Ella es una chicha guapa.

B. Compléter avec SER ou ESTAR

1. Antonio _____ es _____ español.
2. Nosotras _____ somos _____ contentas.
3. La silla _____ está _____ nueva.
4. Ellos _____ están _____ en el campo.
5. No, yo no _____ estoy _____ enfermo.

(Voir corrigé p. 374.)

C 3 CORRIGÉ

A.

1. Tomo agua.
2. Él toma la palabra.
3. Ud espera el metro.
4. Él no habla español.

5. Ganamos.
6. Uds ganan.
7. Ellos ganan.
8. No ganamos nada.

B.

Hace falta ...

1. que yo gane.
2. que olvides.
3. que Ud hable.
4. que tomes el tren.

5. que él tome agua.
6. que ganéis.
7. que ella no olvide nada.
8. que ella espere.

C.

1. Es útil que Uds también esperen.
2. No es útil que Uds tomen el autobús.
3. No hace falta que Uds tomen demasiado vino.
4. Hace falta que Uds hablen español.

C 4 CIVILISATION : vivre à l'heure espagnole

■ *Les horaires*, **los horarios**, en Espagne sont bien différents du reste des pays de l'Europe. Dans toutes les villes d'Espagne, les rues s'animent dès l'heure du *petit déjeuner*, **desayuno**, vers huit heures du matin, pour aller travailler à partir de 8 h 30. Ensuite, on fait une pause vers 10 h 30 pour aller *boire un café*, **tomar un café**, ou prendre *un sandwich*, **un bocadillo**. Le *déjeuner*, **la comida**, se fait entre 14 h et 16 h. La journée de travail se termine rarement avant 18 h. À la sortie des bureaux, les gens ont l'habitude d'aller boire *une bière*, **una cerveza**, prendre *un apéritif*, **un aperitivo**, avant *le dîner*, **cenar**, entre 21 h 30 et minuit. Très souvent, la soirée se prolonge — surtout le week-end —, par une sortie nocturne qui peut aller jusqu'à 4 h du matin.

D 1 ¿ QUÉ HORA ES ?

¿ Qué hora es ?	¿ A qué hora ?
Es la una.	a la una
Son las dos.	a las dos
…	…
Son las doce.	a las doce

Son las doce y cinco de la mañana / de la noche.

Son ⌈ las … de la mañana / de la tarde / de la noche.
A   ⌊ las dos y diez / y cuarto / y media / menos cinco.

Son las ocho en punto.
Son las doce del día.	al mediodía
Son las doce de la noche.	a la medianoche

D 2 DIALOGUE

H = un hombre   M = una mujer

H — ¿ **Qué hora es, por favor ?**

M — Son las nueve menos cinco.

H — ¡ **Las nueve menos cinco !** **Imposible.**

M — Mi reloj marca esa hora.

H — Su reloj está atrasado, señora.

M — ¿ **Por qué ?**

H — Porque yo tengo las nueve y diez.

M — Entonces, si usted tiene reloj, ¿ **por qué me pregunta la hora ?**

H — Pues, porque es un buen pretexto para entablar conversación.

D 3 QUELLE HEURE EST-IL ?

Quelle heure est-il ?	*À quelle heure ?*
Il est une heure.	*à une heure*
Il est deux heures.	*à deux heures*
...	*...*
Il est midi (ou *minuit*).	*à midi* (ou *minuit*)

Il est midi cinq / minuit cinq.

Il est ⎡ *... heures du matin / de l'après-midi / du soir.*
À   ⎣ *deux heures dix / et quart / et demie / moins cinq.*

Il est huit heures précises.	
Il est midi.	*à midi*
Il est minuit.	*à minuit*

D 4 TRADUCTION

H = un homme   M = une femme

H — Quelle heure est-il, s'il vous plaît ?

M — Il est neuf heures moins cinq.

H — Neuf heures moins cinq ! Impossible.

M — Ma montre indique cette heure-là.

H — Votre montre retarde, madame.

M — Pourquoi ?

H — Parce que moi, j'ai neuf heures dix.

M — Alors, si vous avez une montre pourquoi me demandez-vous l'heure ?

H — Eh bien, parce que c'est un bon prétexte pour engager la conversation.

A 1 PRÉSENTATION

- Infinitif en ~**er** : présent de l'indicatif

com	~**er**	**comer**	*manger*
com	~**o**	**como**	*je mange*
com	~**es**	**comes**	*tu manges*
com	~**e**	**come**	*il, elle mange*
com	~**emos**	**comemos**	*nous mangeons*
com	~**éis**	**coméis**	*vous mangez*
com	~**en**	**comen**	*ils, elles mangent*

la cerveza	*la bière*	**todo/a**	*tout(e)*
el chocolate	*le chocolat*	**beber**	*boire*
la leche	*le lait*	**ahora**	*maintenant*
la sopa	*la soupe*	**nunca**	*jamais*

A 2 APPLICATION

1. ¿ Comes chocolate ? — Sí, como mucho chocolate.
2. ¿ Bebe Ud vino ? — No, no bebo nunca vino.
3. ¿ Coméis chocolate ? — No, no comemos chocolate.
4. ¿ Beben Uds vino ? — No, nunca bebemos vino.
5. No como nunca sopa. Nunca como sopa.
6. ¿ Qué bebes ahora ? — Ahora, bebo cerveza.
7. ¿ Bebe Ud toda la leche ? — Sí, bebo toda la leche.
8. ¿ Bebéis cerveza ? — No, no bebemos cerveza.
9. ¿ Beben Uds leche ? — No, nunca bebemos leche.
10. No bebo nunca cerveza. Nunca bebo cerveza.
11. No comes nada. Yo como mucho chocolate.
12. No bebes nada. Yo bebo mucha cerveza.
13. No coméis nada. Nosotros comemos mucho.

7   **Il mange du chocolat**

A 3   REMARQUES

■ Prononciation

• Le **z** de **cerveza** se prononce [z], voir p. 15.

■ Grammaire

• **mucho**, *beaucoup*, et **demasiado**, *trop*, placés devant un nom sont adjectifs et s'accordent : **mucha cerveza**, *beaucoup de bière* ; **demasiada cerveza**, *trop de bière*.

• **comer**, verbe régulier, a donc un **o** à la terminaison de la première personne du singulier de l'indicatif présent. Pour les autres personnes de l'indicatif présent, la voyelle de terminaison est celle de l'infinitif :

comer : ~o, ~es, ~e, ~emos, ~éis, ~en

• **nunca** = *jamais* : s'il est placé avant le verbe, on supprime la négation : **no comemos nunca** ou bien **nunca comemos**.

• Rappel : l'article partitif n'existe pas en espagnol :
¿ Bebes vino ?   Tu bois du vin ?

• *vous*, sans autre précision, correspond au **V.S.**

A 4   TRADUCTION

1. Manges-tu du chocolat ? — Oui, je mange beaucoup de chocolat.
2. Buvez-vous du vin ? — Non, je ne bois jamais de vin.
3. Mangez-vous (T.P.) du chocolat ? — Non, nous ne mangeons pas de chocolat.
4. Buvez-vous (V.P.) du vin ? — Non, nous ne buvons jamais de vin.
5. Je ne mange jamais de soupe. Jamais je ne mange de soupe.
6. Que bois-tu maintenant ? — Maintenant, je bois de la bière.
7. Buvez-vous tout le lait ? — Oui, je bois tout le lait.
8. Buvez-vous (T.P.) de la bière ? — Non, nous ne buvons pas de bière.
9. Buvez-vous (V.P.) du lait ? — Non, nous ne buvons jamais de lait.
10. Je ne bois jamais de bière. Jamais je ne bois de bière.
11. Tu ne manges rien. Moi je mange beaucoup de chocolat.
12. Tu ne bois rien. Moi je bois beaucoup de bière.
13. Vous ne mangez rien (T.P.). Nous, nous mangeons beaucoup.

B 1 PRÉSENTATION

• Infinitif en ~**er** : présent du subjonctif

vend	~er	vender	*vendre*
vend	~a	**venda**	*que je vende*
vend	~as	**vendas**	*que tu vendes*
vend	~a	**venda**	*qu'il, elle vende*
vend	~amos	**vendamos**	*que nous vendions*
vend	~áis	**vendáis**	*que vous vendiez*
vend	~an	**vendan**	*qu'ils, elles vendent*

el cambio	*le changement*	**temer**	*craindre*
el coche	*la voiture*	**demasiado**	*trop*
creer	*croire*	**más**	*plus*
leer	*lire*	**pero**	*mais*

B 2 APPLICATION

1. Vendes tu coche. ¿ Hace falta ?
2. — Sí, hace falta que yo venda mi coche.
3. ¿ Vendes también tu casa ?
4. — No, no hace falta que yo venda mi casa.
5. Vendo el coche pero no es útil que venda la casa.
6. Tememos el cambio.
7. No hace falta que Uds teman el cambio.
8. ¿ Cree Ud que leo demasiado ?
9. — No, no creo que Ud lea demasiado.
10. — Creo que Ud no lee mucho.
11. Hace falta que Ud lea más.
12. Pero, ¡ no coméis nada ! Hace falta que comáis más.
13. Pero, ¡ no bebéis nada ! Hace falta que bebáis más.

B 3   REMARQUES

■ Prononciation

- Rappel : le **v** de **vender** se prononce comme un [b].
  coche, **noche** : le ~**ch**~ se prononce [tch].

■ Grammaire

- Quand l'infinitif d'un verbe est en ~**er**, la voyelle de la terminaison du subjonctif présent est toujours ~**a** (p. 354).
- Attention aux première et troisième personnes du singulier du subjonctif présent qui sont semblables : **venda**.
  Il convient de les différencier par le pronom personnel sujet s'il y a risque de confusion :
  que yo venda, **que él o ella venda**, **que Ud venda**
- À la forme négative, les verbes d'opinion comme **creer** sont suivis du subjonctif, comme en français.
- Un point d'exclamation inversé est placé au début de l'exclamation.
- *vous*, sans autre précision, correspond au **V.S.**

B 4   TRADUCTION

1. Tu vends ta voiture. Le faut-il ?
2. — Oui, il faut que je vende ma voiture.
3. Vends-tu aussi ta maison ?
4. — Non, il ne faut pas que je vende ma maison.
5. Je vends la voiture mais il n'est pas utile que je vende la maison.
6. Nous craignons le changement.
7. Il ne faut pas que vous craigniez (V.P.) le changement.
8. Croyez-vous que je lis trop ?
9. — Non, je ne crois pas que vous lisiez trop.
10. — Je crois que vous ne lisez pas beaucoup.
11. Il faut que vous lisiez plus (davantage).
12. Mais, vous ne mangez rien (T.P.) ! Il faut que vous mangiez davantage (plus).
13. Mais, vous ne buvez rien (T.P.) ! Il faut que vous buviez davantage (plus).

C 1   ÉNONCÉ

A. Mettre *nunca*

avant le verbe	après le verbe
1. No bebemos nunca leche.	3. Nunca leemos.
2. No coméis nunca sopa.	4. Nunca bebes.

B. Traduire

1. Je crains le changement.
2. Il ne boit jamais de bière.
3. Jamais ils ne boivent de lait.
4. Vous mangez (T.P.) du pain.
5. Vous craignez le changement.
6. Vous mangez (V.P.) tout le pain.

C. Traduire

1. Je crains que vous mangiez (V.P.) tout le chocolat.
2. Il ne faut pas qu'ils boivent trop.
3. Ils craignent que nous buvions de la bière.
4. Tu crois que je vends ma maison ?
5. Non, je ne crois pas que tu vendes ta maison.

C 2   RÉCAPITULATION

Mettre au pluriel

1. ¿ Cómo estás ?
2. ¿ Qué tienes ?
3. — Tengo tu llave.
4. ¿ Quién eres ?
5. — Soy tu vecino.
6. ¿ Tienes tus cartas ?

11. ¿ Cómo está Ud ?
12. ¿ Qué tiene Ud ?
13. — Tengo su llave.
14. ¿ Quién es Ud ?
15. — Soy su vecino.
16. ¿ Tiene Ud sus cartas ?

(Voir corrigé p. 374.)

C 3   CORRIGÉ

A.

avant le verbe	après le verbe
1. Nunca bebemos leche.	3. No leemos nunca.
2. Nunca coméis sopa.	4. No bebes nunca.

B.

1. Temo el cambio.	4. Coméis pan.
2. Él no bebe nunca cerveza.	5. Ud teme el cambio.
3. Nunca ellos beben leche.	6. Uds comen todo el pan.

C.

1. Temo que Uds coman todo el chocolate.
2. No hace falta que ellos beban demasiado.
3. Ellos temen que bebamos cerveza.
4. ¿ Crees que vendo mi casa ?
5. No, no creo que vendas tu casa.

C 4   CIVILISATION : la semaine sainte

■ La semaine sainte, **Semana Santa**, qui commémore la Passion du Christ, **Pasión de Cristo**, et dont le point culminant est le dimanche de Pâques, **domingo de Pascua**, est fêtée dans toute l'Espagne. On ne dit pas les vacances de Pâques, mais « **las vacaciones de Semana Santa** ». Tout au long de cette semaine se déroulent, un peu partout, les célèbres **procesiones**, sorte de défilés qui partent des églises et qui promènent les **pasos** (*plateformes*) portant les statues représentant les scènes de la Passion du Christ — et qui très souvent sont portés à dos d'homme par les **costaleros**. Chaque **paso** est suivi par des pénitents dont la *cagoule*, **capuchón**, rabattue sur le visage, est aux couleurs de la *confrérie*, **cofradía**.

Le carnaval est célébré les dimanche, lundi et mardi qui précèdent *le mercredi des Cendres*, **el miércoles de Ceniza**. Parmi les plus célèbres se trouvent ceux de **Cádiz** et **Santa Cruz de Tenerife**.

D 1 LOS DÍAS DE LA SEMANA

- la semana

  una semana tiene siete días :

lunes	el lunes próximo
martes	el martes pasado
miércoles	los miércoles
jueves	el jueves por la mañana
viernes	el viernes por la tarde
sábado	el sábado por la noche
domingo	la semana próxima

- hoy

  esta mañana

  esta tarde

  esta noche

D 2 DIALOGUE

C = Carlos   S = Sol

S — Carlos, ¿ nos vemos el martes por la mañana ?

C — Lo siento [1], por la mañana no, sólo por la tarde.

S — ¿ Por la tarde ? Tengo una cita.

C — Entonces el próximo viernes.

S — Imposible, el viernes estoy ocupada.

C — Bueno, pues el jueves por la mañana.

S — El jueves trabajo todo el día.

C — ¿ Y esta noche ? Te invito a cenar.

S — ¡ Hombre [2], por fin te das cuenta [3] !

---

1. **Lo siento** : indicatif présent de **sentir** = *regretter*.
2. **¡ Hombre !** : interjection, voir leçon 9, D1.
3. **te das cuenta** : indicatif présent de **darse cuenta** = *se rendre compte, comprendre*.

D 3   LES JOURS DE LA SEMAINE

- *la semaine*

  une semaine a sept jours :

lundi	*lundi prochain*
mardi	*mardi dernier*
mercredi	*le mercredi*
jeudi	*jeudi matin*
vendredi	*vendredi après-midi*
samedi	*samedi soir*
dimanche	*la semaine prochaine*

- Attention : l'article singulier désigne un jour particulier ; l'article pluriel, tous les jours dont il est question.

- *aujourd'hui*
  ce matin
  cet après-midi
  ce soir, cette nuit

D 4   TRADUCTION

C = Carlos   S = Sol

S — Carlos, est-ce que nous nous voyons mardi matin ?

C — Désolé, pas le matin, l'après-midi seulement.

S — L'après-midi ? J'ai un rendez-vous.

C — Alors, vendredi prochain.

S — Impossible, vendredi je suis occupée.

C — Alors, jeudi matin.

S — Ce jeudi, je travaille toute la journée.

C — Et ce soir ? Je t'invite à dîner.

S — Enfin, tu saisis !

8 | Él vive en el campo

- Infinitif en ~**ir** : présent de l'indicatif

viv	~**ir**	**vivir**	*vivre, habiter*
viv	~**o**	**vivo**	*j'habite*
viv	~**es**	**vives**	*tu habites*
viv	~**e**	**vive**	*il, elle habite*
viv	~**imos**	**vivimos**	*nous habitons*
viv	~**ís**	**vivís**	*vous habitez*
viv	~**en**	**viven**	*ils, elles habitent*

el campo	*la campagne*	**el piso**	*l'appartement*
la carta	*la lettre*	**el pueblo**	*le village*
la ciudad	*la ville*	**escribir**	*écrire*
el libro	*le livre*	**en**	*dans, à (sans mouvement)*
el nombre	*le nom*	**o**	*ou*

A 2 APPLICATION

1. ¿ Vives en una ciudad ? — No, vivo en un pueblo.
2. Y él, ¿ dónde vive ? — Él vive en el campo.
3. ¿ Viven Uds en un piso ? — Sí, vivimos en un piso.
4. Y ellos, ¿ dónde viven ? — También viven en un piso.
5. ¿ Vivís en un pueblo ? — No, vivimos en una ciudad.
6. ¿ Escribes una carta ? — No, escribo un libro.
7. Y ellos, ¿ qué escriben ? — Ellos escriben una carta.
8. ¿ Escribís un libro ? — Sí, escribimos un libro.
9. ¿ Escriben Uds su nombre ? — Sí, lo escribimos.
10. ¿ Viven Uds en un pueblo o en una ciudad ?
11. ¿ Viven Uds en una casa o en un piso ?
12. ¿ Escriben Uds una carta o un libro ?
13. ¿ Vosotros escribís ? — Nosotros también escribimos.

A 3 REMARQUES

■ Prononciation

.• Rappel : **ciudad** [zioud**az**], le **d** final espagnol est prononcé comme
   un **z** affaibli ou pas du tout.

• **piso** [pi**ss**o] : le **s** espagnol est toujours prononcé comme les deux
   ss français du mot *cassé*.

• **vivir** : **v** se prononce **b**.

■ Grammaire

• **vivir**, verbe régulier, a donc ~**o** à la terminaison de la 1ʳᵉ personne
   du singulier du présent de l'indicatif.
   Pour les autres personnes, la voyelle de terminaison est ~**e** comme
   dans **comer**, sauf pour les 1ʳᵉ et 2ᵉ personnes du pluriel où l'on
   a le ~**i** de l'infinitif.

• Attention aux terminaisons :
   Infinitif en : ~**ar** : ~**o**, ~**a(s)**, ~**a**, ~**a(mos)**, ~**á(is)**, ~**a(n)**
             ~**er** : ~**o**, ~**e(s)**, ~**e**, ~**e(mos)**, ~**é(is)**, ~**e(n)**
             ~**ir** : ~**o**, ~**e(s)**, ~**e**, ~**i(mos)**, ~**í(s)**, ~**e(n)**

• **lo escribimos**, *nous l'écrivons* : **lo** est un pronom personnel
   complément d'objet direct qui représente un nom masculin
   singulier. Les pronoms personnels compléments seront étudiés aux
   leçons 19 et 20.

A 4 TRADUCTION

1. Habites-tu dans une ville ? — Non, j'habite dans un village.
2. Et lui, où habite-t-il ? — Lui, il habite à la campagne.
3. Habitez-vous (V.P.) dans un appartement ? — Oui, nous habitons
   dans un appartement.
4. Et eux, où habitent-ils ? — Ils habitent aussi dans un appartement.
5. Habitez-vous (T.P.) dans un village ? — Non, nous habitons dans
   une ville.
6. Écris-tu une lettre ? — Non, j'écris un livre.
7. Et eux, qu'écrivent-ils ? — Eux, ils écrivent une lettre.
8. Écrivez-vous (T.P.) un livre ? — Oui, nous écrivons un livre.
9. Écrivez-vous (V.P.) votre nom ? — Oui, nous l'écrivons.
10. Habitez-vous (V.P.) dans un village ou dans une ville ?
11. Habitez-vous (V.P.) dans une maison ou dans un appartement ?
12. Écrivez-vous (V.P.) une lettre ou un livre ?
13. Vous écrivez (T.P.) ? — Nous aussi, nous écrivons.

B 1 PRÉSENTATION

- Infinitif en **~ir** : présent du subjonctif

abr	~ir	abrir	*ouvrir*
abr	~a	**abra**	*que j'ouvre*
abr	~as	**abras**	*que tu ouvres*
abr	~a	**abra**	*qu'il, elle ouvre*
abr	~amos	**abramos**	*que nous ouvrions*
abr	~áis	**abráis**	*que vous ouvriez*
abr	~an	**abran**	*qu'ils, elles ouvrent*

la botella	*la bouteille*	**la ventana**	*la fenêtre*
los ojos	*les yeux*	**permitir**	*permettre*
la puerta	*la porte*	**ser de**	*être à*
el sobre	*l'enveloppe*	**¡ claro !**	*bien sûr !*

B 2 APPLICATION

1. ¿ Permite Ud que yo abra la puerta ?
2. No, señor, no permito que Ud abra la puerta.
3. Ahora, niños, permito que abráis los ojos.
4. ¿ Permiten Uds que yo abra la ventana ?
5. Sí, claro, permitimos que abras la ventana.
6. ¡ Abrir la botella ! Sí, permito que Ud abra la botella.
7. ¿ De quién es el sobre ? ¿ Permite Ud que yo abra el sobre ?
8. ¿ Abrimos la puerta o la ventana ?
9. Hace falta que abráis la ventana.
10. Ella no permite que abramos las dos.
11. Hace falta que vivamos en la ciudad y no en el campo.
12. Hace falta que escribamos una carta y no un libro.
13. Hace falta que abramos la ventana y no la puerta.
14. No hace falta que abramos el sobre.

B 3   REMARQUES

■ Prononciation

- Rappel : **ojos** : le **j** (jota) se prononce comme le [ch] allemand de *Bach* (p. 15)

  abrir : attention aux **r** qui sont toujours roulés.

■ Grammaire

- Quand l'infinitif d'un verbe est en ~ **ir**, la voyelle de la terminaison du subjonctif présent est toujours ~ **a** (p. 354).

- Les verbes terminés à l'infinitif par ~ **er** et ~ **ir** ont des terminaisons identiques au présent du subjonctif.

- Attention aux 1re et 3e personnes du singulier du subjonctif présent qui sont semblables (p. 63).

- La préposition *à* qui marque l'appartenance en français est traduite par la préposition **de** en espagnol :

  > **¿ De quién es... ?** *À qui est... ?*
  > **Es de Felipe.** *C'est à Philippe.*

- *vous*, sans autre précision, correspond au **V.S.** (vouvoiement singulier).

B 4   TRADUCTION

1. Permettez-vous que j'ouvre la porte ?
2. Non, monsieur, je ne permets pas que vous ouvriez la porte.
3. Maintenant, mes enfants, je permets que vous ouvriez les yeux.
4. Permettez-vous (V.P.) que j'ouvre la fenêtre ?
5. Oui, bien sûr, nous permettons que tu ouvres la fenêtre.
6. Ouvrir la bouteille ! Oui, je permets que vous ouvriez la bouteille.
7. À qui est l'enveloppe ? Permettez-vous que j'ouvre l'enveloppe ?
8. Ouvrons-nous la porte ou la fenêtre ?
9. Il faut que vous ouvriez (T.P.) la fenêtre.
10. Elle ne permet pas que nous ouvrions les deux.
11. Il faut que nous habitions à la ville et non à la campagne.
12. Il faut que nous écrivions une lettre et non un livre.
13. Il faut que nous ouvrions la fenêtre et non la porte.
14. Il ne faut pas que nous ouvrions l'enveloppe.

C 1   ÉNONCÉ

A. Traduire

1. J'habite à la campagne.
2. Il habite dans un village.
3. Je n'écris pas un livre.
4. Nous n'ouvrons pas la porte.
5. Tu habites dans un appartement.
6. Vous écrivez (T.P.) une lettre.

B. Traduire   *tout de suite* = **en seguida**
    il est indispensable = **es indispensable que**

1. Est-il utile que j'ouvre maintenant la fenêtre ?
2. Faut-il que vous écriviez tout de suite ?
3. Est-il indispensable qu'ils habitent dans une ville ?
4. Est-il indispensable que tu écrives ton nom ?
5. Faut-il que vous habitiez (V.P.) dans un appartement ?
6. Est-il indispensable que j'ouvre tout de suite la porte ?
7. Est-il utile que tu ouvres l'enveloppe ?
8. Il ne faut pas que tu ouvres tout de suite la bouteille.

C 2   RÉCAPITULATION

A. Répondre affirmativement

1. ¿ Cómo están Uds ? – _____ muy bien.
2. ¿ Dónde está Ud ? – _____ en París.
3. ¿ Qué tiene Ud ? – _____ mi billete.
4. ¿ Qué tienen Uds ? – _____ un coche.
5. ¿ Quién es Ud ? – _____ el médico.
6. ¿ Quiénes son Uds ? – _____ sus vecinos.

B. Écrire en toutes lettres les chiffres suivants

1.	21 livres	2.	21 chaises
3.	31 livres	4.	31 chaises
5.	100 livres	6.	100 chaises
7.	105 livres	8.	105 chaises
9.	567 livres	10.	567 chaises
11.	1 750 livres	12.	1 750 chaises
13.	2 990 livres	14.	2 990 chaises

(Voir corrigé p. 374.)

C 3 CORRIGÉ

A.

1. Vivo en el campo.
2. Vive en un pueblo.
3. No escribo un libro.
4. No abrimos la puerta.
5. Vives en un piso.
6. Escribís una carta.

B.

1. ¿ Es útil que yo abra ahora la ventana ?
2. ¿ Hace falta que Ud escriba en seguida ?
3. ¿ Es indispensable que ellos vivan en una ciudad ?
4. ¿ Es indispensable que escribas tu nombre ?
5. ¿ Hace falta que Uds vivan en un piso ?
6. ¿ Es indispensable que yo abra en seguida la puerta ?
7. ¿ Es útil que abras el sobre ?
8. Hace falta que no abras en seguida la botella.

C 4 CIVILISATION : l'enseignement

■ Le nouvel aménagement de l'éducation, **educación**, se divise en **Enseñanza Primaria**, *enseignement primaire* (pour les 6-12 ans) et en **Enseñanza Secundaria Obligatoria**, *enseignement secondaire obligatoire* (pour les 12-16 ans).

La Enseñanza Primaria s'articule en trois cycles de deux ans.

La Enseñanza Secundaria Obligatoria (ESO) se déroule en deux cycles de deux ans divisés en modules.

El bachillerato, *le baccalauréat*, ce terme désigne aussi les études secondaires qui aboutissent **al grado de bachiller**, *au grade de bachelier*. Il comporte un tronc commun à toutes les filières et aussi des matières spécifiques à chaque filière.

La Selectividad, c'est l'examen d'accès à l'enseignement supérieur. Il est obligatoire pour accéder à l'Université.

D 1 LOS MESES DEL AÑO

- El año
  El año tiene doce meses.
  Cada mes tiene más o menos treinta días.
  Estos doce meses son :

enero	julio
febrero	agosto
marzo	septiembre
abril	octubre
mayo	noviembre
junio	diciembre

- El año se divide también en cuatro estaciones : el **invierno**, la primavera, el **verano**, el **otoño**.

  ¿ Quién no conoce las « Cuatro Estaciones » de Vivaldi ?

D 2 DIALOGUE

M = el marido　　**E = la esposa**

E — ¿ **Vamos mañana a pasar el día en el campo ?**

M — ¡ **Qué buena idea !**

E — **Pero, tú vienes con nosotros, por supuesto.**

M — **Mañana, mañana..., no me es posible.**

E — ¡ **Como siempre !**

M — **Es que tengo mucho trabajo.**

E — ¡ **Tú y tu maldito trabajo !**

M — **Lo siento mucho, pero...**

E — **Pepe, estamos en septiembre y los niños quieren** [1] **celebrar la llegada del otoño en el campo. Además tienen una sorpresa para ti.**

M — **Vale. Voy con vosotros.**

---

1. **quieren** : indicatif présent de **querer** = *vouloir, aimer.*

D 3 LES MOIS DE L'ANNÉE

- *L'année*
  L'année a douze mois.
  Chaque mois a environ trente jours.
  Ces douze mois sont :

janvier	*juillet*
février	*août*
mars	*septembre*
avril	*octobre*
mai	*novembre*
juin	*décembre*

- *L'année se divise également en quatre saisons : l'hiver, le printemps, l'été, l'automne.*

  Qui ne connaît pas les « Quatre Saisons » de Vivaldi ?

D 4 TRADUCTION

M = le mari   E = l'épouse

E — On va demain passer la journée à la campagne ?

M — Quelle bonne idée !

E — Ah mais, bien entendu, tu viens avec nous.

M — Demain, demain..., cela ne m'est pas possible.

E — Comme toujours !

M — C'est que j'ai beaucoup de travail.

E — Toi et ton maudit boulot !

M — Je regrette beaucoup, mais...

E — Pepe, nous sommes en septembre et les enfants veulent fêter l'arrivée de l'automne à la campagne. En plus, ils ont une surprise pour toi.

M — D'accord. Je vais avec vous.

A 1 PRÉSENTATION

• **quedarse** (**quedar** + **se**) *rester*

indicatif présent		subjonctif présent	
me quedo	*je reste*	**me quede**	*que je reste*
te quedas	*tu restes*	**te quedes**	*que tu restes*
se queda	*il reste*	**se quede**	*qu'il reste*
nos quedamos	*nous restons*	**nos quedemos**	*que nous restions*
os quedáis	*vous restez*	**os quedéis**	*que vous restiez*
se quedan	*ils restent*	**se queden**	*qu'ils restent*

las cosas ajenas	*les affaires des autres*		
conviene que	*il convient que*	**allí**	*là*
enfadarse	*se fâcher*	**aquí**	*ici*
meterse en	*se mêler de*	**de pie**	*debout*

A 2 APPLICATION

		Conviene que :
1.	Me quedo en casa.	yo me quede en casa.
2.	Él se queda aquí.	él se quede aquí.
3.	Tú te quedas allí.	tú te quedes allí.
4.	Ud se queda de pie.	Ud se quede de pie.
5.	Os quedáis allí.	os quedéis allí.
6.	No me meto en nada.	no me meta en nada.
7.	Te metes en cosas ajenas.	no te metas en cosas ajenas.
8.	Ellos se meten en todo.	no se metan en todo.
9.	No nos metemos en nada.	no nos metamos en nada.
10.	Os metéis en cosas ajenas.	no os metáis en cosas ajenas.
11.	Te enfadas.	no te enfades.
12.	No os enfadáis.	no os enfadéis.
13.	Ellos se enfadan.	no se enfaden.

A 3 REMARQUES

■ **quedarse** : *rester*. Le verbe est pronominal en espagnol, mais pas en français. Notez que le pronom personnel **se** est placé après l'infinitif et y est attaché. Cela s'appelle *l'enclise*. Cette particularité se retrouvera au gérondif et à l'impératif, comme en français (*dis-moi, fais-le*).

Les pronoms des verbes pronominaux sont :

me	te	se	nos	os	se

■ Les verbes **quedar** et **enfadar** sont réguliers et se conjuguent comme **tomar** (voir leçon 6).

■ Le verbe **meter** est régulier et se conjugue comme **comer** (voir leçon 7).

■ **conviene que** : *il convient que*, est suivi du subjonctif présent.

■ *vous*, sans autre précision, correspond au **V.S.**

A 4 TRADUCTION

Il convient que :

1. Je reste à la maison.	je reste à la maison.
2. Il reste ici.	il reste ici.
3. Toi, tu restes là.	toi, tu restes là.
4. Vous restez debout.	vous restiez debout.
5. Vous restez là (T.P.).	vous restiez là (T.P.).
6. Je ne me mêle de rien.	je ne me mêle de rien.
7. Tu te mêles des affaires des autres.	tu ne te mêles pas des affaires des autres.
8. Ils se mêlent de tout.	ils ne se mêlent pas de tout.
9. Nous ne nous mêlons de rien.	nous ne nous mêlions de rien.
10. Vous vous mêlez des affaires des autres (T.P.).	vous ne vous mêliez pas des affaires des autres.
11. Tu te fâches.	tu ne te fâches pas.
12. Vous ne vous fâchez pas (T.P.).	vous ne vous fâchiez pas.
13. Eux, ils se fâchent.	eux, ils ne se fâchent pas.

B 1 PRÉSENTATION

• **gustar**	*plaire, aimer*
a mí, me gusta la vida	*moi, j'aime la vie*
a ti, te gustan los viajes	*toi, tu aimes les voyages*
a él, le gusta el vino	*lui, il aime le vin*
a ella, no le gusta	*elle, elle n'aime pas*
a Ud también, le gusta	*vous aussi, vous aimez*
a nosotros, no nos gusta	*nous, nous n'aimons pas*
a vosotros, os gusta la leche	*vous, vous aimez le lait*
a ellas, también les gusta	*elles, elles aiment aussi*
a Uds, les gusta el sol	*vous, vous aimez le soleil*

las ideas	*les idées*	**comprar**	*acheter*
el mar	*la mer*	**inquietarse**	*s'inquiéter*
los recuerdos	*les souvenirs*	**levantarse**	*se lever*
la verdad	*la vérité*	**los demás**	*les autres*
el viaje	*le voyage*	**tarde**	*tard*
cansarse	*se fatiguer*	**temprano**	*tôt*
cantar	*chanter*		

B 2 APPLICATION

1. A mí, me gusta la verdad.
2. A ti, te gusta el mar.
3. Nos gustan los viajes.
4. A Uds, les gusta cantar.
5. No te gustan mis ideas.
6. A mí, no me gusta el mar.
7. Os gusta la verdad.
8. A ella, le gusta comprar recuerdos de viaje.
9. A él, no le gusta que Uds se levanten temprano.
10. A ellos, no les gusta que os levantéis tarde.
11. A ti, no te gusta cansarte y no te gusta que los demás se cansen.
12. A nosotros, no nos gusta que vosotros os inquietéis.
13. A Juan, no le gusta meterse en cosas ajenas y no le gusta que los demás se metan en sus cosas.

B 3   REMARQUES

▪ Le **d** final se prononce comme le [th] anglais : **verdad** [verdaz]. On peut aussi ne pas le prononcer du tout : [verda].

▪ **gustar** n'existe qu'aux 3es personnes du singulier et du pluriel, car il se construit à la manière de *plaire* : *j'aime la vie* = *la vie me plaît*.
Aussi, le verbe **gustar** s'accorde-t-il toujours avec le mot qui suit :
a mí, me gusta *la vida* : **vida** est singulier, donc le verbe est au singulier.
a ti, te gustan *los viajes* : **viajes** est pluriel, donc le verbe est au pluriel.
Les groupes **a mí, a ti**, etc. ne sont pas obligatoires. Utilisés, ils marquent l'insistance ou évitent la confusion.

▪ **gustar** peut être suivi de l'infinitif : **me gusta cantar**, *j'aime chanter* ou du subjonctif : **me gusta que Ud cante**, *j'aime que vous chantiez.*

▪ Quand *les autres* a la nuance de *tous les autres*, l'espagnol peut utiliser **los demás** au lieu de **los otros**.

B 4   TRADUCTION

1. Moi, j'aime la vérité.
2. Toi, tu aimes la mer.
3. Nous aimons les voyages.
4. Vous aimez (V.P.) chanter.
5. Tu n'aimes pas mes idées.
6. Moi, je n'aime pas la mer.
7. Vous aimez (T.P.) la vérité.
8. Elle aime acheter des souvenirs de voyage.
9. Lui, il n'aime pas que vous vous leviez (V.P.) tôt.
10. Eux, ils n'aiment pas que vous vous leviez (T.P.) tard.
11. Toi, tu n'aimes pas te fatiguer et tu n'aimes pas que les autres se fatiguent.
12. Nous, nous n'aimons pas que vous vous inquiétiez (T.P.).
13. Jean n'aime pas se mêler des affaires des autres et il n'aime pas que les autres se mêlent de ses affaires.

A. Traduire (*ce que* = **lo que**)
1. Moi, j'aime rester à la maison.
2. Toi, tu aimes prendre le métro.
3. Elle, elle aime prendre l'autobus.
4. Nous, nous aimons boire beaucoup de bière.
5. Vous, vous aimez (T.P.) vivre à la campagne.
6. Eux, ils aiment ce que les autres n'aiment pas.
7. À vous, cela vous plaît d'attendre ?
8. Vous, vous aimez (V.P.) rester debout ?

B. Traduire (*n'est-ce pas ?* = **¿ verdad ¿**)
1. J'aime que vous restiez ici.
2. Tu aimes te mêler des affaires des autres, n'est-ce pas ?
3. Il n'aime pas que tu te mêles de tout, n'est-ce pas ?
4. Jean n'aime pas que nous restions debout.
5. Lui et moi, nous aimons que les autres ne se mêlent pas de nos affaires.

A. Mettre au pluriel
1. ¿ Hablas francés ? – Sí, hablo francés.
2. ¿ Qué bebes ? – Bebo cerveza.
3. ¿ Dónde vives ? – Vivo en Madrid.
4. ¿ Qué esperas ? – Espero el autobús.
5. ¿ Qué escribes ? – Escribo una carta.
6. ¿ Vendes tu coche ? – No, no lo vendo.

B. Écrire en toutes lettres les chiffres suivants
1.   100 000 francs
2.   2 500 000 pesetas
3.   1 000 000 euros
4.   8 000 000 euros
5.   1 000 000 000 euros

(Voir corrigé p. 374.)

C 3   CORRIGÉ

A.

1. A mí, me gusta quedarme en casa.
2. A ti, te gusta tomar el metro.
3. A ella, le gusta tomar el autobús.
4. A nosotros, nos gusta beber mucha cerveza.
5. A vosotros, os gusta vivir en el campo.
6. A ellos, les gusta lo que a los demás no les gusta.
7. A Ud, ¿ le gusta esperar ?
8. A Uds, ¿ les gusta quedarse de pie ?

B.

1. Me gusta que Ud se quede aquí.
2. Te gusta meterte en cosas ajenas, ¿ verdad ?
3. No le gusta que te metas en todo, ¿ verdad ?
4. A Juan, no le gusta que nos quedemos de pie.
5. A él y a mí, nos gusta que los demás no se metan en nuestras cosas.

C 4   CIVILISATION : exclamations et salutations

■ L'exclamation **¡ Hombre !** est très employée et sert à exprimer les impressions les plus diverses :

l'affection,	*Mon vieux !*
l'étonnement,	*Quoi !*
la surprise,	*Tiens !*
l'admiration,	*Eh bien !*
l'ironie,	*Vraiment !*
le doute,	*Sans blague !*, *Bah !*
l'incrédulité,	*Allons donc !*

Bien que l'expression **¡ Mujer !** existe aussi, **¡ Hombre !** peut être utilisé pour s'adresser également à une femme.

■ Les Espagnols sont très chaleureux dans leur façon de se saluer. Les salut les plus courants sont le fameux **¡ Hola !**, *Salut !* et **¿ Qué tal ?**, *Ça va ?*. Le contact physique est également très fréquent : entre hommes, on peut pratiquer **el abrazo**, *l'accolade*, et entre femmes et hommes **darse la mano**, *se serrer la main* ou **darse un beso**, *s'embrasser*. L'emploi du *tutoiement*, **el tuteo** est très courant en Espagne.

D 1 CÓMO SALUDAR

saludarse	el saludo
hasta la vista	dar los buenos días
¿ qué tal ?	vamas tirando
buenos días	buenas tardes
buenas noches	hola
muy buenas	adiós
hasta mañana	hasta luego
hasta la próxima	hasta la próxima semana
hasta pronto	me alegro de verte
encantado (a)	mucho gusto
le presento a mi marido	éste es mi marido
le presento a mi mujer	ésta es mi mujer
¿ Cómo está usted ?	estoy bien
un apretón de manos	estoy regular
la despedida	despedirse

D 2 DIALOGUE

P = Paco   C = el camarero   J = Julia

En la cafetería

P — ¡ Hola ! ¡ Buenos días !
C — Buenos días, ¿ qué desea ?
P — Un café con leche, por favor.
C — Enseguida.
P — Hombre Julia, ¿ qué tal estás ?
J — Hola, Paco. Muy bien, gracias.
P — Me alegro de verte[1]. ¿ Tomas algo ?
J — Sí, un zumo de naranja, un chocolate, unos churros y
huevos con bacon.
P — ¡ Qué barbaridad[2] !
J — Es que estoy embarazada. Ah, y también unas tostadas con
mermelada, por favor. Mira, te presento a mi marido.
P — Encantado. ¡ Con el apetito de tu mujer, me imagino que
tienes un buen sueldo !

1. **verte** : enclise **ver** + **te**, en français *te voir*.
2. ¡ **qué barbaridad !** : expression fréquente = *quelle horreur !, c'est incroyable !*

D 3 COMMENT SALUER

se saluer	la salutation
à bientôt	souhaiter le bonjour
ça va ?	on fait aller
bonjour	bon après-midi, bonsoir
bonsoir, bonne nuit	salut
bonjour	au revoir, adieu
à demain	à tout à l'heure
à la prochaine	à la semaine prochaine
à bientôt	content de te voir
enchanté(e)	très heureux/heureuse
je vous présente mon mari	voici mon mari
je vous présente ma femme	voici ma femme
Comment allez-vous ?	je vais bien
une poignée de mains	je vais comme ci comme ça
la séparation, l'au revoir	dire au revoir, quitter

D 4 TRADUCTION

P = Paco   C = le serveur   J = Julia

Au café

P — Bonjour !

C — Bonjour, que désirez-vous ?

P — Un café au lait, s'il vous plaît.

C — Tout de suite.

P — Tiens, Julia, comment vas-tu ?

J — Salut Paco. Très bien, merci.

P — Content de te voir. Tu prends quelque chose ?

J — Oui, un jus d'orange, un chocolat, des beignets, et des œufs au bacon.

P — C'est incroyable !

J — C'est que je suis enceinte. Ah, et aussi des tartines avec de la confiture, s'il vous plaît. Tiens, je te présente mon mari.

P — Enchanté. Avec l'appétit de votre femme, j'imagine que vous avez un bon salaire !

10   Llame Ud un taxi

* Impératif affirmatif et négatif (I)

	llamar	*appeler*		
V.S.	**llame Ud**	*appelez*	**no llame Ud**	*n'appelez pas*
V.P.	**llamen Uds**	*appelez*	**no llamen Uds**	*n'appelez pas*
1 p.	**llamemos**	*appelons*	**no llamemos**	*n'appelons pas*

el dinero	*l'argent*	**llenar**	*remplir*
la maleta	*la valise*	**mirar**	*regarder*
la realidad	*la réalité*	**ocurrir**	*arriver, se passer*
un taxi	*un taxi*	**tratar de**	*essayer de*
un vaso	*un verre*	**lo que**	*ce qui*
aceptar	*accepter*	**luego**	*ensuite*
cambiar	*changer*	**por favor**	*s'il vous plaît*
comprar	*acheter*	**primero**	*premièrement*
comprender	*comprendre*	**sin**	*sans*

A 2   APPLICATION

1. Primero, llame Ud un taxi, luego tome su maleta.
2. Cambie Ud dinero, pero no cambie aquí.
3. Llene Ud su vaso, pero no llene el mío.
4. Miremos lo que ha ocurrido.
5. Miren Uds la casa, no miren los coches.
6. Traten Uds de comprender, por favor.
7. No aceptemos lo que ocurre sin comprender.
8. Trate Ud de comprender y acepte la realidad.
9. Mire Ud, y acepte lo que ocurre.
10. No compre Ud todo lo que mira.
11. ¿ Llenamos los vasos ? ¡ Llenemos los vasos !
12. No compren Uds lo que ellos compran.

A 3 REMARQUES

■ **taxi** : le **x** entre deux voyelles se prononce [k-ss] : [tak-ssi].
llamar : le **ll** (l mouillé) se prononce [ly] comme dans *lieu*.

■ L'impératif espagnol a cinq personnes différentes. Nous voyons ici les deux personnes correspondant au vouvoiement et à la 1re personne du pluriel :

V.S. = vouvoiement singulier
V.P. = vouvoiement pluriel
1 p. = 1re personne du pluriel.

Ces trois formes sont empruntées au subjonctif présent, aussi bien pour l'impératif affirmatif que pour le négatif.
Ce n'est donc que la présence ou l'absence de la négation **no** qui différencie l'impératif affirmatif de l'impératif négatif, comme en français :

llame Ud   **no llame Ud**
appelez   *n'appelez pas*

■ **el mío**, *le mien*, **la mía**, **los míos**, **las mías**, etc. voir possessifs, p. 345.

■ **ha ocurrido**, *il s'est passé, il est arrivé* : passé composé formé du présent de l'indicatif de l'auxiliaire **haber** et du participe passé de **ocurrir**, voir passé composé p. 119.

A 4 TRADUCTION

1. Premièrement, appelez un taxi, puis prenez votre valise.
2. Changez de l'argent, mais ne changez pas ici.
3. Remplissez votre verre, mais ne remplissez pas le mien.
4. Voyons (regardons) ce qui s'est passé.
5. Regardez (V.P.) la maison, ne regardez pas les voitures.
6. Essayez (V.P.) de comprendre, s'il vous plaît.
7. N'acceptons pas ce qui se passe sans comprendre.
8. Essayez de comprendre et acceptez la réalité.
9. Regardez, et acceptez ce qui arrive.
10. N'achetez pas tout ce que vous regardez.
11. Nous remplissons les verres ? Remplissons les verres !
12. N'achetez pas (V.P.) ce qu'ils achètent.

10 Lea Ud la novela

B 1 PRÉSENTATION

• Impératif affirmatif et négatif (I)

	leer	*lire*		
V.S.	**lea Ud**	*lisez*	**no lea Ud**	*ne lisez pas*
V.P.	**lean Uds**	*lisez*	**no lean Uds**	*ne lisez pas*
1 p.	**leamos**	*lisons*	**no leamos**	*ne lisons pas*

	abrir	*ouvrir*		
V.S.	**abra Ud**	*ouvrez*	**no abra Ud**	*n'ouvrez pas*
V.P.	**abran Uds**	*ouvrez*	**no abran Uds**	*n'ouvrez pas*
1 p.	**abramos**	*ouvrons*	**no abramos**	*n'ouvrons pas*

el anuncio	*l'annonce*	**afirmar**	*affirmer*
la novela	*le roman*	**añadir**	*ajouter*
el paquete	*le paquet*	**conceder**	*accorder*
el permiso	*la permission*	**responder**	*répondre*
la revista	*la revue*	**esto**	*ceci, cela*

B 2 APPLICATION

A
1. Lea Ud la novela.
2. No leamos esta revista.
3. Lean Uds esta novela.
4. No lea Ud esta revista.
5. Responda Ud a esta carta.
6. Respondamos a este anuncio.
7. No respondan Uds a la carta.
8. No conceda Ud esto.
9. Concedan Uds el permiso.
10. No añada Ud nada a lo que respondemos.
11. No lea Ud lo que escribimos.
12. ¿ Añadimos esto ? — No, no añadamos nada.

B
1. Abra Ud el paquete.
2. No abra Ud el sobre.
3. Abramos la ventana.
4. No abran Uds la puerta.
5. No abramos el sobre.
6. Añada Ud un vaso.
7. No afirmen Uds esto.
8. No crea Ud esto.
9. Creamos lo que afirma.

B 3 REMARQUES

■Rappel : **añadir** : **ñ** (n tilde) se prononce [gne] comme dans *Espagne*.

■Les impératifs des verbes terminés en ~**er** et en ~**ir** sont semblables. Les formes des vouvoiements singulier et pluriel et de la 1ʳᵉ personne du pluriel sont empruntées au subjonctif présent, aussi bien pour l'impératif affirmatif que pour le négatif.

Là encore, seule la présence ou l'absence de la négation **no** différencie la forme affirmative de la forme négative :

lea Ud	**no lea Ud**
lisez	*ne lisez pas*
abran Uds	**no abran Uds**
ouvrez	*n'ouvrez pas*

■*vous*, sans autre précision, correspond au **V.S.**

■**este anuncio**, *cette annonce* ; **esta revista**, *cette revue* ; **estos paquetes**, *ces paquets* ; **estas cartas**, *ces lettres* ; **esto**, *ceci*, *cela* : voir adjectifs et pronoms démonstratifs, p. 345.

B 4 TRADUCTION

A

1. Lisez le roman.
2. Ne lisons pas cette revue.
3. Lisez (V.P.) ce roman.
4. Ne lisez pas cette revue.
5. Répondez à cette lettre.
6. Répondons à cette annonce.
7. Ne répondez pas (V.P.) à la lettre.
8. N'accordez pas cela.
9. Accordez (V.P.) la permission.
10. N'ajoutez rien à ce que nous répondons.
11. Ne lisez pas ce que nous écrivons.
12. Ajoutons-nous cela ? — Non, n'ajoutons rien.

B

1. Ouvrez le paquet.
2. N'ouvrez pas l'enveloppe.
3. Ouvrons la fenêtre.
4. N'ouvrez pas (V.P.) la porte.
5. N'ouvrons pas l'enveloppe.
6. Ajoutez un verre.
7. N'affirmez pas (V.P.) cela.
8. Ne croyez pas cela.
9. Croyons ce qu'il affirme.

C 1 ÉNONCÉ

A. Traduire avec *Ud* puis avec *Uds*

1. Essayez de comprendre.   _____
2. N'ajoutez rien.   _____
3. Appelez un taxi.   _____
4. Lisez ce roman.   _____

B. Traduire *(ou = **o**) (cela lui est égal = **le da igual**)*

1. Ouvrons ou n'ouvrons pas la lettre, cela lui est égal.
2. Regardez ou ne regardez pas (V.P.), cela lui est égal.
3. Lisons ou ne lisons pas cette revue, cela lui est égal.
4. Acceptons ou n'acceptons pas ce qui arrive, cela lui est égal.

C. Traduire *(quelque chose = **algo**)*

1. Vous lisez ce roman ? Lisez ce roman.
2. Nous appelons un taxi ? Appelons un taxi.
3. Vous remplissez (V.P.) ce verre ? Remplissez ce verre.
4. Vous ajoutez quelque chose ? Ajoutez quelque chose.
5. Vous essayez (V.P.) de comprendre ? Essayez de comprendre.
6. Nous répondons à cette lettre ? Répondons à cette lettre.
7. Nous accordons la permission ? Accordons la permission.

C 2 RÉCAPITULATION

Compléter la phrase en mettant le verbe entre parenthèses à la forme convenable

1. (abrir)   Permito que Uds _____ las ventanas.
2. (esperar)   No es útil que ellos _____ demasiado.
3. (vender)   No creo que mi vecino _____ su coche.
4. (tomar)   Es indispensable que Ud _____ la palabra.
5. (leer)   Hace falta que ellos _____ los periódicos.
6. (escribir)   No es útil que Ud _____ su nombre.
7. (hablar)   Es indispensable que ellos _____ español.
8. (vivir)   No creo que Paquita _____ en un piso.
9. (temer)   No hace falta que Ud _____ el cambio.
10. (olvidar)   Es indispensable que él no _____ las llaves.

(Voir corrigé p. 374.)

C 3   CORRIGÉ

A.

1. Trate Ud de comprender   Traten Uds de comprender.
2. No añada Ud nada.   No añadan Uds nada.
3. Llame Ud un taxi.   Llamen Uds un taxi.
4. Lea Ud esta novela.   Lean Uds esta novela.

B.

1. Abramos o no abramos la carta, le da igual.
2. Miren Uds o no miren, le da igual.
3. Leamos o no leamos esta revista, le da igual.
4. Aceptemos o no aceptemos lo que ocurre, le da igual.

C.

1. ¿ Lee Ud esta novela ? Lea Ud esta novela.
2. ¿ Llamamos un taxi ? Llamemos un taxi.
3. ¿ Llenan Uds este vaso ? Llenen Uds este vaso.
4. ¿ Añade Ud algo ? Añada Ud algo.
5. ¿ Tratan Uds de comprender ? Traten Uds de comprender.
6. ¿ Respondemos a esta carta ? Respondamos a esta carta.
7. ¿ Concedemos el permiso ? Concedamos el permiso.

C 4   CIVILISATION : Madrid

■**Madrid**, capitale de l'Espagne depuis le XVIᵉ siècle, est située à une altitude de 635 mètres sur le haut plateau que constitue **la Meseta Central**, ce qui fait d'elle la capitale la plus élevée d'Europe.

Sa position géographique, au cœur de la péninsule Ibérique, la prive des influences océaniques ; l'hiver est donc froid et peu pluvieux et l'été sec et caniculaire.

Madrid — quatre millions six cent mille habitants, c'est-à-dire plus du dixième de la population totale — est une ville ouverte, multiple, aux nombreuses facettes, mais surtout c'est une ville aimable et amusante. Le bouillonnement nocturne de Madrid est unique avec ses centaines de bars, bistrots et tavernes.

La Movida est le mot inventé dans les années 80, pour exprimer ce trépidant rythme madrilène et désigne les lieux et les milieux « branchés »

D 1   PARA IR DE UN LUGAR A OTRO

la ciudad	el plano
a la izquierda	a la derecha
todo recto	enfrente de
al lado de	detrás de
delante de	cerca
lejos	entre
en la esquina	en el cruce
la bocacalle	torcer
a cien metros	la calle
la avenida	cruzar
seguir	girar
coger	la callejuela
el paseo	la acera
la plaza	andar
caminar	la farola

D 2   DIALOGUE

C = una chica   H = un hombre

C — Perdone, ¿ dónde está el metro ?

H — Usted debe coger esta primera calle a la derecha.

C — Vale, gracias.

H — Despúes a cien metros más o menos, tome a la izquierda.

C — Bien, vale.

H — Luego, todo recto y la segunda bocacalle a la derecha.

C — Sí, pero…

H — Una vez allí cruce y gire a la izquierda. Está delante de una tienda de discos.

C — Perdone, pero no me entero de nada.

H — No importa, lo voy a repetir [1].

C — No se moleste, voy a coger un taxi.

---

1. **voy** : indicatif présent de **ir** = *aller*.
    ir a + infinitif = *aller* + infinitif.

D 3 POUR ALLER D'UN LIEU À UN AUTRE

la ville	*le plan*
à gauche	*à droite*
tout droit	*en face de*
à côté de	*derrière*
devant	*près*
loin	*entre*
au coin	*au croisement*
la rue, l'entrée d'une rue	*tourner*
à cent mètres	*la rue*
l'avenue	*traverser*
continuer	*tourner*
prendre	*la ruelle*
la promenade	*le trottoir*
la place	*marcher*
marcher	*le lampadaire*

D 4 TRADUCTION

C = une fille   H = un homme

C — Excusez-moi, où est le métro ?
H — Vous devez prendre la première rue à droite.
C — D'accord, merci.
H — Ensuite, à cent mètres à peu près, prenez à votre gauche.
C — Bon, d'accord.
H — Après, tout droit et la deuxième à droite.
C — Oui, mais...
H — Une fois là-bas, traversez et tournez à gauche. Vous êtes devant un magasin de disques.
C — Excusez-moi, je n'y comprends rien.
H — Ce n'est pas grave. Je vais répéter.
C — Ne vous dérangez pas, je vais prendre un taxi.

1. La chica ...... guapa pero ...... enferma.

a) es — es
b) está — está
c) es — está
d) está — es

2. Paquita es ...... y está ...... Lima.

a) un niño — a
b) español — en
c) una niña — a
d) española — en

3. Tenéis ...... llave y Pepito, ... periódico.

a) vuestra — su
b) vosotros — él
c) vuestros — el
d) su — vuestra

4. Ustedes ...... su libro y ......, su bolígrafo.

a) tienen — él
b) tenéis — vosotros
c) tienen — tu
d) tenéis — él

5. Hace falta que vosotros no ...... nada.

a) olviden
b) olvidáis
c) olvidan
d) olvidéis

(Voir corrigé p. 378.)

6. No es útil que .... coche.

a) vendéis   —   vuestro
b) vendas   —   la
c) vendáis   —   el
d) venden   —   el

7. ¿ ...... vosotros que ...... la ventana ?

a) Permitimos   —   abráis
b) Permitís   —   abramos
c) Permitáis   —   abrimos
d) Permitamos   —   abrís

8. ¡ ...... vuestro piso en Madrid y ...... en el campo !

a) Tienes   —   vives
b) Tenemos   —   viváis
c) Tenéis   —   vivís
d) Tiene   —   viva

9. ¡ No os ...... la verdad y ...... !

a) gustan   —   os enfadáis
b) gusta   —   se enfadan
c) gustan   —   se enfadan
d) gusta   —   os enfadáis

10. ¡ Por favor, señor, ... Usted y no ...... nada.

a) acepta   —   añade
b) acepte   —   añada
c) acepte   —   añade
d) acepta   —   añada

(Voir corrigé p. 378.)

A 1 PRÉSENTATION

- Impératif affirmatif et négatif (II)

cambiar *changer*

T.S.	**cambia**	*change*	**no cambies**	*ne change pas*
T.P.	**cambiad**	*changez*	**no cambiéis**	*ne changez pas*

las costumbres	*les habitudes*	**el peso**	*le peso*
el dinero	*l'argent*		(unité monétaire)
el dólar	*le dollar*	**el traje**	*le costume*
el euro	*l'euro*	**gastar**	*dépenser*
el modo de vivir	*le mode de vie*	**algo**	*quelque chose*

A 2 APPLICATION

1. Cambia tu dinero y luego, compra algo.
2. No cambies tu dinero y no compres nada.
3. Cambiad euros por dólares y esperad.
4. No combiéis euros por dólares y no esperéis.
5. Compra este traje, no compres ése.
6. No compres este traje, compra ése.
7. Ahora comprad pesos y gastad los dólares que quedan.
8. No compréis pesos y no gastés los dólares que quedan.
9. Si cambiáis vuestro modo de vivir, cambiad también vuestras costumbres.
10. Si no combiáis vuestro modo de vivir, no combiéis nada.
11. Cambia dinero, pero no combies todos tus euros.
12. Gasta pesos, pero no gastes tus dólares.

11 Change ton argent

A 3   REMARQUES

■ T.S. : Tutoiement Singulier : on s'adresse à une seule personne que l'on tutoie.
T.P. : Tutoiement Pluriel on s'adresse à plusieurs personnes qui, prises séparément, sont tutoyées.

■ À la forme affirmative, l'impératif T.S. est la deuxième personne du singulier de l'indicatif présent moins le **~s** :

cambiar : cambias → cambia

■ L'impératif T.P. correspond à l'infinitif moins **~r** plus **~d** :

cambiar : cambias + ~d = cambiad

■ Les impératifs T.S. et T.P. négatifs sont les **deuxièmes personnes du singulier et du pluriel du subjonctif présent** précédées de **no** :

cambiar { **cambies → no cambies**

{ **cambiéis → no cambiéis**

■ **Este traje**, *ce costume(-ci)* ; **éste**, *celui-ci* ; **ese traje**, *ce costume (-là-)* ; **ése**, *celui-là* ; voir adjectifs et pronoms démonstratifs, p. 345.

A 4   TRADUCTION

(Les deuxièmes personnes du pluriel sont des tutoiements pluriels.)

1. Change ton argent et ensuite, achète quelque chose.
2. Ne change pas ton argent et n'achète rien.
3. Changez des euros contre des dollars et attendez.
4. Ne changez pas des euros contre des dollars et n'attendez pas.
5. Achète ce costume-ci, n'achète pas celui-là.
6. N'achète pas ce costume, achète celui-là.
7. Maintenant achetez des pesos et dépensez les dollars qui restent.
8. N'achetez pas de pesos et ne dépensez pas les dollars qui restent.
9. Si vous changez votre mode de vie, changez aussi vos habitudes.
10. Si vous ne changez pas votre mode de vie, ne changez rien.
11. Change de l'argent, mais ne change pas tous tes euros.
12. Dépense des pesos, mais ne dépense pas tes dollars.

B 1 PRÉSENTATION

- Impératif affirmatif et négatif (II)

aprender *apprendre*

| T.S. | **aprende** | *apprends* | **no aprendas** | *n'apprends pas* |
| T.P. | **aprended** | *apprenez* | **no aprendáis** | *n'apprenez pas* |

asistir *assister*

| T.S. | **asiste** | *assiste* | **no asistas** | *n'assiste pas* |
| T.P. | **asistid** | *assistez* | **no asistáis** | *n'assistez pas* |

el calor	*la chaleur*	**el sol**	*le soleil*
el Código de la circulación		*le Code de la route*	
es igual	*c'est pareil*	**de memoria**	*par cœur*
me da igual	*ça m'est égal*	**con**	*avec*
el espectáculo	*le spectacle*	**nada**	*rien*
el hermano	*le frère*	**sin**	*sans*
la reunión	*la réunion*	**todo esto**	*tout cela*

B 2 APPLICATION

1. Aprende el Código de la Circulación, por favor.
2. No aprendas todo esto de memoria.
3. Asiste a este espectáculo con tu hermano.
4. No asistas a este espectáculo sin tu hermano.
5. Aprended o no aprendáis, me da igual.
6. Asistid o no asistáis a la reunión, me da igual.
7. No temáis nada de mí : soy vuestro amigo.
8. Cambiad vuestro modo de vivir.
9. Temed el sol pero no temáis el calor.
10. Escribe tu nombre, pero no escribas el mío.
11. Aprende o no aprendas, es igual.
12. Asiste o no asistas a la reunión, es igual.
13. Teme o no temas, es igual.
14. Escribid o no escribáis, es igual.

B 3   REMARQUES

■ Rappel T.S. = Tutoiement Singulier
      T.P. = Tutoiement Pluriel

■ Les impératifs T.S. et T.P. affirmatifs des verbes en ~**er** et en ~**ir**
se construisent d'une façon identique :

• L'impératif T.S. est la deuxième personne du singulier de l'indicatif
présent moins le ~**s** :

> **aprender** : **aprendes** → **aprende**
> **asistir** : **asistes** → **asiste**

• L'impératif T.P. correspond à l'infinitif moins ~**r** plus ~**d** :

> **aprender** : **aprende** + ~**d** = **aprended**
> **asistir** : **asisti** + ~**d** = **asistid**

■ Les impératifs **T.S.** et **T.P.** négatifs sont les **deuxièmes personnes
du singulier et du pluriel du subjonctif présent** précédées
de **no** :

> **aprender** ⎰ **aprendas** → **no aprendas**
>   ⎱ **aprendáis** → **no aprendáis**
>
> **asistir** ⎰ **asistas** → **no asistas**
>   ⎱ **asistáis** → **no asistáis**

B 4   TRADUCTION

(Les deuxièmes personnes du pluriel sont des tutoiements pluriels.)
 1. Apprends le Code de la route, s'il te plaît.
 2. N'apprends pas tout cela par cœur.
 3. Assiste à ce spectacle avec ton frère.
 4. N'assiste pas à ce spectacle sans ton frère.
 5. Apprenez ou n'apprenez pas, ça m'est égal.
 6. Assistez ou n'assistez pas à la réunion, ça m'est égal.
 7. Ne craignez rien de moi : je suis votre ami.
 8. Changez votre façon de vivre.
 9. Craignez le soleil, mais ne craignez pas la chaleur.
10. Écris ton nom, mais n'écris pas le mien.
11. Apprends ou n'apprends pas, c'est pareil.
12. Assiste ou n'assiste pas à la réunion, c'est pareil.
13. Crains ou ne crains pas, c'est pareil.
14. Écrivez ou n'écrivez pas, c'est pareil.

C 1 ÉNONCÉ

A. Traduire (Les *vous* sont des tutoiements pluriels)

1. S'il te plaît, change.
2. S'il vous plaît, n'assistez pas à ce spectacle.
3. Changez votre argent.
4. Changez ou ne changez pas, cela m'est égal.
5. Change ou ne change pas, cela m'est égal.

B. Traduire (Les *vous* sont des tutoiements pluriels)

1. Tu n'assistes pas au spectacle ? N'assiste pas au spectacle.
2. Vous changez vos dollars ? Changez vos dollars.
3. Tu apprends l'anglais ? Apprends l'anglais.
4. Tu ne changes pas de mode de vie ? Ne change pas de mode de vie.
5. Vous apprenez le français ? Apprenez le français.
6. Vous assistez au spectacle ? Assistez au spectacle.
7. Tu ne crains pas le changement ? Ne crains pas le changement.
8. Vous n'écrivez pas votre nom ? N'écrivez pas votre nom.
9. Vous n'apprenez pas l'anglais ? N'apprenez pas l'anglais.
10. Tu n'écris pas ton nom ? N'écris pas ton nom.

C 2 RÉCAPITULATION

Compléter avec GUSTAR et les pronoms convenables

1. A mí, _____ escribir cartas.
2. A nosotros _____ hablar español.
3. A ti, _____ leer novelas.
4. A vosotros, _____ el campo.
5. A él, _____ tus ojos.
6. A ella, _____ esta playa.
7. A ellos, _____ este juego.
8. A ellas, _____ estas casas.
9. A Ud, _____ estos cuadros.
10. A Uds, _____ este coche.

(Voir corrigé p. 374.)

C 3 CORRIGÉ

A.

1. Por favor, cambia.
2. Por favor, no asistáis a este espectáculo.
3. Cambiad vuestro dinero.
4. Cambiad o no cambiéis, me da igual.
5. Cambia o no cambies, me da igual.

B.

1. ¿ No asistes al espectáculo ? No asistas al espectáculo.
2. ¿ Cambiáis vuestros dólares ? Cambiad vuestros dólares.
3. ¿ Aprendes el inglés ? Aprende el inglés.
4. ¿ No cambias de modo de vivir ? No cambies de modo de vivir.
5. ¿ Aprendéis el francés ? Aprended el francés.
6. ¿ Asistís al espectáculo ? Asistid al espectáculo.
7. ¿ No temes el cambio ? No temas el cambio.
8. ¿ No escribís vuestro nombre ? No escribáis vuestro nombre.
9. ¿ No aprendéis el inglés ? No aprendáis el inglés.
10. ¿ No escribes tu nombre ? No escribas tu nombre.

C 4 CIVILISATION : l'Espagne moderne

■ En quarante ans, l'Espagne a connu des transformations spectaculaires aux niveaux économique, **económico**, et social, **social** (exode rural, naissance de grandes agglomérations, etc.).

Cela montre la performance accomplie par un pays qui avait raté le virage de la Révolution Industrielle au XIXe siècle et, qui au début du XXe était en partie sous-développé. En 1950, 50 % de la *population active*, **población activa**, était rurale, et en 1989 ce pourcentage n'était déjà plus que de 12 %. Le *revenu par habitant*, **la renta per cápita**, se multiplie par 7 pendant la même période.

Les années 1980 marquent la modernisation de l'Espagne avec son admission, en 1986, dans l'Union Européenne, **Unión Europea**. Sous la direction de différents gouvernements, **centristas**, *centristes*, et **socialistas**, *socialistes*, les *lois*, **leyes**, se sont modernisées et le comportement social s'est transformé s'alignant sur celui des autres pays européens.

D 1   EL MUNDO LABORAL

el trabajo	trabajar
currar *(fam.)*	ganar dinero
estudiar	buscar trabajo
el sueldo / el salario	lós días laborables
los días festivos	los fines de semana
el contrato fijo, temporal	la plantilla
el licenciado	la nómina
el paro, el desempleo	el empleado
el jefe	el parado
la huelga	el trabajador
el currante *(fam.)*	el huelguista
agobiado de trabajo	el oficio
el técnico	el obrero
el aprendiz	el peón
el subsidio de paro	la jubilación, el retiro
el historial	las garantías sociales

D 2   DIALOGUE

J = Jefe   P = Pedro

J — **El siguiente, por favor. ¿ Su nombre ?**

P — **¿ Quién yo ? Me llamo Pedro Marsé.**

J — **Vamos a ver. ¿ Se considera apto para este trabajo ? ¿ Tiene conocimientos de informática ? ¿ Habla japonés ? ¿ Qué sueldo… ?**

P — **Espere un momento, yo…**

J — **Enséñeme su historial y las referencias. Porque si no tiene usted referencias…**

P — **Sí, si referencias tengo… Lo que pasa…**

J — **No tengo tiempo que perder. Ya sabe¹ cómo está el mundo laboral…**

P — **Ya veo, ya veo. Están ustedes tan estresados que no dejan hablar.**

J — **No debe usted hablar así a la que puede ser su futuro jefe.**

P — **Ya, pero… yo soy el fontanero y vengo a arreglar las cañerías.**

---

1. **ya** : fréquemment employé avec le sens de *bien*, *déjà*, *parfaitement*, *oui*, etc., selon le contexte.

D 3 LE MONDE DU TRAVAIL

le travail	*travailler*
bosser	*gagner de l'argent*
étudier	*chercher du travail*
le salaire	*les jours ouvrables*
les jours fériés	*les week-ends*
le contrat à durée indéterminée, déterminée	*le personnel, l'effectif*
le diplômé	*la fiche de paie*
le chômage	*l'employé*
le chef	*le chômeur*
la grève	*le travailleur*
le bosseur	*le gréviste*
débordé de travail	*le métier*
le technicien	*l'ouvrier*
l'apprenti	*le manœuvre*
l'allocation-chômage	*la retraite*
le curriculum vitae	*les acquis sociaux*

D 4 TRADUCTION

J = Chef   P = Pedro

J — Le suivant, s'il vous plaît. Votre nom ?

P — Qui, moi ? Je m'appelle Pedro Marsé.

J — Voyons voir. Vous estimez-vous apte pour ce travail ? Avez-vous des connaissances en informatique ? Parlez-vous japonais ? Quel salaire... ?

P — Attendez un instant, moi...

J — Montrez-moi votre CV et vos références, parce que si vous n'avez pas de références...

P — Oui, oui, des références j'en ai... Ce qui se passe...

J — Je n'ai pas de temps à perdre. Vous savez bien comment fonctionne le monde du travail...

P — Je vois bien, je vois bien. Vous êtes si stressés que vous ne laissez pas parler.

J — Vous ne devriez pas parler comme ça à celle qui peut être votre futur chef.

P — Oui, oui, mais... je suis le plombier et je viens réparer les canalisations.

A 1 PRÉSENTATION

- **Contar** *compter, raconter*

indicatif présent		subjonctif présent	
cuento	*je comptes*	**cuente**	*que je comptes*
cuentas	*tu comptes*	**cuentes**	*que tu comptes*
cuenta	*il compte*	**cuente**	*qu'il compte*
contamos	*nous comptons*	**contemos**	*que nous comptions*
contáis	*vous comptez*	**contéis**	*que vous comptiez*
cuentan	*ils comptent*	**cuenten**	*qu'ils comptent*

un chiste	*une histoire drôle*	**jugar**	*jouer*
el fútbol	*le foot-ball*	**recordar**	*se rappeler*
el viaje	*le voyage*	**soñar con**	*rêver de*
sensacional	*formidable*	**cuánto**	*combien*
acordarse de	*se souvenir de*	**fácilmente**	*facilement*
costar	*coûter*	**lejos**	*loin*
encontrar	*trouver*	**siempre**	*toujours*
es bueno que	*il est bon que*	**sólo**	*seulement*
es fácil que	*il est probable que*		

A 2 APPLICATION

1. ¡ Tú cuentas cinquenta euros y yo sólo quaranta !
2. ¡ Cómo cuenta Ud los chistes !
3. ¿ Recuerda Ud sus ojos ? – Sí, me acuerdo de sus ojos.
4. ¿ Cómo encuentras a esta chica ? – La encuentro sensacional.
5. ¿ Cuánto cuesta esto ? – Cuesta dos euros.
6. ¿ Juegas al fútbol ? – No, no juego al fútbol.
7. ¿ Con qué sueña Ud ? – Sueño con estar lejos.
8. Es fácil que Uds no se acuerden de mí.
9. No es bueno que siempre juegues al fútbol.
10. No creo que Uds lo encuentren fácilmente.
11. Es indispensable que Uds recuerden esta palabra.
12. Sólo hace falta que ella se encuentre lejos.

A 3 REMARQUES

■ Un verbe qui diphtongue est un verbe dont la dernière voyelle du radical se modifie à certaines personnes. Cette diphtongaison – ici, ~o qui devient ~ue – ne peut se produire que si le **o** est accentué ; ce **o** n'est accentué qu'aux **trois premières personnes du singulier et à la troisième personne du pluriel des présents de l'indicatif et du subjonctif.** (Pensez au verbe *venir* en français) (p. 356).

Aux autres personnes et aux autres temps, la diphtongaison ne se produit jamais (p. 355).

Pour les présents (ind. et subj.), on a donc ceci :

contar : ~ue, ~ue, ~ue, ~o, ~o, ~ue

jugar se conjugue comme **contar** : ~u devient ~ue.

Le radical **jug~** ou **jueg~** est suivi d'un **u** si la terminaison commence par un **e** : **juegues, juguemos.**

■ Attention à l'impératif des verbes à diphtongue (p. 373).

■ **¿ Cómo encuentras a esta chica ?** : le complément d'objet direct représentant une personne est précédée de la préposition **a**.

■ **La encuentro...**, *je la trouve...* : les pronoms personnels compléments seront étudiés aux leçons 19 et 20.

A 4 TRADUCTION

1. Tu comptes 50 euros et moi seulement 40 !
2. Comme vous racontez les histoires !
3. Vous rappelez-vous ses yeux ? – Oui, je me souviens de ses yeux.
4. Comment trouves-tu cette fille ? – Je la trouve formidable.
5. Combien coûte ceci ? – Cela coûte deux euros.
6. Joues-tu au foot-ball ? – Non, je ne joue pas au foot-ball.
7. De quoi rêvez-vous ? – Je rêve d'être loin.
8. Il est probable que vous ne vous souveniez pas (V.P.) de moi.
9. Il n'est pas bon que tu joues toujours au foot-ball.
10. Je ne crois pas que vous le trouviez (V.P.) facilement.
11. Il est indispensable que vous vous rappeliez (V.P.) ce mot.
12. Il faut seulement qu'elle soit (se trouve) loin.

B 1 PRÉSENTATION

- **poder** *pouvoir*

indicatif présent		subjonctif présent	
puedo	*je peux*	**pueda**	*que je puisse*
puedes	*tu peux*	**puedas**	*que tu puisses*
puede	*il peut*	**pueda**	*qu'il puisse*
podemos	*nous pouvons*	**podamos**	*que nous puissions*
podéis	*vous pouvez*	**podáis**	*que vous puissiez*
pueden	*ils peuvent*	**puedan**	*qu'ils puissent*

la naranja	*l'orange*	**volver a** (+ inf.)	*re ~ (+ inf.)*
devolver	*rendre, restituer*	**volver a jugar**	*rejouer*
moverse	*s'agiter, remuer*	**cuanto antes**	*au plus vite*
oler a	*sentir* (une odeur)	**a la derecha**	*à droite*
soler	*avoir l'habitude de*	**a la izquierda**	*à gauche*
volver	*revenir, rentrer*	**torcer**	*tourner*

B 2 APPLICATION

1. ¿ Puedes volver ? — Sí, claro, puedo volver.
2. ¿ Vuelven ellos a jugar ? — Sí, vuelven a jugar.
3. ¿ Cuándo vuelve Ud ? — Vuelvo cuanto antes.
4. ¡ Tú sueles cenar mucho ! Yo suelo cenar poco.
5. Esta chica siempre se mueve, ¿ verdad ?
6. ¿ A qué huele aquí ? — Huele a naranja.
7. ¿ Tuerce Ud a la derecha ? — No, tuerzo a la izquierda.
8. ¿ Devuelve Ud este libro ? — No, no devuelvo este libro.
9. No es indispensable que ellas vuelvan ahora.
10. No creo que ellas lo devuelvan fácilmente.
11. No es posible que ellas se muevan siempre.
12. No hace falta que Ud devuelva ahora este dinero.
13. Me cansa mucho que siempre se muevan.

B 3   REMARQUES

■ Le **~o** du radical de ces verbes se transforme donc en **~ue** dans les mêmes conditions que le verbe **contar**, c'est-à-dire aux **trois premières personnes du singulier et à la troisième personne du pluriel des présents de l'indicatif et du subjonctif** (p. 268). Aux autres personnes et autres temps, la diphtongaison ne se produit jamais. Pour les présents (ind. et subj.), on a donc ceci :

    soler : **~ue, ~ue, ~ue, ~o, ~o, ~ue**

■ Attention à la modification orthographique de **torcer** : le **c** devient **z** devant un **o** ou un **a** : **tuerzo, tuerza**.

■ **oler** : le **o~** devient **ue~**, mais en espagnol un mot ne peut pas commencer par une diphtongue, aussi met-on un **h** devant le **ue** : **oler = huelo**.

■ **soler** signifie *avoir l'habitude de*, il est souvent traduit par un adverbe qui marque l'habitude :

    suelo : *d'habitude, je* …   **sueles** : *généralement, tu* …

■ Rien n'indique qu'un verbe diphtongue : c'est l'usage ou le dictionnaire qui vous l'apprendra.

B 4   TRADUCTION

1. Peux-tu revenir ? — Oui, bien sûr, je peux revenir.
2. Rejouent-ils ? — Oui, ils rejouent.
3. Quand revenez-vous ? — Je reviens au plus vite.
4. D'habitude, tu dînes beaucoup ! Généralement, moi je dîne peu.
5. Cette fille s'agite toujours, n'est-ce pas ?
6. Qu'est-ce que ça sent ici ? — Ça sent l'orange.
7. Tournez-vous à droite ? — Non, je tourne à gauche.
8. Rendez-vous ce livre ? — Non, je ne rends pas ce livre.
9. Il n'est pas indispensable qu'elles reviennent maintenant.
10. Je ne crois pas qu'elles le rendent facilement.
11. Il n'est pas possible qu'elles s'agitent toujours.
12. Il ne faut pas que vous rendiez maintenant cet argent.
13. Cela me fatigue beaucoup qu'ils remuent toujours.

C 1 ÉNONCÉ

A. Conjuguer

à l'indicatif présent	au subjonctif présent
encontrar	**soñar**
volver	**torcer**

B. Traduire (*presque* = **casi** ; *il se peut que* = **puede que**)

1. Racontez-vous toujours ce qui se passe ?
2. Oui, je raconte presque toujours ce qui se passe.
3. Il se souvient de tout, il ne raconte rien. C'est utile ?
4. Oui, c'est très utile qu'il se souvienne de tout et ne raconte rien.
5. Il se peut qu'elle revienne tout de suite.
6. Il se peut qu'elles rêvent toutes de vous (V.P.).
7. Lui, il a l'habitude de raconter des histoires drôles.
8. Il n'est pas possible qu'il se souvienne de tout.
9. Il n'est pas possible que tu ne puisses revenir.
10. Il se peut que nous revenions avec vous (T.P.).

C 2 RÉCAPITULATION

A. Mettre les verbes à l'impératif pour vouvoyer une personne

1. Tomar	No tomar
2. Abrir	No abrir
3. Comer	No comer
4. Esperar	No esperar

B. Mettre les verbes à l'impératif pour tutoyer une personne

1. Comprar	No comprar
2. Vender	No vender
3. Permitir	No permitir
4. Leer	No leer

(Voir corrigé p. 374.)

C 3   CORRIGÉ

A. <u>Ind. prés.</u> : encuentro, encuentras, encuentra
encontramos, encontráis, encuentran
vuelvo, vuelves, vuelve
volvemos, volvéis, vuelven

   <u>Subj. prés.</u> : sueñe, sueñes, sueñe
soñemos, soñéis, sueñen
tuerza, tuerzas, tuerza
torzamos, torzáis, tuerzan

B.

1. ¿ Cuenta Ud siempre lo que ocurre ?
2. Sí, cuento casi siempre lo que ocurre.
3. Se acuerda de todo, no cuenta nada. ¿ Es útil ?
4. Sí, es muy útil que se acuerde de todo y no cuente nada.
5. Puede que ella vuelva en seguida.
6. Puede que ellas sueñen todas con Uds.
7. Él suede contar chistes.
8. No es posible que se acuerde de todo.
9. No es posible que no puedas volver.
10. Puede que volvamos con vosotros.

C 4   CIVILISATION : le climat

■ Il existe en Espagne trois types de climats différents :

La majeure partie de l'Espagne centrale est soumise à *un climat*, **un clima**, quasi continental, peu différent de celui de l'Europe Centrale. Les écarts de *température*, **temperatura**, y sont très accentués avec un *hiver*, **invierno**, rigoureux et un *été*, **verano**, très chaud. Du climat de Madrid, un proverbe dit : **Nueve meses de invierno, tres de infierno.** *Neuf mois d'hiver, trois d'enfer.*

Les régions tournées vers la mer Cantabrique, au Nord, jouissent d'un climat *tempéré*, **templado**, très *humide*, **húmedo**.

Enfin, un climat *méditerranéen*, **mediterráneo**, règne sur la côte orientale et méridionale et dans les plaines de l'Andalousie où les pluies sont rares. Dans les provinces de Murcie et d'Almeria, la sécheresse est telle qu'on peut parler de climat semi-désertique.

D 1 ¿ QUÉ TIEMPO HACE ?

- ¿ Qué tiempo hace ?

  Hace calor — hace bueno — da el sol — el sol brilla — el sol pica — tengo calor.

  ¡ Qué bochorno ! — vamos a tener una tormenta — retumba el trueno — se oscurece el cielo — brillan los relámpagos — llueve a cántaros.

  Hace fresco — hace frío — hace mucho frío — corre mucho el viento — hay que vestirse mucho — tengo frío — va a helar — hiela — va a nevar — nieva.

D 2 DIALOGUE

P = un piloto   A = su amiga

Un piloto habla con su amiga

P — Voy a preparar la maleta.

A — ¿ Adónde vas ?

P — Por la mañana tengo un vuelo para Sevilla.

A — Qué suerte, allí hace bueno.

P — Por la tarde vuelvo a coger el avión para La Coruña.

A — Pues allí hace un tiempo de perros y a veces [1] llueve a cántaros.

P — Sí, es verdad, el impermeable ya está en la maleta.

A — A pesar de todo, tienes suerte, no vas a Burgos.

P — ¿ Por qué lo dices ?

A — Anda [2], porque en Burgos hace un frío que pela.

---

1. **a veces** = *parfois.*
2. **anda** = exclamation = *eh bien, allons, tiens, tu parles, zut*, etc.

D 3   QUEL TEMPS FAIT-IL ?

- *Quel temps fait-il ?*

  Il fait chaud — il fait bon — le soleil tape — le soleil brille — le soleil brûle — j'ai chaud.

  Quelle chaleur étouffante ! — nous allons avoir un orage — le tonnerre gronde — le ciel s'assombrit — les éclairs brillent — il pleut à verse.

  Il fait frais — il fait froid — il fait très froid — le vent souffle fort — il faut s'habiller chaudement — j'ai froid — il va geler — il gèle — il va neiger — il neige.

D 4   TRADUCTION

P = un pilote   A = son amie

Un pilote parle avec son amie

P — Je vais préparer la valise.

A — Où vas-tu ?

P — Le matin, j'ai un vol pour Séville.

A — Quelle chance, là-bas il fait beau.

P — L'après-midi je reprends l'avion pour La Corogne.

A — Eh bien, là-bas, il fait un temps de chien et parfois il pleut des cordes.

P — Oui, c'est vrai, mon imperméable est déjà dans la valise.

A — Malgré tout, tu as de la chance, tu ne vas pas à Burgos.

P — Pourquoi tu dis cela ?

A — Eh bien, parce que à Burgos, il fait un froid de canard.

A 1 PRÉSENTATION

- **pensar (en)** *penser (à)*

indicatif présent		subjonctif présent	
pienso	*je pense*	**piense**	*que je pense*
piensas	*tu penses*	**pienses**	*que tu penses*
piensa	*il pense*	**piense**	*qu'il pense*
pensamos	*nous pensons*	**pensemos**	*que nous pensions*
pensáis	*vous pensez*	**penséis**	*que vous pensiez*
piensan	*ils pensent*	**piensen**	*qu'ils pensent*

la sesión	*la séance*	**ahora mismo**	*tout de suite*
dudar	*douter*	**aquí, allí**	*ici, là*
comenzar	*commencer*	**inmediatamente**	*immédiatement*
empezar	*commencer*	**pronto**	*vite, rapidement*
entender	*comprendre*	**¿ por qué ?**	*pourquoi ?*
sentarse	*s'asseoir*	**porque**	*parce que*
ahora	*maintenant*	**¡ porque sí !**	*parce que !*

A 2 APPLICATION

1. ¿ Empiezan Uds a entender ? – Sí, empezamos.
2. ¿ Empiezas a dudar ? – Sí, empiezo a dudar.
3. ¿ Empezáis a jugar ? – Sí, empezamos.
4. ¿ Empieza ahora la sesión ? – Sí, empieza ahora mismo.
5. ¿ No te sientas aquí ? – No, me siento allí.
6. ¿ Piensas empezar pronto ? – No pienso empezar ahora.
7. ¿ Uds empiezan ahora ? – Sí, conviene que empecemos ahora.
8. Por qué empieza Ud inmediatamente ? – ¿ Por qué ? ¡ Porque sí !
9. Hace falta que pienses en devolver el libro.
10. ¿ Por qué piensas tan pronto en volver ?
11. Pienso en volver porque no entiendo nada.

13 Commences-tu maintenant ?

A 3 REMARQUES

■ Rappel : **empezar** : le **z** devient **c** devant un **e** et le **z** et le **c** se prononcent comme le [th] anglais.

■ L'apparition de la diphtongue — le **~e** qui devient **~ie** — ne se produit que si le **e** est accentué. Cette accentuation ne se produit qu'aux **trois premières personnes du singulier et à la troisième personne du pluriel des présents de l'indicatif et du subjonctif** (p. 356).
Hormis ces personnes et ces temps, la diphtongaison ne se produit jamais (p. 355).
Pour les présents (ind. et subj.), on a donc ceci :
pensar : ~ie, ~ie, ~ie, ~e, ~e, ~ie

■ Attention à l'impératif de ces verbes (p. 373).

■ **entender** peut être un faux ami : il signifie *comprendre* et non pas *entendre* au sens physique.

■ **inmediatamente** : attention, le groupe *mm* français correspond toujours en espagnol au groupe **nm**.

■ *vous*, sans autre précision, correspond au **V.S.**

A 4 TRADUCTION

1. Commencez-vous (V.P.) à comprendre ? — Oui, nous commençons.
2. Commences-tu à douter ? — Oui, je commence à douter.
3. Commencez-vous (T.P.) à jouer ? — Oui, nous commençons.
4. La séance commence-t-elle maintenant ? — Oui, elle commence tout de suite.
5. Tu ne t'assieds pas ici ? — Non, je m'assieds là.
6. Penses-tu commencer rapidement ? — Je ne pense pas commencer maintenant.
7. Vous commencez (V.P.) maintenant ? — Oui, il convient que nous commencions maintenant.
8. Pourquoi commencez-vous immédiatement ? — Pourquoi ? Parce que !
9. Il faut que tu penses à rendre le livre.
10. Pourquoi penses-tu si vite à rentrer ?
11. Je pense à rentrer parce que je ne comprends rien.

B 1 PRÉSENTATION

- **querer** *vouloir*

indicatif présent		subjonctif présent	
quiero	*je veux*	**quiera**	*que je veuille* ..
quieres	*tu veux*	**quieras**	*que tu veuillez*
quiere	*il veut*	**quiera**	*qu'il veuille*
queremos	*nous voulons*	**queramos**	*que nous voulions*
queréis	*vous voulez*	**queráis**	*que vous vouliez*
quieren	*ils veulent*	**quieran**	*qu'ils veuillent*

la confianza	*la confiance*	**ascender**	*monter*
la cuenta	*le compte, la note*		*s'élever à*
el río	*la rivière,*	**descender**	*descendre*
	le fleuve	**perder**	*perdre, rater*
la temperatura	*la température*	**algo**	*quelque chose*
el tren	*le train*	**seguro que**	*sûrement que*
juntos/as	*ensemble*		

A 2 APPLICATION

1. ¿ Quiere Ud algo ? – No, gracias, no quiero nada.
2. ¿ Quieren ellos algo ? – Seguro que ellos quieren algo.
3. ¿ No pierden Uds la confianza ? – No, no perdemos la confianza.
4. ¿ Pierde él siempre el tren ? – No, nunca pierde el tren.
5. ¿ Entienden Uds el español ? – Sí, entendemos el español.
6. No entiendo que él siempre pierda el tren.
7. No quiero que Uds pierdan la confianza en él.
8. La cuenta asciende a 200 euros.
9. La temperatura desciende y hace frío.
10. ¿ No quieres que ellas desciendan juntas al río ?
11. No quieres que ellas empiecen ahora. ¿ Por qué ?
12. No quiero que empiecen ahora porque no entienden.

A3 REMARQUES

■ **querer** dipthongue dans les mêmes conditions que le verbe **pensar**, c'est-à-dire aux trois premières personnes du singulier et à la 3e personne du pluriel des présents de l'indicatif et du subjonctif.

■ **ascender, descender** : attention à la succession du **s** légèrement chuinté *(cassé)* et du **c** ([z] proche du [th] anglais. **rio** : le **r** initial est prononcé comme deux r roulés.

■ **juntos/as** signifie *ensemble*, mais en espagnol, c'est un adjectif, et donc il s'accorde avecle nom auquel il se rapporte.

■ **Al**, contraction de **a + el**, correspond au français *au*, contraction de *à + le*.

■ Rappel : **tren**, **siempre** : il n'y a pas de son nasal en espagnol : **tren** [tré-n]   **siempre** [sie-mpre]

A 4 TRADUCTION

1. Voulez-vous quelque chose ? – Non, merci, je ne veux rien.
2. Veulent-ils quelque chose? – Sûrement qu'ils veulent quelque chose.
3. Ne perdez-vous (V.P.) pas confiance ? – Non, nous ne perdons pas confiance.
4. Rate-t-il toujours le train? – Non, il ne rate jamais son train.
5. Comprenez-vous (V.P.) l'espagnol ? – Oui, nous comprenons l'espagnol.
6. Je ne comprends pas qu'il rate toujours son train.
7. Je ne veux pas que vous perdiez (V.P.) confiance en lui.
8. La note s'élève à 200 euros.
9. La température descend et il fait froid.
10. Tu ne veux pas qu'elles descendent ensemble à la rivière ?
11. Tu ne veux pas qu'elles commencent maintenant. Pourquoi ?
12. Je ne veux pas qu'elles commencent maintenant parce qu'elles ne comprennent pas.

C 1   ÉNONCÉ

A. Traduire

1. Quand commence-t-il ?
2. Il commence tout de suite.
3. Comprenez-vous ?
4. Oui, je comprends très bien.
5. Descendez-vous (V.P.) ensemble ?
6. Nous ne descendons pas ensemble.

B. Traduire   (*admettre* = **admitir** ; *désirer* = **desear**)

1. Je ne veux pas que vous perdiez (V.P.) confiance.
2. Ils n'admettent pas que tu rates toujours ton train.
3. Tu n'admets pas qu'il raconte ce qui se passe.
4. Ils ne veulent pas que tu penses à cela.
5. Nous désirons que vous commenciez (V.P.) immédiatement.
6. Elle désire que la séance commence tout de suite.
7. Tu ne veux pas que je descende avec elles ?
8. Je ne veux pas que tu perdes.

C 2   RÉCAPITULATION

A. Mettre les verbes à l'impératif pour vouvoyer plusieurs personnes

1. Comprender   No comprender
2. Cambiar   No cambiar
3. Añadir   No añadir
4. Aceptar   No aceptar

B. Mettre les verbes à l'impératif pour tutoyer plusieurs personnes

1. Llenar   No llenar
2. Asistir   No asistir
3. Mirar   No mirar
4. Aprender   No aprender

(Voir corrigé p. 375.)

C 3   CORRIGÉ

A.

1. ¿ Cuándo empieza él ?
2. Empieza inmediatamente.
3. ¿ Entiende Ud ?
4. Sí, entiendo muy bien.
5. ¿ Descienden Uds juntos ?
6. No descendemos juntos.

B.

1. No quiero que Uds pierdan la confianza.
2. Ellos no admiten que siempre pierdas el tren.
3. No admites que él cuente lo que ocurre.
4. No quieren ellos que pienses en esto.
5. Deseamos que Uds empiecen inmediatamente.
6. Ella desea que la sesión empiece en seguida.
7. ¿ No quieres que yo descienda con ellas ?
8. No quiero que pierdas.

C 4   CIVILISATION : l'université

En Espagne, à l'issue de la dernière année du **bachillerato**, le *baccalauréat*, les étudiants doivent passer **la Selectividad**, un examen d'accès à *l'université*, **la universidad**.

Les *études supérieures*, **estudios superiores** ou **la carrera**, comportent, en règle générale, *cinq ans d'études*, **cinco años de carrera**, sauf quelques **carreras** comme **medicina**, *médecine* ou *ingénieur*, **ingeniero** qui demandent sept ans d'études ou d'autres qui ne demandent que trois. Au bout de trois ans on obtient *le diplôme*, **el título de diplomado** (~a), et à la fin des études, celui de **licenciado** (~a).

Les principales universités sont **la Complutense** et **la Autónoma**, à Madrid ; l'université de **Salamanca**, une des plus anciennes ; l'université de **Barcelona** ; celle de **Santiago de Compostela**, en Galice ; de **Bilbao**, de **Granada**, etc.

D 1   LA UNIVERSIDAD

la facultad	el examen
el aula	la nota
la chuleta	el curso
la clase	la asignatura
la biblioteca	estudiar
doctorarse	la lección
el estudiante	el profesor
el doctorado	la matrícula
licenciado (a)	la beca
aprobar	suspender
examinarse	la tesis
la carrera, los estudios	la enseñanza
el catedrático	ser becario
el tribunal	opositar
la oposición	la licenciatura

D 2   DIALOGUE

P = Paco   M = María

M — Paco, ¿ qué tal el examen ?
P — No me hables. Un desastre.
M — Vaya[1], lo siento.
P — Más lo siento yo. Si no apruebo, adiós universidad.
M — Qué pesimista, hombre. Tarde o temprano lo vas a conseguir.
P — Esta es la tercera vez que lo intento.
M — Bueno, ¿ y qué ? Sólo triunfan los que[2] perseveran.
P — ¡ Qué graciosa ! Mis padres no opinan lo mismo[3].
M — ¿ Y qué vas a hacer ?
P — No lo sé. Puedo tirarme al río o intentarlo por última vez en septiembre.

---

1. **vaya** : interjection fréquente = *allons, allons donc,* etc.
2. **los que** : *ceux qui,* voir pronoms démonstratifs, p. 346.
3. **(opinar) lo mismo** : *(penser) la même chose, (être) du même avis.*

D 3   L'UNIVERSITÉ

la faculté	*l'examen*
la salle de cours, l'amphithéâtre	*la note*
l'antisèche	*le cours*
la classe	*la matière*
la bibliothèque	*étudier*
faire son doctorat	*la leçon*
l'étudiant	*le professeur*
le doctorat	*l'inscription*
diplômé(e)	*la bourse*
réussir, être reçu à	*échouer, être refusé*
passer un examen	*la thèse*
les études	*l'enseignement*
l'agrégé	*être boursier*
le jury d'examen	*passer un concours*
le concours	*la licence*

D 4   TRADUCTION

P = Paco   M = María

M — Paco, comment s'est passé l'examen ?

P — Ne m'en parle pas. Un désastre.

M — Zut, je suis désolée.

P — Et moi donc (mot à mot : Je le regrette encore plus). Si je ne réussis pas, adieu la « fac ».

M — Que tu es pessimiste, voyons. Tôt ou tard tu vas réussir.

P — C'est la troisième fois que j'essaye.

M — Bon, et alors ? Seuls ceux qui persévèrent réussissent.

P — T'es marrante ! Mes parents ne sont pas du même avis.

M — Et qu'est-ce que tu vas faire ?

P — Je ne sais pas. Je peux me jeter dans la rivière ou essayer une dernière fois en septembre.

14 ¿ Habéis visto... ?

A 1 PRÉSENTATION

- **haber** *avoir* (auxiliaire)

he	*j'ai*	hemos	*nous avons*
has	*tu as*	habéis	*vous avez*
ha	*il a*	han	*ils ont*

- **haber** au présent de l'ind. + participe passé = passé composé

he comprado	**(comprar)**	*j'ai acheté*
has vendido	**(vender)**	*tu as vendu*
ha perdido	**(perder)**	*il a perdu* (ou *manqué*)
hemos venido	**(venir)**	*nous sommes venus*
habéis visto	**(ver)**	*vous avez vu*
han hecho	**(hacer)**	*ils ont fait*

el día	*le jour*	**nada**	*rien*
el piso	*l'appartement, l'étage*	**todavía**	*encore*
el tren	*le train*	**algo**	*quelque chose*
el turista	*le touriste*	**hoy**	*aujourd'hui*

A 2 APPLICATION

1. Hoy he vendido mi coche.
2. Esta mañana has comprado un piso.
3. Esta tarde ha perdido el tren.
4. Estos días no hemos visto a muchos turistas.
5. Este año no han venido todavía.
6. Esta noche no habéis hecho nada.
7. ¿ Ha comprado Ud algo esta mañana ?
8. — No, no he comprado nada.
9. ¿ Por qué no ha venido su amigo hoy ?
10. — Porque ha perdido el tren.
11. ¿ Han visto Uds a Lola esta noche ?
12. — No, no ha venido.
13. ¿ Ha hecho Ud algo esta mañana ?
14. — No, no he hecho nada.
15. ¿ Habéis vendido algo a estos turistas ?
16. — No, no han comprado nada.

A 3 REMARQUES

■ Il ne faut pas confondre le verbe **haber**, *avoir* (auxiliaire) avec le verbe **tener**, *avoir (posséder)*.

■ **Le participe passé** des infinitifs en ~**ar** se forme en ajoutant ~**ado** au radical et celui des infinitifs en ~**er** et ~**ir** en ajoutant ~**ido**. Il existe aussi des participes passés irréguliers comme **hecho** pour **hacer**, *faire*, **visto** pour **ver**, *voir*, etc. (p. 359).

■ **Le passé composé** d'un verbe est formé de l'auxiliaire **haber** au présent de l'indicatif suivi du participe passé du verbe à conjuguer. Avec **haber**, ce participe passé est toujours invariable.
C'est aussi **haber** qui est utilisé pour traduire les passés composés français formés avec *être*.

■ **On emploie le passé composé** lorsque l'action exprimée est terminée et située dans un passé qui est encore en rapport avec le présent (*aujourd'hui, ces jours-ci, cette année*, etc.). Pour l'emploi du passé simple, voir p. 225.

■ L'emploi de **la préposition a** est indispensable devant les compléments d'objet directs qui désignent des personnes déterminées : **ver a Lola**, *voir Lola* (sauf après **tener**).

A 4 TRADUCTION

1. Aujourd'hui, j'ai vendu ma voiture.
2. Ce matin, tu as acheté un appartement.
3. Cet après-midi, il a manqué le train.
4. Ces jours-ci, nous n'avons pas vu beaucoup de touristes.
5. Cette année, ils ne sont pas encore venus.
6. Ce soir, vous n'avez rien fait (T.P.).
7. Avez-vous acheté quelque chose ce matin ?
8. — Non, je n'ai rien acheté.
9. Pourquoi votre ami n'est-il pas venu aujourd'hui ?
10. — Parce qu'il a manqué le train.
11. Avez-vous vu (V.P.) Lola ce soir ?
12. — Non, elle n'est pas venue.
13. Avez-vous fait quelque chose ce matin ?
14. — Non, je n'ai rien fait.
15. Avez-vous vendu (T.P.) quelque chose à ces touristes ?
16. — Non, ils n'ont rien acheté.

B 1 PRÉSENTATION

hay		*il y a*
hay que	+ infinitif	*il faut* (impers.)
tener que	+ infinitif	*devoir* (pers.)
deber	+ infinitif	*devoir*
haber de	+ infinitif	*devoir* (intention)

la cuenta	*la note*	**ir de compras**	*aller faire des courses*
la farmacia	*la pharmacie*	**pagar**	*payer, régler*
la puerta	*la porte*	**salir**	*partir, sortir*
el regalo	*le cadeau*	**telefonear**	*téléphoner*
el trabajo	*le travail*	**terminar**	*terminer*
abrir	*ouvrir*	**ahora**	*maintenant*
cerrar	*fermer*	**ahora mismo**	*tout de suite*
coger	*prendre (taxi)*	**antes**	*avant*
ir	*aller*	**delante de**	*devant*

B 2 APPLICATION

1. ¿ Hay un taxi ? — No, no hay taxi ahora.
2. — Sí, hay uno delante de la farmacia.
3. — Está el coche del hotel delante de la puerta.
4. Hay que cerrar las puertas antes de salir.
5. Hay que abrir las ventanas por la noche.
6. Para ir a la estación, hay que coger un taxi.
7. Debemos pagar la cuenta del hotel antes.
8. — Sí, tengo que pagar ahora mismo.
9. He de ir de compras esta tarde.
10. Tengo que comprar un regalo para mi madre.
11. — Debes terminar tu trabajo antes de salir.
12. Hay que coger un taxi ahora.
13. — ¿ Por qué ?
14. — Porque hemos perdido el tren.
15. — Tenemos que telefonear ahora mismo.

B 3 REMARQUES

■ Attention à la prononciation de **hay** [aï].

■ **hay**, *il y a*, invariable. Cette forme impersonnelle ne comporte jamais de sujet. On l'emploie avec des objets indéterminés : **hay un coche**, *il y a une voiture*, sinon on utilise **está** : **está el coche del hotel**, *il y a la voiture de l'hôtel*. (Si *il y a* exprime la durée, on emploie **hace** : **hace una semana**, *il y a (cela fait) une semaine*.)

■ **L'obligation impersonnelle** se traduit par **hay que** :
hay que pagar, *il faut payer*.

■ **L'obligation personnelle**, c'est-à-dire avec sujet énoncé, peut être rendue par **tener que** + infinitif, *devoir, il faut que*, ou par le verbe **deber** + infinitif, *devoir*, et aussi d'autres expressions (p. 145).

■ **haber de** traduit une nuance d'obligation moins forte que **tener que**, et marque plutôt une intention. Parfois, surtout aux premières personnes, c'est un simple équivalent du futur.

B 4 TRADUCTION

1. Y a-t-il un taxi ? — Non, il n'y a pas de taxi maintenant.
2. — Oui, il y en a un devant la pharmacie.
3. — Il y a la voiture de l'hôtel devant la porte.
4. Il faut fermer les portes avant de sortir.
5. Il faut ouvrir les fenêtres pendant la nuit.
6. Pour aller à la gare, il faut prendre un taxi.
7. Nous devons régler la note de l'hôtel auparavant.
8. — Oui, il faut que je paie tout de suite.
9. Je dois aller faire des courses cet après-midi.
10. Il faut que j'achète un cadeau pour ma mère.
11. — Tu dois terminer ton travail avant de sortir.
12. Il faut prendre un taxi maintenant.
13. — Pourquoi ?
14. — Parce que nous avons manqué le train.
15. — Nous devons téléphoner tout de suite.

C 1 ÉNONCÉ

A. Mettre au passé composé

1. Compro un piso.
2. Vendes tu coche.
3. No hace nada.
4. Venimos de Madrid.
5. Perdéis el tren.
6. Ven a Pablo.

B. Utiliser la forme *tener que*

1. Debo vender mi piso.
2. Deben coger un taxi.
3. Ud debe salir ahora.
4. He de ir de compras.
5. Hemos de pagar.
6. Han de venir ahora.

C. Traduire

1. J'ai payé la note.
2. Ils ont pris un taxi.
3. Ils sont sortis.
4. Vous avez perdu.
5. Il y a du travail.
6. Il n'y a pas de taxi.
7. Il faut fermer la porte.
8. Il faut acheter maintenant.

D. Traduire avec la forme *tener que*

1. Vous devez partir.
2. Il doit venir.
3. Vous devez terminer (T.P.).
4. Vous devez payer (V.P.).

C 2 RÉCAPITULATION

A. Mettre à la première personne du pluriel

1. Empiezo
2. Quiero
3. Entiendo
4. Temo
5. Cambio
6. Suelo
7. Pienso
8. Me siento

B. Mettre à la première personne du singulier

1. Podemos
2. Nos quedamos
3. Comenzamos
4. Perdemos
5. Comemos
6. Aceptamos
7. Volvemos
8. Nos movemos

(Voir corrigé p. 375.)

C 3 CORRIGÉ

A.

1. He comprado un piso.
2. Has vendido tu coche.
3. No ha hecho nada.
4. Hemos venido de Madrid.
5. Habéis perdido el tren.
6. Han visto a Pablo.

B.

1. Tengo que vender mi piso.
2. Tienen que coger un taxi.
3. Ud tiene que salir ahora.
4. Tengo que ir de compras.
5. Tenemos que pagar.
6. Tienen que venir ahora.

C.

1. He pagado la cuenta.
2. Han cogido un taxi.
3. Han salido.
4. Ud ha perdido.
5. Hay trabajo.
6. No hay taxi.
7. Hay que cerrar la puerta.
8. Hay que comprar ahora.

D.

1. Ud tiene que salir.
2. Tiene que venir.
3. Tenéis que terminar.
4. Uds tienen que pagar.

C 4 CIVILISATION : le chemin de fer

■ La **RENFE** (**Red Nacional de Ferrocarriles Españoles**, *Réseau National des Chemins de Fer espagnols*) détient le monopole du transport ferroviaire en Espagne. Le réseau ferroviaire (12 700 km de voies ferrées) ne répond pas encore de façon satisfaisante aux besoins intérieurs, bien que de nombreuses lignes soient en cours de modernisation.

Le Talgo, en service depuis 1950, est un train rapide et moderne. Le **Catalán Talgo** relie Barcelone à Madrid et le **Madrid Talgo**, Madrid à Paris.

El **AVE**, le train de **Alta Velocidad Española** *(Train à grande vitesse espagnole)*, qui relie Séville à Madrid a été inauguré à l'occasion de l'Exposition Universelle de 1992. Ce T.G.V. peut atteindre 300 km à l'heure. D'autres projets, notamment la liaison Madrid-Barcelone, sont à l'étude.

D 1 LA ESTACIÓN DE FERROCARRILES

el ferrocarril	la reserva
el andén	el billete
la oficina de información	bajar del tren
la RENFE	subir al tren
el vagón	la taquilla
el coche-cama	el vagón restaurante
la maleta	el transbordo
ida y vuelta	la litera
la salida	buen viaje
la llegada	el horario
el asiento	el tren
la red	la locomotora
la vía	el revisor
el paso a nivel	el carril
el paso subterráneo	la estación

D 2 DIALOGUE

H = un hombre   M = una mujer

H — ¿ Dónde está la oficina de información ?
M — ¿ A qué hora sale el tren para Málaga ?
H — ¿ Es un tren directo ?
M — ¿ Tengo que hacer transbordo ?
H — ¿ A qué hora llega el tren a Málaga ?
M — ¿ Hay coche cama ?
H — ¿ Hay vagón restaurante ?
M — Por favor, ¿ dónde está la taquilla ?
H — Quisiera¹ un billete para Málaga.
M — ¿ Ida o vuelta ?² ¿ Ida sólo ?
H — ¿ Primera o segunda clase ?
M — Quisiera también reservar una litera.
H — Por favor, ¿ dónde está el andén número 4 ?
M — ¿ Qué compartimento es ?
H — ¿ A qué hora abren la cafetería ?

1. **quisiera**, du verbe **querer** = *je voudrais*.
2. **ida y vuelta** = *aller et retour*.

D 3 LA GARE

le chemin de fer	*la réservation*
le quai	*le billet*
le bureau d'information	*descendre du train*
la RENFE	*monter dans le train*
le wagon	*le guichet*
le wagon-lit	*le wagon-restaurant*
la valise	*le changement*
aller et retour	*la couchette*
le départ	*bon voyage*
l'arrivée	*l'horaire*
la place	*le train*
le réseau	*la locomotive*
la voie	*le contrôleur*
le passage à niveau	*le rail*
le passage souterrain	*la gare*

D 4 TRADUCTION

H = un homme   M = une femme

H — Où est le bureau des renseignements ?
M — À quelle heure part le train pour Malaga ?
H — Est-ce un train direct ?
M — Dois-je changer (de train) ?
H — À quelle heure le train arrive-t-il à Malaga ?
M — Y a-t-il un wagon-lit ?
H — Y a-t-il un wagon-restaurant ?
M — S'il vous plaît, où se trouve le guichet ?
H — Je voudrais un billet pour Malaga.
M — Aller ou retour ? Aller simple ?
H — Première ou seconde ?
M — Je voudrais aussi réserver une couchette.
H — S'il vous plaît, où se trouve le quai numéro 4 ?
M — C'est quel compartiment ?
H — À quelle heure ouvre-t-on la cafétéria ?

A 1 PRÉSENTATION

* Traduction du verbe *être*

L'espagnol utilisera le verbe **ser** si en français, on a :

> *être* + un nom (**es una casa**)
> un pronom (**es ella, es ésta**)
> un numéral (**son cuatro**)
> un infinitif (**lo importante es ganar**)
> un adverbe de quantité (**es poco**)
> un adverbe de temps (**es hoy**)

la mano	*la main*	**poco**	*peu*
agradable	*agréable*	**más**	*plus, davantage*
bueno	*bon*	**anteayer**	*avant-hier*
malo	*mauvais, mal*	**ayer**	*hier*
crear	*créer*	**hoy**	*aujourd'hui*
ganar	*gagner*	**mañana**	*demain*
llegar	*arriver*	**pasado mañana**	*après-demain*
cuánto	*combien*	**ya**	*déjà*

A 2 APPLICATION

1. Es la mano derecha. Es la mano izquierda.
2. ¿ Eres tú ? — Sí, soy yo. ¿ Es Ud ? — Sí, soy yo.
3. ¿ Sois vosotros ? — Sí, somos nosotros.
4. ¿ Son Uds ? — Sí, somos nosotros.
5. ¿ Son Uds ciento cincuenta ? — No, somos ciento ochenta.
6. ¿ Cuántos sois ? — Somos quinientos.
7. Lo bueno, es ganar — Lo malo, es perder.
8. Lo importante, es crear — Lo agradable, es jugar.
9. ¿ Es mucho o es poco ? — No es poco, es mucho.
10. ¿ Quiere Ud más vino ? — No, ya es demasiado.
11. ¿ Cuándo llegan ellos ? ¿ Es hoy o mañana ?
12. No, es pasado mañana.
13. ¿ Es hoy, ayer o anteayer ?

A 3 REMARQUES

■ La traduction du verbe *être* est **une des difficultés majeures** de l'espagnol.
Ces difficultés seront très réduites si vous vous rapplez que l'espagnol utilise **ser** quand le français a

> *être* + un nom (*c'est une maison*)
> un pronom (*c'est elle, c'est celle-ci*)
> un numéral (*ils sont 4*)
> un infinitif (*l'important c'est de gagner*)
> un adverbe de quantité (*c'est peu*)
> un adverbe de temps (*c'est aujourd'hui*).

C'est lorsque le verbe *être* sera suivi d'un adjectif qualificatif que la traduction sera plus délicate (p. 135).

■ Rappel : **único** : le **u** est toujours prononcé [ou].
hoy : le **h** n'est jamais prononcé.

■ *vous*, sans autre précision, correspond au **V.S.**

■ **lo** + adjectif : *ce qui est..., le...*
lo bueno, *ce qui est bon*   **lo importante**, *l'important*

A 4 TRADUCTION

1. C'est la main droite. C'est la main gauche.
2. C'est toi ? — Oui, c'est moi. C'est vous ? — Oui, c'est moi.
3. C'est vous (T.P.) ? — Oui, c'est nous.
4. C'est vous (V.P.) ? — Oui, c'est nous.
5. Êtes-vous (V.P.) 150 ? — Non, nous sommes 180.
6. Combien êtes-vous (T.P.) ? — Nous sommes 500.
7. Ce qui est bon, c'est de gagner. — Ce qui est mauvais, c'est de perdre.
8. L'important, c'est de créer — Ce qui est agréable, c'est de jouer.
9. C'est beaucoup ou c'est peu ? — Ce n'est pas peu, c'est beaucoup.
10. Voulez-vous davantage de vin ? — Non, c'est déjà trop.
11. Quand arrivent-ils ? C'est aujourd'hui ou demain ?
12. Non, c'est après-demain.
13. C'est aujourd'hui, hier ou avant-hier ?

B 1 PRÉSENTATION

• Traduction du verbe *être*

L'espagnol utilisera le verbe **estar** pour exprimer

> le lieu (**estoy en el metro**)
> le temps (**estamos a viernes**)
> l'action terminée (**está cerrada**)
> l'action en cours (**estoy comiendo**)

la distancia	*la distance*	**el perro**	*le chien*
Francia	*la France*	**la primavera**	*le printemps*
la fruta	*le fruit*	**Suiza**	*la Suisse*
el kilómetro	*le kilomètre*	**el verano**	*l'été*
la música	*la musique*	**cerrado/a**	*fermé(e)*
el nene	*le bébé*	**terminado/a**	*terminé(e)*
la novela	*le roman*	**todavía**	*encore*
el partido	*le match*	**ya está**	*ça y est*

B 2 APPLICATION

1. ¿ A qué distancia estamos ? — Estamos a dos kilómetros.
2. ¿ Estamos en Francia ? — Todavía no. Estamos en Suiza.
3. ¿ Estamos en primavera ? — No, estamos en verano.
4. ¿ Dónde están Uds ? — Estamos aquí.
5. ¿ Dónde están ella y él ? — No están.
6. La puerta está cerrada, ¿ no ? — No, no está cerrada.
7. Ya está. El partido está terminado.
8. ¿ Está aquí el perro ? — Sí, sí, está aquí.
9. ¿ Qué está comiendo el nene ? — Está comiendo una fruta.
10. Estoy escuchando música.
11. Él está leyendo una novela.
12. Creo que las vacaciones están terminadas.
13. ¿ Por qué están cerradas estas ventanas ?

B 3 REMARQUES

■ Le verbe **estar** traduit le verbe *être* à chaque fois qu'il faut exprimer :

le lieu (*je suis dans le métro*)
le moment (*nous sommes vendredi*)
l'action terminée (*elle est fermée*)
l'action en cours (*je suis en train de manger*)

■ **Francia**, **Suiza**, d'une façon générale les noms de pays ne sont pas précédés de l'article, sauf s'ils sont déterminés : **la Francia del Sur**.

■ Le gérondif s'obtient ainsi :

tom ~ar = tom ~ando → **tomando**
com ~er = com ~iendo → **comiendo**
sub ~ir = sub ~iendo → **subiendo**

■ Rappel : **cerrado**, **perro** : faites bien rouler les deux **r**.

Attention à l'accentuation écrite du verbe **estar** :

estoy   estás   está   estamos   estáis   están

B 4 TRADUCTION

1. À quelle distance sommes-nous ? — Nous sommes à 2 km.

2. Sommes-nous en France ? — Pas encore. Nous sommes en Suisse.

3. Sommes-nous au printemps ? — Non, nous sommes en été.

4. Où êtes-vous (V.P.) ? — Nous sommes ici.

5. Où sont-ils, elle et lui ? — Ils ne sont pas là.

6. La porte est fermée, non ? — Non, elle n'est pas fermée.

7. Ça y est. Le match est terminé.

8. Le chien est ici ? — Oui, oui, il est ici.

9. Qu'est-ce que le bébé est en train de manger ? — Il est en train de manger un fruit.

10. Je suis en train d'écouter de la musique.

11 Il est en train de lire un roman.

12. Je crois que les vacances sont terminées.

13. Pourquoi ces fenêtres sont-elles fermées ?

15 Exercices et Récapitulation

C 1 ÉNONCÉ

A. Traduire

1. Elles sont ici.
2. C'est notre ville.
3. La maison est fermée.
4. Elle est en train de lire.
5. Ce livre est mon livre.
6. Ce sont vos (T.P.) lettres.
7. Tu es en train de manger.
8. Vous êtes un garçon.
9. Vous êtes une fille.
10. Ils sont 4, mais je suis là.

B. Traduire (*fatigué* = **cansado** ; *se reposer* = **descansar**)

1. Ce qui est important, c'est de parler espagnol tous les jours.
2. Nous sommes tous dans la même chambre.
3. Ils sont fatigués et ils sont en train de se reposer.
4. Vous êtes (T.P.) en train de perdre du temps.
5. Et nous, nous sommes en train d'attendre.
6. C'est la dernière fois que nous le permettons.
7. Qu'est-ce que tu es en train de raconter ?
8. Vous êtes là, je crois que c'est beaucoup.
9. Nous sommes 22 et nous sommes en train de jouer au foot-ball.

C 2 RÉCAPITULATION

A. Mettre au passé composé

1. No entiendo nada.
2. ¿ Cambias dinero ?
3. José cena demasiado.
4. Nos sentamos aquí.
5. ¿ Podéis encontrar un taxi ?
6. Aprenden la lección.

B. ¿ Qué hora es ? *Quelle heure est-il ?* Traduire les réponses

1. Il est une heure et demie.
2. Il est quatre heures et quart.
3. Il est sept heures moins dix.
4. Il est midi.
5. Il est minuit.
6. Il est onze heures précises.

(Voir corrigé p. 375.)

C 3 CORRIGÉ

A.

1. Ellas están aquí.
2. Es nuestra ciudad.
3. La casa está cerrada.
4. Ella está leyendo.
5. Este libro es mi libro.
6. Son vuestras cartas.
7. Estás comiendo.
8. Ud es un chico.
9. Ud es una chica.
10. Son cuatro, pero estoy aquí.

B.

1. Lo importante, es hablar español todos los días.
2. Estamos todos en el mismo cuarto.
3. Están cansados y están descansando.
4. Estáis perdiendo tiempo.
5. Y nosotros, estamos esperando.
6. Es la última vez que lo permitimos.
7. ¿ Qué estás contando ?
8. Ud está aquí, creo que es mucho.
9. Somos veintidós y estamos jugando al fútbol.

C 4 CIVILISATION : la Poste

■ **Correos**, la Poste espagnole, est un monopole contrôlé par l'État. Il est important de savoir que dans **una Oficina de Correos**, *le bureau de Poste*, il sera très rare que vous trouviez *une cabine téléphonique*, **una cabina telefónica**.

La poste espagnole est ouverte normalement de 9 h à 14 h et de 16 h à 19 h, du lundi au vendredi. Le samedi, les bureaux ne sont ouverts que le matin. *Les timbres*, **los sellos**, s'achètent aussi bien à la poste qu'au *bureau de tabac*, **estanco**, établissement qui n'est jamais adjoint à un bar.

Il est à noter également que dans la plupart des bureaux de poste hispano-américains, l'usager doit souvent faire plusieurs opérations lui-même. S'il a un paquet à expédier, par exemple, il doit le faire peser à *un guichet*, **una ventanilla**, acheter les timbres correspondants à un autre, et enfin, remettre le colis à un troisième !

En Amérique latine, on utilise le mot **la estampilla** à la place de **el sello**.

D 1   CORREOS

la carta
el correo
el buzón
el cartero
el sello
el sobre
la dirección
el remitente
rellenar
el impreso
un giro postal
una carta certificada
la transferencia
el acuse de recibo
ir a Correos

la lista de Correos
el apartado de Correos
la tarjeta postal
franquear
el matasellos
la recogida
el reparto
el código postal
el distrito postal
el telegrama
el giro telegráfico
el destinatario
la carta urgente
la ventanilla
la oficina de Correos

D 2   DIALOGUE

C = el cliente   E = la empleada

C — **Buenos días, quisiera enviar este paquete por vía aérea a La Habana.**

E — **¿ Certificado ?**

C — **Sí claro, porque si no, seguro que no llega.**

E — **Pero, ¿ acaso cree que nos vamos a quedar**[1] **con él ?**

C — **No, pero quiero estar bien seguro.**

E — **Bueno, de acuerdo. Rellene este impreso, por favor.**

C — **Aquí lo tiene**[2]**. Déme también unos sellos para Europa.**

E — **Muy bien ¿ algo más ?**

C — **No, pero ¿ me asegura usted que el paquete llega sin problemas ?**

E — **¡ Por Dios qué desconfiado ! Si quiere puede mandarlo con acuse de recibo.**

C — **Sí, todo, aunque me cueste**[3] **un ojo de la cara.**

---

1. **quedar** = *rester* ; **quedar con** = *garder*.
2. **Aquí lo tiene**, mot à mot = *vous l'avez ici, voici, voilà*.
3. **cueste** : subjonctif présent de **costar** = *coûter*.

D 3 LA POSTE

la lettre	*la poste restante*
le courrier	*la boîte postale*
la boîte aux lettres	*la carte postale*
le facteur	*affranchir*
le timbre	*le tampon*
l'enveloppe	*la levée*
l'adresse	*la distribution*
l'expéditeur	*le code postal*
remplir	*l'arrondissement*
l'imprimé	*le télégramme*
le mandat postal	*le mandat télégraphique*
une lettre recommandée	*le destinataire*
le virement	*la lettre urgente*
l'accusé de réception	*le guichet*
aller à la Poste	*le bureau de Poste*

D 4 TRADUCTION

C = le client   E = l'employée

C — Bonjour, je voudrais envoyer ce colis par avion à La Havane.

E — En recommandé ?

C — Oui, bien sûr, sinon c'est sûr qu'il n'y arrivera pas.

E — Mais, est-ce que par hasard vous croyez que nous allons le garder ?

C — Non, mais je veux être bien sûr.

E — Bon, d'accord. Remplissez ce formulaire, s'il vous plaît.

C — Le voilà. Donnez-moi aussi des timbres pour l'Europe.

E — Très bien. Quelque chose d'autre ?

C — Non, mais vous m'assurez que le colis arrivera sans problème ?

E — Mon Dieu, comme vous êtes méfiant ! Si vous voulez, vous pouvez l'envoyer avec accusé de réception.

C — Oui, tout (ce qu'il est possible de faire), même si ça me coûte les yeux de la tête.

A 1 PRÉSENTATION

- *être* + un adjectif se traduit par

ser	estar
si on exprime — ce qui est essentiel — ce qui caractérise	si on exprime — ce qui est accidentel — ce qui est circonstanciel

agitado/a	*agité(e)*	**fuerte**	*fort(e)*
agotado/a	*épuisé(e)*	**gordo/a**	*gros, grosse*
alto/a	*grand(e)*	**peruano/a**	*péruvien(ne)*
bajo/a	*petit(e)*	**pobre**	*pauvre*
conforme	*d'accord*	**resfriado/a**	*enrhumé(e)*
contento/a	*content(e)*	**rico/a**	*riche*
enfermo/a	*malade*	**seguro/a**	*sûr(e)*
feliz	*heureux*	**muy**	*très*

A 2 APPLICATION

1. Es fuerte y alto ; pero está enfermo.
2. Su padre es peruano y es muy pobre.
3. Su hermana es muy guapa ; no es rica.
4. Su hermano no es guapo y no es rico.
5. Son pobres ; pero son felices.
6. Sancho es bajo y gordo.
7. Es rico y está seguro de ganar siempre.
8. Siempre está resfriado ; siempre está agitado.
9. No está conforme con nadie.
10. Afirma que está agotado.
11. Está muy contento de todo.
12. Soy feliz y ella también. Vosotros sois felices y ellas también.
13. Tú estás segura de que estoy contento.

A 3   REMARQUES

■ Il est délicat de choisir entre **ser** et **estar** quand *être* est suivi d'un adjectif qualificatif. Ce choix doit se faire en fonction des critères suivants :
— tout adjectif qui exprime une qualité essentielle, fondamentale à un être ou à une chose est précédé de **ser** ;
— tout adjectif qui exprime quelque chose d'accidentel, de dépendant d'une cause extérieure à l'être profond ou à la chose est précédé de **estar**.

■ Faites bien la différence de registre entre :
— **es alto**, *il est grand* (qualité inhérente à son être),
— **está sentado**, *il est assis* (accident qui ne modifie pas son être).
Ainsi : **soy feliz**, *je suis heureux*, car il s'agit de mon équilibre intérieur.
estoy contento, *je suis content*, car c'est le résultat de causes qui me sont extérieures.

■ **feliz** est invariable en genre : *heureux, heureuse*. Comme tous les mots terminés par un ~**z**, **feliz** forme son pluriel en ~**ces** : **felices**, *heureux, heureuses*.

A 4   TRADUCTION

1. Il est fort et grand ; mais il est malade.
2. Son père est péruvien et il est très pauvre.
3. Sa sœur est très jolie ; elle n'est pas riche.
4. Son frère n'est pas joli et il n'est pas riche.
5. Ils sont pauvres ; mais ils sont heureux.
6. Sancho est petit et gros.
7. Il est riche et il est sûr de toujours gagner.
8. Il est toujours enrhumé : il est toujours agité.
9. Il n'est d'accord avec personne.
10. Il affirme qu'il est épuisé.
11. Il est très content de tout.
12. Je suis heureux et elle aussi. Vous, vous êtes (T.P.) heureux et elles aussi.
13. Toi, tu es sûre que je suis content.

B 1   PRÉSENTATION

- Présent du subjonctif des verbes **ser** et **estar**

ser	être	estar
sea	que je sois	esté
seas	que tu sois	estés
sea	qu'il soit	esté
seamos	que nous soyons	estemos
seáis	que vous soyez	estéis
sean	qu'ils soient	estén

cierto/a	*certain(e)*	**es bueno**	*il est bon*
joven	*jeune*	**es malo**	*il est mauvais*
solo/a	*seul(e)*	**es mejor**	*il est mieux*
viejo/a	*vieux, vieille*	**está claro**	*il est clair*
ser verdad	*être vrai*	**sólo**	*seulement, ne ... que*
es agradable	*il est agréable*	**ya**	*déjà*

B 2   APPLICATION

1. Es bueno que estés con nosotros y que seas el primero.
2. No es malo que ellos estén todos aquí con Uds.
3. Es agradable que ella sea hermosa.
4. ¿ Estás solo ? Es mejor que no estés solo, ¿ no ?
5. Tiene sólo cuarenta años, pero ya está viejo.
6. Ella tiene sesenta y cinco años, pero está joven.
7. Es cierto que es demasiado viejo.
8. Está claro que es indispensable.
9. No estoy segura de que sea verdad.
10. Estoy seguro de que es verdad.
11. Es indispensable que estemos con vosotros.
12. No es malo que sea él.
13. Que sea él o ella, me da igual.
14. Pero, que uno de los dos esté aquí mañana.

B 3 REMARQUES

■ Les subjonctifs présents des verbes **ser** et **estar** sont irréguliers. Attention en particulier à l'accentuation écrite de **estar**.

■ Notez bien que toutes les expressions impersonnelles constituées du verbe *être* + **un adjectif** en français se traduisent en espagnol par **ser** + **l'adjectif** :

il est bon que = **es bueno que**
il est mieux que = **es mejor que**

Il y a une seule exception :

il est clair que = **está claro que**

■ La plupart de ces expressions sont suivies du subjonctif (p. 259).

■ Selon qu'un adjectif est utilisé avec **ser** ou avec **estar**, le sens peut varier :

es bueno = *il est bon, généreux*
(c'est une qualité fondamentale, caractéristique)
es viejo = *il est vieux, âgé*

está bueno = *il est bien, en bonne santé*
(c'est une circonstance)
está viejo = *il fait vieux*

B 4 TRADUCTION

1. Il est bon que tu sois avec nous et que tu sois le premier.
2. Il n'est pas mauvais qu'ils soient tous ici avec vous (V.P.).
3. Il est agréable qu'elle soit belle.
4. Tu es seul ? Il est mieux que tu ne sois pas seul, non ?
5. Il n'a que 40 ans, mais il fait déjà vieux.
6. Elle a 65 ans, mais elle fait jeune.
7. Il est certain qu'il est trop âgé.
8. Il est clair que c'est indispensable.
9. Je ne suis pas sûre que ce soit vrai.
10. Je suis sûr que c'est vrai.
11. Il est indispensable que nous soyons avec vous (T.P.).
12. Il n'est pas mauvais que ce soit lui.
13. Que ce soit lui ou elle, ça m'est égal.
14. Mais que l'un des deux soit ici demain.

C 1   ÉNONCÉ

A. Traduire   (*médecin* = **médico** ; *endroit* = **sitio**)

1. C'est la dernière bouteille.
2. Ils sont quarante-quatre.
3. C'est ma fille.
4. Il est en train de jouer.
5. Mon livre, c'est celui-ci.
6. Je suis médecin.
7. La maison est vendue.
8. C'est un endroit agréable.

B. Traduire   (*inquiet* = **inquieto**)

1. Comment allez-vous ? — Je vais bien, merci.
2. Mais mon frère est malade, je suis inquiet.
3. Il est grand et jeune, mais il est fatigué.
4. C'est vrai qu'ils sont tous là.
5. Il est bon que tu sois seule un peu.
6. Je ne suis pas d'accord avec vous (T.P.).
7. Il est grand, fort et en bonne santé.
8. Il a gagné, mais il est épuisé.

C 2   RÉCAPITULATION

A. Compléter avec la traduction de « *il y a* »

1. _____ muchos españoles en Venezuela.
2. _____ diez años que está viviendo aquí.
3. _____ otras escuelas en esta ciudad.
4. _____ mucho tiempo que está enfermo.

B. Compléter en mettant le verbe entre parenthèses à la forme convenable

1. (terminar)   Debes _____ tu trabajo.
2. (terminar)   Hace falta que _____ tu trabajo.
3. (abrir)   Uds tienen que _____ ahora.
4. (abrir)   Hace falta que Uds _____ ahora.
5. (cerrar)   Hay que _____ la puerta.
6. (cerrar)   Hace falta que Ud _____ la puerta.
7. (volver)   Tienes que _____ cuanto antes.
8. (volver)   Hace falta que (tú) _____ cuanto antes.

(Voir corrigé p. 375.)

C 3 CORRIGÉ

A.

1. Es la última botella.
2. Son cuarenta y cuatro.
3. Es mi hija.
4. Él está jugando.

5. Mi libro, es éste.
6. Soy médico.
7. La casa está vendida.
8. Es un sitio agradable.

B.

1. ¿ Cómo está Ud ? — Estoy bien, gracias.
2. Pero mi hermano está enfermo, estoy inquieto.
3. Es alto y joven, pero está cansado.
4. Es verdad que están todos aquí.
5. Es bueno que estés sola un poco.
6. No estoy conforme con vosotros.
7. Es alto, fuerte y está bueno.
8. Ha ganado pero está agotado.

C 4 CIVILISATION : le téléphone

■ En Espagne, il n'y a pas de relation entre la Poste, **Correos**, monopole contrôlé par l'État, et la compagnie du téléphone, **la Telefónica**, privée et cotée en Bourse.

Il y a quelques expressions indispensables pour pouvoir *téléphoner*, **llamar por teléfono**, **telefonear** : celui qui appelle dit **¡ Oiga !**, *Allô !* (mot à mot *Écoutez*), celui qui reçoit l'appel dit **¡ Diga !** *Allô !* (mot à mot *Dites*).

S'il n'identifie pas l'interlocuteur **¿ Quién llama ?**, *Qui est à l'appareil ?* ou bien **¿ de parte de quién ?**, *de la part de qui ?* ; **un momento, por favor**, *un instant, s'il vous plaît.*

Si le numéro de votre *correspondant*, **interlocutor**, *est occupé*, **está comunicando**, vous pouvez *envoyer un fax*, **poner un fax**, **faxear**.

S'il est absent et qu'il possède *un répondeur*, **un contestador**, vous pouvez lui *laisser un message*, **dejar un mensaje**.

D 1 EL TELÉFONO

la cabina telefónica	la guía telefónica
el teléfono	llamar por teléfono
el auricular	el inalámbrico
colgar	descolgar
un momento	la extensión
la telefonista	estar comunicando
la linea telefónica	la conferencia
el número de teléfono	el prefijo
llamar a cobro revertido	sonar
la llamada telefónica	el celular
información	el prefijo
volver a llamar	marcar un número
el tono de marcar	los pasos
¡ Dígame ! / ¡ Oiga !	¡ No corte !
el contestador	preguntar por

D 2 DIALOGUE

P = Pedro   A = Antonio   H = un hombre   M = una mujer

P — Diga, diga.
A — Oiga, quisiera hablar con Pedro.
P — Soy yo. ¿ Quién es ?
A — Soy Antonio. ¿ Cómo estás ?

M — Oye, quisiera hablar con tu hermano.
H — De momento, no está.

H — Quisiera hablar con Teresa.
M — Bueno, ahora mismo se pone.

H — Hable más fuerte.
M — No se retire.
H — No cuelgue.
M — Está comunicando.
H — ¿ No es el 221.41.17 (dos, dos, uno, cuatro, uno, uno, siete ou dos veintiuno, cuarenta y uno, diecisiete) ? Perdone, me he equivocado.

D 3 LE TÉLÉPHONE

la cabine téléphonique	*l'annuaire téléphonique*
le téléphone	*téléphoner*
le combiné	*le téléphone sans fil*
raccrocher	*décrocher*
un instant	*le poste*
la standardiste	*sonner occupé*
la ligne téléphonique	*la communication*
le numéro de téléphone	*l'indicatif*
téléphoner en PCV	*sonner*
le coup de téléphone	*le portable*
les Renseignements	*l'indicatif*
rappeler	*composer un numéro*
la tonalité	*les unités*
Allô !	*Ne raccrochez pas !*
le répondeur	*demander*

D 4 TRADUCTION

P = Pedro   A = Antonio   H = un homme   M = une femme

P — Allô, allô (Dites, dites, je vous écoute).
A — Allô (écoutez), je voudrais parler à Pierre.
P — C'est moi. Qui est-ce ?
A — Je suis Antoine. Comment vas-tu ?

M — Allô, je voudrais parler à ton frère.
H — Pour l'instant, il n'est pas là.

H — Je voudrais parler à Thérèse.
M — D'accord, elle prend la communication tout de suite.

H — Parlez plus fort.
M — Ne quittez pas.
H — Ne raccrochez pas.
M — C'est occupé.
H — Ce n'est pas le 221.41.17 ? Excusez-moi, je me suis trompé.

A 1 PRÉSENTATION

- **tener** *avoir (posséder)*
- **tengo** *j'ai* →

Présent du subjonctif

tenga	*que j'aie*
tengas	...
tenga	
tengamos	
tengáis	
tengan	

- **hace falta que** + subjonctif *il faut que* + subjonctif

el baño	*le bain*	**el mapa**	*la carte*
la cocina	*la cuisine*	**el vestíbulo**	*le vestibule*
el comedor	*salle à manger*	**el zaguán**	*l'entrée*
el cuarto	*la pièce*	**demasiado**	*trop*
cuarto de estar	*salle de séjour*	**fumar**	*fumer*
el dormitorio	*la chambre*	**tener cuidado**	*faire attention*
la gasolina	*l'essence*	**tener ganas**	*avoir envie*
la habitación	*la pièce*	**tener razón**	*avoir raison*

A 2 APPLICATION

1. La casa tiene cinco cuartos (o habitaciones) : tres dormitorios, un cuarto de baño y un cuarto de estar.
2. Hace falta que tenga también una cocina.
3. Hace falta que tenga un zaguán (o vestíbulo).
4. Hace falta que tenga un cuarto de baño.
5. Tenemos que salir a la una y media.
6. Hace falta que tengamos el coche a la una.
7. Hace falta que el coche tenga gasolina.
8. Hace falta que tengamos un mapa también.
9. Tengo ganas de fumar.
10. Fumas demasiado, hace alta que tengas cuidado.
11. Tienes razón : hace falta que fume menos.
12. Tengo ganas de ir de compras ahora.
13. Hace falta que termines tu trabajo antes.

A 3 REMARQUES

■ Les terminaisons des **présents du subjonctif des verbes irréguliers** sont les mêmes que celles des verbes réguliers, c'est-à-dire : voyelle **e** pour les verbes terminés en ~ **ar** et voyelle **a** pour les verbes terminés en ~ **er** et ~ **ir**.

■ Pour obtenir **le présent du subjonctif d'un verbe irrégulier** comme **tener** (pour les autres verbes, voir pp. 194 et 200), il suffit de prendre le radical de la première personne du présent de l'indicatif et d'y ajouter les terminaisons du subjonctif d'un verbe régulier en ~ **er** : **tengo → tenga**.

■ La forme de l'obligation personnelle (c'est-à-dire avec sujet énoncé), **hace falta que...,** *il faut que...* est toujours suivie du subjonctif. Elle peut être également rendue par **tener que** + infinitif, *devoir.*

■ Attention à la préposition : **tener cuidado con**, *faire attention à.*

A 4 TRADUCTION

1. La maison a cinq pièces : trois chambres, une salle de bains et une salle de séjour.
2. Il faut qu'elle ait aussi une cuisine.
3. Il faut qu'elle ait une entrée (vestibule).
4. Il faut qu'elle ait une salle de bains.
5. Nous devons partir (sortir) à une heure et demie.
6. Il faut que nous ayons la voiture à une heure.
7. Il faut que la voiture ait de l'essence.
8. Il faut que nous ayons aussi une carte.
9. J'ai envie de fumer.
10. Tu fumes trop, il faut que tu fasses attention.
11. Tu as raison : il faut que je fume moins.
12. J'ai envie d'aller faire des courses maintenant.
13. Il faut que tu termines ton travail auparavant.

B 1   PRÉSENTATION

- **haber**   *avoir* (auxiliaire)
- **he**   *j'ai*   →

Présent du subjonctif

haya	*que j'aie*
hayas	...
haya	
hayamos	
hayáis	
hayan	

- **es necesario que** + subjonctif   *il faut que* + subjonctif

el abrigo	*le manteau*	**adiós**	*au revoir*
la dirección	*l'adresse*	**abierto (abrir)**	*ouvert*
la huelga	*la grève*	**dicho (decir)**	*dit*
los padres	*les parents*	**escrito (escribir)**	*écrit*
el tiempo	*le temps*	**hecho (hacer)**	*fait*
la tienda	*la boutique*	**puesto (poner)**	*mis*
el trabajo	*le travail*	**visto (ver)**	*vu*
el transporte	*le transport*		

B 2   APPLICATION

1. Hay tres dormitorios en esta casa.
2. Hace falta que haya un comedor también.
3. Es necesario que haya también un cuarto de baño.
4. Es preciso que haya un cuarto de estar.
5. Es menester que haya una cocina también.
6. Para ir al campo :
7. Hace falta que Ud tenga tiempo.
8. No creo que Ud haya escrito la dirección.
9. Hace falta que no haya huelga de transportes.
10. No creemos que Ud haya hecho su trabajo.
11. No creo que hayas abierto la tienda antes.
12. No creemos que hayas puesto tu abrigo.
13. No creo que hayas dicho adiós a tus amigos.
14. No creemos que hayas visto a tus padres.

B 3 REMARQUES

■ **Le présent du subjonctif du verbe haber**, *avoir* (auxiliaire), présente une forme différente de celle de l'indicatif : **he → haya**. Par contre, les terminaisons sont régulières.

■ *il y a* se traduit par **hay** ; aux autres temps, on utilise la 3e personne du singulier du verbe **haber** :

> *Il faut qu'il y ait une salle de bains.*
> **Hace falta que haya un cuarto de baño.**

■
$$\left.\begin{array}{l}\textbf{hace falta que}\\\textbf{es necesario que}\\\textbf{es menester que}\\\textbf{es preciso que}\end{array}\right\} + \text{subjonctif} = \begin{array}{l}\textit{il faut que} \dots\\\textit{il est nécessaire que} \dots\end{array}$$

Ces quatre formes sont utilisées indifféremment pour traduire l'obligation personnelle (**hay que + infinitif** traduit l'obligation impersonnelle, c'est-à-dire sans sujet énoncé).

■ Les principaux **participes passés irréguliers** sont présentés dans le vocabulaire de cette leçon.

B 4 TRADUCTION

1. Il y a trois chambres dans cette maison.
2. Il faut qu'il y ait aussi une salle à manger.
3. Il est nécessaire qu'il y ait aussi une salle de bains.
4. Il faut qu'il y ait une salle de séjour.
5. Il est nécessaire qu'il y ait aussi une cuisine.
6. Pour aller à la campagne :
7. Il faut que vous ayez le temps.
8. Je ne crois pas que vous ayez écrit l'adresse.
9. Il ne faut pas qu'il y ait de grève des transports.
10. Nous ne croyons pas que vous ayez fait votre travail.
11. Je ne crois pas que tu aies ouvert la boutique avant.
12. Nous ne croyons pas que tu aies mis ton manteau.
13. Je ne crois pas que tu aies dit au revoir à tes amis.
14. Nous ne croyons pas que tu aies vu tes parents.

C 1   ÉNONCÉ

A. Faire précéder de *hace falta que* ...

1. Tengo un abrigo.
2. Tenemos un coche.
3. La casa tiene un zaguán.
4. Ud tiene su mapa.

B. Compléter avec le verbe *haber*

1. Es necesario que yo _____ escrito la dirección.
2. Es preciso que ellos _____ dicho adiós a Pedro.
3. Es menester que Ud _____ terminado su trabajo.
4. Hace falta que Uds _____ visto a mis padres.

C. Traduire

1. Il faut que nous fassions attention.
2. Il est nécessaire que vous ayez vu vos amis (V.P.).
3. Il faut que vous fumiez moins.
4. Il faut que la maison ait une salle à manger.
5. Il est nécessaire qu'elle ait aussi une salle de bains.
6. Il est nécessaire qu'il y ait aussi le téléphone.

C 2   RÉCAPITULATION

A. Mettre à la forme négative de l'impératif

1. Cuenta el dinero.
2. Escriba Ud las cartas.
3. Volved a casa.
4. Traten Uds de comprender.
5. Aceptemos lo que ha ocurrido.

B. Mettre à la forme affirmative de l'impératif

1. No leas estos anuncios.
2. No conceda Ud el permiso.
3. No cambiéis estas pesetas.
4. No vendan Uds estos cuadros.
5. No llenemos los vasos.

(Voir corrigé p. 375.)

C 3   CORRIGÉ

A.

1. Hace falta que tenga un abrigo.
2. Hace falta que tengamos un coche.
3. Hace falta que la casa tenga un zaguán
4. Hace falta que Ud tenga su mapa.

B.

1. Es necesario que yo haya escrito la dirección.
2. Es preciso que ellos hayan dicho adiós a Pedro.
3. Es menester que Ud haya terminado su trabajo.
4. Hace falta que Uds hayan visto a mis padres.

C.

1. Hace falta que tengamos cuidado.
2. Es necesario que Uds hayan visto a sus amigos.
3. Hace falta que Ud fume menos.
4. Hace falta que la casa tenga un comedor.
5. Es necesario que tenga también un cuarto de baño.
6. Es necesario que haya también el teléfono.

C 4   CIVILISATION : formules de politesse

■ Si vous êtes invité à une fête, vous pouvez utiliser les formules suivantes :

• anniversaire :
> **¡ Feliz cumpleaños !** *Joyeux anniversaire !*

• la naissance d'un enfant, la réussite à un examen, la fête de quelqu'un :
> **¡ Felicidades !** *Félicitations !*
> **¡ Muchas felicidades !** *Toutes mes félicitations !*
> **¡ Enhorabuena !** *Compliments !*

• lors des fêtes de fin d'année :
> **¡ Feliz Navidad y próspero Año Nuevo !**
> *Joyeux Noël et bonne année !*

• en général :
> **Te felicito.** *Toutes mes félicitations.*
> **Me alegro de...** *Je me réjouis de...*
> **Te doy la enhorabuena.** *Je te félicite.*

D 1 EN UNA TIENDA

— ¿ Qué desea Ud ? (*ou* ¿ qué quería ?)
— ¿ Le (*ou* les) atienden ?
— Quisiera un...
— Estoy sólo mirando.
— ¿ Puede Ud enseñarme... ?
— El del escaparate.
— No, no, me gusta.
— Es caro, ¿ tiene Ud algo más barato ?
— ¿ Cuánto es ? ¿ Cuánto cuesta esto ?
— ¿ Puedo pagar con cheques de viaje ?
— Me lo llevo.
— Envíelo a esta dirección.
— Gracias. Adiós.

D 2 DIALOGUE

C = la cliente   V = la vendedora

C — Hola, quisiera comprar un regalo para un amigo. Es su
cumpleaños.
V — ¿ Ha pensado en algo en particular ?
C — Sí, he visto en el escaparate una camisa de rayas...
V — Ah sí... Aquí la tiene.
C — Es bonita, pero no me convence demasiado... Tal vez aquel
reloj que hay en el mostrador.
V — ¿ Cuál ? ¿ El de oro ?
C — No, quiero mucho a mi amigo pero...
V — Tengo uno que está muy bien de precio.
C — Mire, déjelo, mejor le compro una corbata, no, un disco,
o si no un libro, o...
V — ¡ Qué ! ¿ Se decide ?
C — Anda, pero si de todas maneras, no he traído [1] la cartera.
Gracias, muy amable. Adiós.

1. **traído** = participe passé de **traer** = *apporter, porter sur soi, avoir
avec soi.*

D 3 DANS UNE BOUTIQUE

— *Que désirez-vous ?*

— *On s'occupe de vous ?*

— *Je voudrais un…*

— *Je regarde seulement.*

— *Pouvez-vous me montrer… ?*

— *Celui de la vitrine.*

— *Non, il ne me plaît pas (je ne l'aime pas).*

— *C'est cher, avez-vous quelque chose de meilleur marché ?*

— *Combien est-ce ? Combien ceci coûte-t-il ?*

— *Puis-je payer avec des chèques de voyages ?*

— *Je l'emporte.*

— *Envoyez-le à cette adresse.*

— *Merci. Au revoir.*

D 4 TRADUCTION

C = la cliente   V = la vendeuse

C — Bonjour, je voudrais acheter un cadeau pour un ami. C'est son anniversaire.

V — Vous avez pensé à quelque chose en particulier ?

C — Oui, j'ai vu dans la vitrine une chemise à rayures…

V — Ah oui… La voici.

C — Elle est jolie, mais je ne suis pas très convaincue… Peut-être cette montre, celle qui est sur le comptoir.

V — Laquelle ? Celle en or ?

C — Non, j'aime beaucoup mon ami, mais…

V — J'en ai une à un bon prix.

C — Écoutez, ne vous tracassez pas (mot à mot : laissez tomber), il vaut mieux que je lui achète une cravate, non…, un disque, ou sinon… un livre, ou…

V — Alors ! Que décidez-vous ?

C — Allons bon, comme de toute façon, je n'ai pas mon portefeuille. Merci, vous êtes très aimable, au revoir.

A 1 PRÉSENTATION

● Infinitif en **~acer**, **~ecer**, **~ocer**, **~ucir**

présent de l'indicatif.

obedecer	*obéir*
obedezco	*j'obéis*
obedeces	*tu obéis*
obedece	*il obéit*
obedecemos	*nous obéissons*
obedecéis	*vous obéissez*
obedecen	*ils obéissent*

la ayuda	*l'aide*	**agradecer**	*remercier (de)*
el error	*l'erreur*	**conocer**	*connaître*
la mujer	*la femme*	**equivocarse**	*se tromper*
los padres	*les parents*	**favorecer**	*favoriser*
el partido	*le parti*	**parecerse a**	*ressembler*
el texto	*le texte*	**pertenecer**	*appartenir*
el tío	*l'oncle*	**reconocer**	*reconnaître*
ninguno	*aucun*	**traducir**	*traduire*

A 2 APPLICATION

1. ¿ Obedeces a tus padres ? — Claro, obedezco a mis padres.
2. ¿ A quién obedece Ud ? — Yo, no obedezco a nadie.
3. Reconozco que me he equivocado. Ha sido un error.
4. ¿ Se parece Ud a su tío ? — Sí, me parezco mucho a él.
5. ¿ Pertenece Ud a un partido ? — No pertenezco a ninguno.
6. ¿ Traduces el texto ? — No, no lo traduzco.
7. ¿ Conoce Ud a mi mujer ? — No, no la conozco.
8. No conozco a nadie. No conozco a su tío.
9. No conozco nada. No conocemos nada.
10. Muchas gracias, señor, le agradezco su ayuda.
11. No favorezco a nadie.

A 3 REMARQUES

▪ Les verbes dont l'infinitif est terminé en **~acer**, **~ecer**, **~ocer** ou **~ucir** sont **irréguliers à la première personne du singulier de l'indicatif présent** : tous, à cette pesonne, se terminent en **~zco** : **obedecer → obedezco** ; **pertenecer → pertenezco**.

▪ Trois verbes font exception :
cocer (*cuire*) : **cuezo**, cueces, etc.
mecer (*bercer*) : **mezo**, meces, etc.
hacer (*faire*) : (v. leçon 23) et ses composés

▪ *remercier de* se traduit par **agradecer**, sans préposition : *remercier d'un service*, **agradecer un favor**.

▪ **le agradezco**, *je vous remercie* ; **la conozco**, *je la connais* : pronoms personnels compléments, v. leçons 19 et 20.

▪ **ninguno** fait partie des adjectifs qui perdent la voyelle finale lorsqu'ils précèdent un nom masculin singulier (p. 344).
Placé avant le verbe, **ninguno** (**ningún**) supprime la négation.

▪ Rappel. Le complément d'objet direct représentant une personne (**marido**, **mujer**, **tío**, **nadie**, etc.) est précédé de **a**, sauf après **tener**.

▪ Tous les infinitifs proposés ci-contre ont un **c** devant un **e**, attention à la prononciation [z].

A 4 TRADUCTION

1. Obéis-tu à tes parents ? — Bien sûr, j'obéis à mes parents.
2. À qui obéissez-vous ? — Moi, je n'obéis à personne.
3. Je reconnais m'être trompé. Ce fut une erreur.
4. Ressemblez-vous à votre oncle ? — Oui, je lui ressemble beaucoup.
5. Appartenez-vous à un parti ? — Je n'appartiens à aucun.
6. Traduis-tu le texte ? — Non, je ne le traduis pas.
7. Connaissez-vous ma femme ? — Non, je ne la connais pas.
8. Je ne connais personne. Je ne connais pas votre oncle.
9. Je ne connais rien. Nous ne connaissons rien.
10. Merci beaucoup, monsieur, je vous remercie de votre aide.
11. Je ne favorise personne.

B 1 PRÉSENTATION

- <u>Infinitif</u> en ~**acer**, ~**ecer**, ~**ocer**, ~**ucir**

présent du subjonctif

	conocer	*connaître*
conozco →	**conozca**	*que je connaise*
	conozcas	*que tu connaisses*
	conozca	*qu'il connaisse*
	conozcamos	*que nous connaissions*
	conozcáis	*que vous connaissiez*
	conozcan	*qu'ils connaissent*

la flor	*la fleur*	**permanecer**	*rester*
el modo	*la façon*	**es igual**	*c'est pareil*
conducir	*conduire*	**más vale que**	*il vaut mieux que*
desaparecer	*disparaître*	**parece que**	*il semble que*
enriquecerse	*s'enrichir*	**más**	*plus, davantage*
establecerse	*s'établir*	**rápidamente**	*rapidement*
ofrecer	*offrir*	**tanto**	*autant*
padecer	*souffrir*		

B 2 APPLICATION

1. Hace falta que conozcamos vuestro modo de pensar.
2. No parece que ellos obedezcan rápidamente.
3. No parece que ella padezca cada día más.
4. Es indispensable que Ud ofrezca flores.
5. Más vale que él desaparezca inmediatamente.
6. Es mejor que nos establezcamos en esta ciudad.
7. Más vale que yo conduzca, ¿ no ?
8. No me parece útil que ella permanezca tanto.
9. No creo que Ud se enriquezca rápidamente.
10. Más vale que ellos reconozcan sus errores.
11. Más vale que ellas obedezcan y no permanezcan.
12. No me parece indispensable que ofrezcas esto.
13. Ella no quiere que permanezcas más.
14. Que lo reconozcas me parece muy bien.

B 3 REMARQUES

■ Le subjonctif présent des verbes dont l'infinitif est terminé en **~acer, ~ecer, ~ocer** et **~ucir** comporte à toutes les personnes **l'irrégularité qui affecte la première personne du présent de l'indicatif** :

conocer : (conozco) – **conozca, conozcas, conozca,** etc.

■ **parece que**, *il semble que*, est normalement suivi de l'indicatif, mais le subjonctif est possible si l'on veut donner à la tournure une nuance d'incertitude, ou de doute ; **no parece que** est toujours suivi, comme en français, du subjonctif :

> **Parece que lo reconoce.**
> *Il semble qu'il le reconnaît.*
>
> **No parece que lo reconozca.**
> *Il ne semble pas qu'il le reconnaisse.*

■ En espagnol, tous les noms terminés en **~or** sont masculins, **el error**, *l'erreur* ; alors que la plupart d'entre eux sont féminins en français. Il y a cependant des exceptions : **la flor**, *la fleur* ; **la labor**, *le travail*.

■ **cada día más**, *de plus en plus*.

B 4 TRADUCTION

1. Il faut que nous connaissions votre (T.P.) façon de penser.
2. Il ne semble pas qu'ils obéissent rapidement.
3. Il ne semble pas qu'elle souffre de plus en plus.
4. Il est indispensable que vous offriez des fleurs.
5. Il vaut mieux qu'il disparaisse immédiatement.
6. Il est mieux que nous nous établissions dans cette ville.
7. Il vaut mieux que je conduise, non ?
8. Il ne me semble pas utile qu'elle reste autant.
9. Je ne crois pas que vous vous enrichissiez rapidement.
10. Il vaut mieux qu'ils reconnaissent leurs erreurs.
11. Il vaut mieux qu'elles obéissent et qu'elles ne restent pas.
12. Il ne me semble pas indispensable que tu offres cela.
13. Elle ne veut pas que tu restes davantage.
14. Que tu le reconnaisses me paraît très bien.

C 1 ÉNONCÉ

A. Traduire (*mériter* = **merecer**)

1. Je ne mérite pas cela.
2. Tu n'obéis à personne.
3. Je ne connais personne.
4. J'appartiens à ce parti.
5. Je m'établis ici.
6. À qui ressemble-t-il ?
7. Je ne m'enrichis pas.
8. Je ne reconnais rien.

B. Traduire (*vieillir* = **envejecer**)

Il vaut mieux ...

1. que cela n'apparaisse pas tout de suite.
2. qu'elle ne reconnaisse rien.
3. que vous disparaissiez immédiatement (T.P.).
4. que ce vin vieillisse un peu.
5. que vous ne restiez (T.P.) pas ici.
6. que tu n'offres rien à personne.
7. que tu ne t'enrichisses pas trop vite.
8. que vous le remerciiez (V.P.) de son aide.

C 2 RÉCAPITULATION

Compléter avec la personne correspondante du présent de l'indicatif des verbes SER ou ESTAR.

1. Mi amigo _____ médico. _____ de Segovia.
2. José _____ en Madrid para comprar un piso.
3. ¿ Cuántos _____ Uds ? — _____ cuatro.
4. Las ventanas _____ siempre cerradas.
5. Lo importante _____ devolver este dinero.
6. _____ posible que no te acuerdes de ella.
7. El tren de Valencia _____ a punto de llegar.
8. _____ mejor que los niños descansen un poco.
9. Este chico _____ muy fuerte ; nunca _____ cansado.
10. ¡ _____ verdad que _____ un sitio agradable !
11. ¿ _____ el señor López en casa ? — Sí, _____ yo.
12. Nosotras _____ seguras de que _____ mañana.

(Voir corrigé p. 375.)

C 3 CORRIGÉ

A.

1. No merezco esto.
2. No obedeces a nadie.
3. No conozco a nadie.
4. Pertenezco a este partido.
5. Me establezco aquí.
6. ¿ A quién se parece ?
7. No me enriquezco.
8. No reconozco nada.

B.

Más vale ...

1. que esto no aparezca inmediatamente.
2. que ella no reconozca nada.
3. que vosotros desaparezcáis inmediatamente.
4. que este vino envejezca un poco.
5. que vosotros no permanezcáis aquí.
6. que no ofrezcas nada a nadie.
7. que no te enriquezcas demasiado pronto.
8. que Uds le agradezcan su ayuda.

C 4 CIVILISATION : la gastronomie

■ La nourriture espagnole est riche et savoureuse ; chaque région a sa propre cuisine.

La particularité du régime alimentaire espagnol, **dieta mediterránea**, est la présence de légumes, surtout de légumes secs, dans les plats traditionnels : *lentilles*, **lentejas**, *pois chiches*, **garbanzos**, dans le **cocido** (*pot-au-feu*), *haricots blancs*, **alubias blancas** ou **fabes** notamment dans la **fabada**, sorte de cassoulet typique des Asturies, ainsi que l'utilisation incontournable de *l'huile d'olive*, **aceite de oliva**.

Les plats typiques sont la très célèbre **paella**, originaire de la région de Valence, le **gazpacho**, soupe froide à base de tomates, ail, concombre, etc., les **pescados** et **mariscos** (*poissons* et *fruits de mer*), de grande diversité et de bonne qualité, *l'agneau*, **el cordero lechal** ou **el lechazo** et, *le cochon de lait rôti*, **el cochinillo asado**, de Ségovie.

155

D 1   EL RESTAURANTE

desayunar	la sal
almorzar, comer	la pimienta
merendar	la mostaza
cenar	la tortilla
el menu	la carne
el primer plato	el pescado
el segundo plato	el queso
el postre	el pastel
pedir	la fruta
el tenedor	los cubiertos
la cuchara	la servilleta
el cuchillo	quisiera reservar una mesa para cuatro
la cucharilla	¿ nos trae la carta, por favor ?
el vaso, la copa	la cuenta, por favor
la taza	el tazón
el yogur	la especialidad de la casa

D 2   DIALOGUE

Cl = el cliente   **C = el camarero**

Cl — **Camarero, por favor ¿ nos trae la carta ?**
C — **Enseguida. ¿ Quieren un aperitivo ?**
Cl — **Sí, cuatro copas de jerez, gracias.**
C — **¿ Han escogido ya ?**
Cl — **Dudamos entre una ensalada mixta o unas gambas a la plancha de primer plato.**
C — **Las gambas están frescas y de segundo les [1] recomiendo los calamares o cordero al horno.**
Cl — **Creo que vamos a elegir la merluza.**
C — **Buena idea, es la especialidad de la casa.**
Cl — **Y de postre unas natillas.**
C — **Para beber les aconsejo un rioja del 89.**
Cl — **Estupendo. Y una botella de agua mineral, por favor.**

1. **les** : pronom personnel complément, ici = *vous*.

D 3 LE RESTAURANT

prendre le petit déjeuner	*le sel*
déjeuner	*le poivre*
goûter	*la moutarde*
dîner	*l'omelette*
le menu	*la viande*
l'entrée	*le poisson*
le plat principal	*le fromage*
le dessert	*le gâteau*
commander	*les fruits*
la fourchette	*les couverts*
la cuillère	*la serviette*
le couteau	*je voudrais réserver une table pour quatre*
la petite cuillère	*la carte, s'il vous plaît*
le verre	*l'addition, s'il vous plaît*
la tasse	*le bol*
le yaourt	*la spécialité de la maison*

D 4 TRADUCTION

Cl = le client   C = le serveur

Cl — Garçon, la carte, s'il vous plaît.
C — Tout de suite. Voulez-vous un apéritif ?
Cl — Oui, quatre xérès, merci.
C — Vous avez déjà choisi ?
Cl — Nous hésitons entre une salade mixte ou des crevettes grillées en entrée.
C — Les crevettes sont fraîches. Pour le plat principal, je vous conseille les calmars ou de l'agneau au four.
Cl — Je crois que nous allons choisir le colin.
C — Bonne idée. C'est la spécialité de la maison.
Cl — Et pour le dessert, une crème renversée.
C — Comme boisson, je vous conseille un rioja de 89.
Cl — Parfait. Et une bouteille d'eau minérale, s'il vous plaît.

A 1   PRÉSENTATION

• <u>Pronoms personnels compléments indirects</u>

me	*me*	nos	*nous*
te	*te*	os	*vous* (T.P.)
le	*lui, vous* (V.S.)	les	*leur, vous* (V.P.)

le hablo (a él, a ella)	*je lui parle*
le hablo (a Ud)	*je vous parle* (V.S.)
les hablo (a ellos, a ellas)	*je leur parle*
les hablo (a Uds)	*je vous parle* (V.P.)

la ayuda	*l'aide*	**el tío**	*l'oncle*
el hermano	*le frère*	**el vecino**	*le voisin*
la portera	*la gardienne*	**alquilar**	*louer*
el primo	*le cousin*	**contestar**	*répondre*
el sobrino	*le neveu*	**prometer**	*promettre*

A 2   APPLICATION

1. **Hablo a mi vecino. → Le hablo (a él).**
2. **Hablo a la portera. → Le hablo (a ella).**
3. **¿ Me habla Ud ? — Sí señor, le hablo (a Ud).**
4. **¿ Me habla Ud ? — Sí señora, le hablo (a Ud).**
5. **Escribo a mis hermanos. → Les escribo a ellos.**
6. **Escribo a mis primas. → Les escribo a ellas.**
7. **¿ Nos escribe Ud ? — Sí señores, les escribo (a Uds).**
8. **¿ Nos escribe Ud ? — Sí señoras, les escribo (a Uds).**
9. **¿ Me prometes tu ayuda ? — Te prometo mi ayuda.**
10. **¿ Nos prometes tu ayuda ? — Os prometo mi ayuda.**
11. **¿ Me alquiláis la casa ? — Te alquilamos la casa.**
12. **¿ Me contestan Uds ? — Le contestamos (a Ud).**
13. **¿ Nos contestan Uds ? — Les contestamos (a Uds).**
14. **¿ Contestas a tu tío ? — Le contesto (a él).**
15. **¿ Contestas a tus sobrinas ? — Les contesto (a ellas).**

A 3 REMARQUES

■ **Les pronoms personnels compléments** employés sans préposition, sont placés avant le verbe (sauf à l'infinitif, au gérondif et à l'impératif).

■ Les pronoms personnels compléments de **la 1re et de la 2e personne au singulier et au pluriel** présentent une forme commune pour les fonctions de complément direct et de complément indirect : **me**, **te**, **nos**, **os**.

■ **Les formes indirectes de la 3e personne** sont **le** au singulier et **les** au pluriel. Le sens exact de ces pronoms peut être précisé en faisant suivre le verbe des formes : **a él**, **a ella**, **a Ud**, **a ellos**, **a ellas** et **a Uds**.

■ **Comment distinguer les pronoms compléments indirects des directs ?** Pour ces derniers, on passe directement du verbe au pronom (question : *qui ? quoi ?*) tandis que pour les indirects on passe par l'intermédiaire d'une préposition (question : *à qui ? à quoi ? de qui ?* etc.).

A 4 TRADUCTION

1. Je parle à mon voisin. → Je lui parle.
2. Je parle à la gardienne (concierge). → Je lui parle.
3. Me parlez-vous ? — Oui monsieur, je vous parle.
4. Me parlez-vous ? — Oui madame, je vous parle.
5. J'écris à mes frères. → Je leur écris.
6. J'écris à mes cousines. → Je leur écris.
7. Nous écrivez-vous ? — Oui messieurs, je vous écris.
8. Nous écrivez-vous ? — Oui mesdames, je vous écris.
9. Me promets-tu ton aide ? — Je te promets mon aide.
10. Nous promets-tu ton aide ? Je vous (T.P.) promets mon aide.
11. Me louez-vous (T.P.) la maison ? — Nous te louons la maison.
12. Me répondez-vous (V.P.) ? — Nous vous répondons.
13. Nous répondez-vous (V.P.) ? — Nous vous répondons.
14. Réponds-tu à ton oncle ? — Je lui réponds.
15. Réponds-tu à tes nièces ? — Je leur réponds.

B 1   PRÉSENTATION

- Pronoms personnels compléments directs

me	*me*	nos	*nous*
te	*te*	os	*vous* (T.P.)
le, **lo**	*le, vous* (V.S.)	los	*les, vous* (V.P.)
la	*la, vous* (V.S.)	las	*les, vous* (V.P.)

le ve (al señor) (a Ud)	*il le voit, il vous voit*
la ve (a la señora) (a Ud)	*il la voit, il vous voit*
lo ve (el animal)	*il le voit*
la ve (la cosa)	*il la voit*
los ve (a ellos) (a Uds)	*il les voit, il vous voit*
las ve (a ellas) (a Uds)	*il les voit, il vous voit*

la carta	*la lettre*	**buscar**	*chercher*
la emisión	*l'émission*	**comprender**	*comprendre*
el novio	*le fiancé*	**escuchar**	*écouter*
el problema	*le problème*	**molestar**	*déranger, gêner*

B 2   APPLICATION

1. **Comprendo el problema.** → **Lo comprendo.**
2. **Comprendo la frase.** → **La comprendo.**
3. **Comprendo a este señor.** → **Le (lo) comprendo (a él).**
4. **Comprendo a esta señora.** → **La comprendo (a ella).**
5. **¿ Me comprende Ud ?** — **Sí señor, le (lo) comprendo (a Ud).**
6. **¿ Me comprende Ud ?** — **Sí señora, la comprendo (a Ud).**
7. **Escucho a mis padres.** → **Los escucho.**
8. **Escucho las emisiones.** → **Las escucho.**
9. **¿ Nos escuchan Uds ?** — **Sí señores, los escuchamos (a Uds).**
10. **¿ Nos escuchan Uds ?** — **Sí señoras, las escuchamos (a Uds).**
11. **¿ Molesto a Inés ?** — **Sí, Ud la molesta.**
12. **¿ Molesto a Antonio ?** — **Sí, Ud le (lo) molesta.**
13. **¿ Molestamos este animal ?** — **Sí, Uds lo molestan.**
14. **¿ Los molesto a Uds ?** — **No, Ud no nos molesta.**
15. **¿ Buscas a tu novio ?** — **Sí, le (lo) busco.**

B 3 REMARQUES

■ **Les pronoms personnels compléments directs** sont les mêmes que les indirects (**me, te, nos, os**) sauf à la 3ᵉ personne du singulier et du pluriel.

■ La forme du régime direct de **la 3ᵉ personne du singulier** est **lo** au masculin et **la** au féminin. Cependant, surtout en Espagne, **le** est souvent employé à la place de **lo** s'il s'agit d'une personne de sexe masculin.

■ La forme normale du régime de **la 3ᵉ personne du pluriel** est toujours **los** au masculin et **las** au féminin.

■ Comme pour les pronoms compléments indirects, le sens exact des pronoms de la 3ᵉ personne peut être précisé en faisant suivre le verbe des formes : **a él, a ella, a Ud, a ellos, a ellas** et **a Uds** : **le busco a él**, *je le cherche* ; **le busco a Ud**, *je vous cherche*.

■ Lorsque le complément d'objet direct est un nom représentant une personne déterminée, il est précédé de la préposition **a**.

B 4 TRADUCTION

1. Je comprends le problème. → Je le comprends.
2. Je comprends la phrase. → Je la comprends.
3. Je comprends ce monsieur. → Je le comprends.
4. Je comprends cette dame. → Je la comprends.
5. Me comprenez-vous ? — Oui monsieur, je vous comprends.
6. Me comprenez-vous ? — Oui madame, je vous comprends.
7. J'écoute mes parents. → Je les écoute.
8. J'écoute les émissions. → Je les écoute.
9. Nous écoutez-vous (V.P.) ? — Oui messieurs, nous vous écoutons.
10. Nous écoutez-vous (V.P.) ? — Oui mesdames, nous vous écoutons.
11. Est-ce que je dérange Inés ? — Oui, vous la dérangez.
12. Est-ce que je dérange Antoine ? — Oui, vous le dérangez.
13. Dérangeons-nous cet animal ? — Oui, vous le dérangez.
14. Est-ce que je vous dérange (V.P.) ? — Non, vous ne nous dérangez pas.
15. Cherches-tu ton fiancé ? — Oui, je le cherche.

C 1 ÉNONCÉ

A. Répondre affirmativement en utilisant un pronom

1. ¿ Habla Ud a su vecino ?
2. ¿ Escuchan Uds a sus padres ?
3. ¿ Me comprende Ud ? — Sí señor, ...
4. ¿ Nos escribe Ud ? — Sí señoras, ...
5. ¿ Buscas a Antonio ?
6. ¿ Nos comprendes ?

B. Traduire en vouvoyant

1. Me parlez-vous ? — Oui monsieur, je vous parle.
2. Nous cherchez-vous ? — Oui messieurs, je vous cherche.
3. M'écrivez-vous ? — Oui madame, je vous écris.
4. Nous écoutez-vous ? — Oui mesdames je vous écoute.
5. Me comprenez-vous ? — Oui madame, je vous comprends.
6. Dérangeons-nous vos parents ? — Oui, vous les dérangez.

C. Traduire

1. Il loue la maison. Il la loue à son frère.
2. Il lui loue la maison.
3. Ils promettent leur aide. Ils la promettent à leurs cousins.
4. Ils leur promettent leur aide.

C 2 RÉCAPITULATION

A. Compléter avec les verbes TENER ou HABER

1. Es preciso que ellos _____ pagado antes.
2. Hace falta que Ud lo _____ leído antes.
3. Es necesario que Uds _____ su pasaporte antes.
4. Es menester que él _____ terminado antes.

B. Compléter avec le verbe indiqué entre parenthèses

1. (decir)   ¿ Ha _____ algo tu padre ?
2. (hacer)   No he _____ nada esta mañana.
3. (ver)   ¿ Habéis _____ la guía telefónica ?
4. (escribir) ¿ Has _____ la carta ya ?
5. (poner)   ¿ Ha _____ Ud la maleta en la habitación ?
6. (abrir)   No hemos _____ el paquete todavía.

(Voir corrigé p. 375.)

C 3   CORRIGÉ

A.

1. Sí, le hablo (indirect).
2. Sí, los escuchamos (direct).
3. Sí señor, le comprendo (direct).
4. Sí señoras, les escribo (indirect).
5. Le busco (direct).
6. Os comprendo (direct).

B.

1. ¿ Me habla Ud ? — Sí señor, le hablo (a Ud).
2. ¿ Nos busca Ud ? — Sí señores, los busco (a Uds).
3. ¿ Me escribe Ud ? — Sí señora, le escribo (a Ud).
4. ¿ Nos escucha Ud ? — Sí señoras, las escucho (a Uds).
5. ¿ Me comprende Ud ? — Sí señora, la comprendo (a Ud).
6. ¿ Molestamos a sus padres ? — Sí, Uds los molestan.

C.

1. Alquila la casa. La alquila a su hermano.
2. Le alquila la casa.
3. Prometen su ayuda. La prometen a sus primos.
4. Les prometen su ayuda.

C 4   CIVILISATION : l'hôtellerie

■ Dans l'ensemble, les hôtels en Espagne sont bien situés dans les villes.

Les **fondas** avec repas sont les moins chers, puis viennent les **casas de huéspedes**, ou **pensiones**, *les pensions de famille*, qui font la plupart du temps pension complète et les **hostales** de 1 à 3 étoiles.

Enfin, il y a les **hoteles** classés de 1 à 5 étoiles. Il existe un guide des hôtels classés par région et catégorie, appelé **Guía de Hoteles Oficial de España**, édité par le **Ministerio de Transportes, Turismo y Comunicaciones**.

Les **paradores** sont des établissements hôteliers exceptionnels. Leur principale originalité réside dans le cadre qu'ils proposent : *châteaux forts*, **castillos**, anciens *palais*, **palacios**, *couvents*, **conventos**, *monastères*, **monasterios**, superbement restaurés et aménagés et situés dans des sites uniques.

D 1   EL HOTEL

la habitación individual	la habitación doble
con cuarto de baño	el aire acondicionado
el vestíbulo	el recepcionista
la recepción	el jardín
el balcón	el botones
la camarera	los servicios
el portero	la cama supletoria
la temporada alta	la temporada baja
reservar	el comedor
anular	el salón
la guía de hoteles	la hostelería
la cadena de hoteles	fuera de temporada
cama y desayuno	alojarse en un hotel
abonar la nota	el precio de la habitación

D 2   DIALOGUE

N = Nacho   P = Pili

N — Buenas noches, quisiéramos una habitación doble, tranquila, con baño y vistas al mar, por favor.

P — Para mí una individual con televisión.

N — No le haga caso [1]. Somos recién casados y está un poco nerviosa.

P — ¡ Yo no estoy nerviosa ! Lo único que quiero es saber de quién es esa carta que tienes en el bolsillo.

N — Pero cariño, si es de mi prima Belén.

P — No le creo. Ah, señor, con aire acondicionado, y que nadie me moleste, ni siquiera [2] mi marido.

N — Pili, cálmate, no vamos a fastidiar nuestra noche de bodas.

P — Ya no puedo más [3]. ¿ Dónde hay que firmar ? ¿ Cuál es el número de mi habitación ? Me voy a acostar. Gracias. Súbame las maletas, por favor. ¡ Ala, hasta mañana !

N — Pero Pili, espérame, por favor. ¡ Qué nochecita [4] me espera !

    1. **no le haga caso** = *ne faites pas attention (à elle)*. Impératif négatif de **hacer caso**.

    2. **ni siquiera** = *même pas*.

D 3   L'HÔTEL

la chambre simple	*la chambre double*
avec salle de bains	*l'air conditionné*
le hall	*le réceptionniste*
la réception	*le jardin*
le balcon	*le chasseur*
la femme de chambre	*les toilettes*
le portier	*le lit supplémentaire*
la haute saison	*la basse saison*
faire une réservation	*la salle à manger*
annuler	*le salon*
le guide des hôtels	*l'hôtellerie*
la chaîne d'hôtels	*hors saison*
chambre et petit déjeuner	*descendre dans un hôtel*
régler la note	*le prix de la chambre*

D 4   TRADUCTION

N = Nacho   P = Pili

N — Bonsoir, nous voudrions une chambre double, calme, avec salle de bains et vue sur la mer, s'il vous plaît.

P — Pour moi, une simple avec la télé.

N — Ne faites pas attention. Nous sommes de jeunes mariés, et elle est un peu énervée.

P — Je ne suis pas énervée ! Je veux seulement savoir qui t'a écrit la lettre que tu as dans ta poche.

N — Mais mon chou, c'est ma cousine Belén.

P — Je ne le crois pas. Ah, monsieur, avec air conditionné et que personne ne me dérange, même pas mon mari.

N — Pili, calme-toi. Nous n'allons pas gâcher notre nuit de noces.

P — Je n'en peux plus. Où faut-il signer ? Quel est le numéro de ma chambre ? Je vais me coucher. Merci. Montez mes valises, s'il vous plaît. Allez, à demain !

N — Mais, Pili, attends-moi, s'il te plaît. Quelle belle nuit je vais passer !

3. **ya no … más** = *ne … plus*.
4. **nochecita** (diminutif de **noche**) = *nuit*, qui a ici une valeur ironique.

A 1 PRÉSENTATION

- L'emploi de deux pronoms compléments consécutifs (I)

  Toujours **l'indirect** + **le direct** en espagnol

Singulier	1	me
	2	te
Pluriel	1	nös
	2	os

+ le, lo, la, los, las.

me enseña un libro → me lo enseña, *il me le montre.*
nos enseña libros → nos los enseña, *il nous les montre.*

el aparato	*l'appareil*	**aconsejar**	*conseiller*
la mano	*la main*	**comunicar**	*communiquer*
la noticia	*la nouvelle*	**estrechar**	*serrer*
el problema	*le problème*	**enseñar**	*montrer*
el regalo	*le cadeau*	**explicar**	*expliquer*
el viaje	*le voyage*	**llevar**	*porter, apporter*

A 2 APPLICATION

1. **Tienes tu libro. ¿ Me lo enseñas ?**
2. **— Sí, te lo enseño.**
3. **Tienes las cartas. ¿ Nos las enseñas ?**
4. **— Sí, os las enseño.**
5. **¿ Nos llevas el regalo ?**
6. **— Sí, os lo llevo.**
7. **¿ Me estrechas la mano ?**
8. **— Sí, te la estrecho.**
9. **Este problema, ¿ me lo explicas ?**
10. **— Sí, te lo explico.**
11. **Este viaje, ¿ me lo aconsejas ?**
12. **— Sí, te lo aconsejo.**
13. **Esta noticia, ¿ nos la comunicas ?**
14. **— Sí, os la comunico.**
15. **Estos aparatos, ¿ nos los lleváis ?**
16. **— Sí, os los llevamos.**

A 3 REMARQUES

■ Lorsque **deux pronoms compléments** se suivent, l'ordre en espagnol est toujours : **pronom indirect + pronom direct**.

■ **Rappel :** les pronoms compléments indirects sont :
me, **te**, **le**, **nos**, **os**, **les**.
Les pronoms compléments directs sont :
me, **te**, **le**, **lo**, **la**, **nos**, **os**, **los**, **las**.

■ **Rappel :** la forme du pronom complément direct **le** est généralement employée en Espagne à la place de **lo** s'il s'agit d'une personne de sexe masculin. Par contre, la forme normale de la 3e personne du masculin pluriel reste toujours **los**.

■ **Rappel :** les pronoms personnels sont placés **avant le verbe** sauf s'il y a enclise avec l'infinitif, (**prepararse**, *se préparer*), avec le gérondif (**preparándose**, *en se préparant*) et avec l'impératif affirmatif, voir p. 307.

A 4 TRADUCTION

1. Tu as ton livre. Me le montres-tu ?
2. — Oui, je te le montre.
3. Tu as les lettres. Nous les montres-tu ?
4. — Oui, je vous les montre (T.P.).
5. Nous apportes-tu le cadeau ?
6. — Oui, je vous l'apporte (T.P.).
7. Me donnes-tu (serres-tu) la main ?
8. — Oui, je te la donne (serre).
9. Ce problème, tu me l'expliques ?
10. — Oui, je te l'explique.
11. Ce voyage, tu me le conseilles ?
12. — Oui, je te le conseille.
13. Cette nouvelle, tu nous la communiques ?
14. — Oui, je vous la communique (T.P.).
15. Ces appareils, vous nous les apportez (T.P.) ?
16. — Oui, nous vous les apportons (T.P.).

B 1 PRÉSENTATION

● L'emploi de deux pronoms compléments consécutifs (II)

Toujours **l'indirect** + **le direct** en espagnol

> Singulier **3** : (**le**) → **se** ⎤
> Pluriel **3** : (**les**) → **se** ⎦ + **le, lo, la, los, las**

le explico (**a Juan**), *je lui explique* (ind.)
+ **lo explico** (**el problema**), *je l'explique* (dir.)

se (**le** → **se**) **lo explico**, *je le lui explique*

la bicicleta	*la bicyclette*	**el paquete**	*le paquet*
la corbata	*la cravate*	**cambiar**	*changer*
el dinero	*l'argent*	**prestar**	*prêter*
la explicación	*l'explication*	**recordar(ue)**	*rappeler*
el marido	*le mari*	**regalar**	*offrir*

B 2 APPLICATION

1. ¿ Me explica Ud el problema ? — Se lo explico (a Ud).
2. ¿ Nos explica Ud el problema ? — Se lo explico (a Uds).
3. ¿ Lo explica Ud a Jaime ? — Se lo explico (a él).
4. ¿ Lo explica Ud a Rosita ? — Se lo explico (a ella).
5. ¿ Y a sus hijos ? — Se lo explico (a ellos).
6. ¿ Y a sus hijas ? — Se lo explico (a ellas).
7. ¿ Enseña Ud esta corbata a su marido ? — Se la enseño (a él).
8. ¿ Cambia Ud dinero a los turistas ? — Se lo cambio (a ellos).
9. ¿ Me presta Ud su bicicleta ? — Se la presto (a Ud).
10. ¿ Nos regala Ud estos libros ? — Se los regalo (a Uds).
11. ¿ Le mandamos este paquete ? — Se lo mandamos (a él).
12. ¿ Nos recuerdan Uds las explicaciones ? — Se las recordamos (a Uds).
13. ¿ Mandamos este regalo a Ana ? — Se lo mandamos (a ella).

B 3 REMARQUES

▪ Lorsque **deux pronoms compléments consécutifs** commencent par un **l**, le premier, qui est toujours l'indirect **le** ou **les**, se change en **se**.

▪ Le pronom complément direct — **le**, **lo**, **la**, **los** ou **las** — se place toujours après le pronom indirect **se**.

▪ Le sens exact du pronom **se** peut être précisé, si cela est nécessaire, en faisant suivre le verbe de : **a él**, **a ella**, **a Ud**, **a ellos**, **a ellas**, **a Uds**.

	a él	*je le lui montre* (masc.)
	a ella	*je le lui montre* (fém.)
Se lo enseño	**a Ud**	*je vous le montre* (V.S.)
	a ellos	*je le leur montre* (masc.)
	a ellas	*je le leur montre* (fém.)
	a Uds	*je vous le montre* (V.P.)

B 4 TRADUCTION

1. M'expliquez-vous le problème ? — Je vous l'explique.
2. Nous expliquez-vous le problème ? — Je vous (V.P.) l'explique.
3. L'expliquez-vous à Jacques ? — Je le lui explique.
4. L'expliquez-vous à Rosita ? — Je le lui explique.
5. Et à vos fils ? (V.P.) — Je le leur explique.
6. Et à vos filles ? (V.P.) — Je le leur explique.
7. Montrez-vous cette cravate à votre mari ? — Je la lui montre.
8. Changez-vous de l'argent aux touristes ? — Je le leur change.
9. Me prêtez-vous votre bicyclette ? — Je vous la prête.
10. Nous offrez-vous ces livres ? — Je vous les (V.P.) offre.
11. Lui envoyons-nous ce paquet ? — Nous le lui envoyons.
12. Nous rappelez-vous les explications ? — Nous vous (V.P.) les rappelons.
13. Envoyons-nous ce cadeau à Anne ? — Nous le lui envoyons.

C 1 ÉNONCÉ

A. Répondre en utilisant deux pronoms

1. ¿ Me aconseja Ud este viaje ?
2. ¿ Nos comunica Ud la noticia ?
3. ¿ Me explicas el problema ?
4. ¿ Nos enseñáis los libros ?
5. ¿ Prestan Uds dinero a Julio ?
6. ¿ Les escriben Uds estas cartas ?

B. Traduire (*envoyer* = **mandar**)

1. Nous communiquez-vous la nouvelle ? (V.P.)
   — Nous vous la communiquons.
2. Me montrez-vous ces paquets ?
   — Je vous les montre.
3. Offrez-vous ces livres à vos amis ?
   — Je les leur offre.
4. Prêtez-vous cette bicyclette à Jacques ?
   — Je la lui prête.
5. Envoyez-vous ces cadeaux à vos parents (V.P.) ?
   — Nous les leur envoyons.

C 2 RÉCAPITULATION

A, Répondre affirmativement

1. ¿ Obedecéis a vuestros padres ?
2. ¿ Reconoces tus errores ?
3. ¿ Conduce Ud este coche ?
4. ¿ Te pertenecen estos mapas ?
5. ¿ Te pareces a tu hermana ?

B. Compléter avec la forme convenable du verbe indiqué entre parenthèses

1. (conocer)   No parece que Ud _____ esta ciudad.
2. (fumar)   Parece que ahora ella _____ menos.
3. (permanecer)   Más vale que Ud no _____ aquí.
4. (ser)   No creo que este trabajo _____ fácil.
5. (estar)   Creo que ellos _____ descansando.

(Voir corrigé p. 375.)

C 3 CORRIGÉ

A.

1. — Se lo aconsejo (a Ud).
2. — Se la comunico (a Uds).
3. — Te lo explico.
4. — Os los enseñamos (T.P.)
5. — Se lo prestamos (a él).
6. — Se las escribimos (a ellos).

B.

1. ¿ Nos comunican Uds la noticia ?
   — Se la comunicamos.
2. ¿ Me enseña Ud estos paquetes ?
   — Se los enseño.
3. ¿ Regala Ud estos libros a sus amigos ?
   — Se los regalo.
4. ¿ Presta Ud esta bicicleta a Jaime ?
   — Se la presto.
5. ¿ Mandan Uds estos regalos a sus padres ?
   — Se los mandamos.

C 4 CIVILISATION : la presse

■ À partir de 1976, avec le retour à la démocratie, la presse, **la prensa**, retrouve en Espagne sa liberté. Son dynamisme est aujourd'hui unanimement célébré. L'Espagne est encore loin derrière les pays développés pour le tirage, **la tirada**, des **periódicos** ou **diarios** — *journaux*, *quotidiens* —, une centaine d'exemplaires, **ejemplares**, pour 1 000 habitants. Avec plus de 100 quotidiens, l'Espagne détient le record européen de titres proposés. Mais, plus des deux tiers ont un tirage inférieur à 25 000 exemplaires. *El País* est le seul à dépasser, en moyenne, les 400 000 exemplaires. *El Mundo* et *ABC*, 300 000 exemplaires chacun et *La Vanguardia*, journal catalan, 200 000 exemplaires, sont les autres grands titres nationaux.

Il faut souligner l'importance de la presse consacrée au sport : *Marca*, plus de 400 000 exemplaires en moyenne, et la diffusion des **Suplementos Semanales**, magazines qui accompagnent les journaux du dimanche, plus de 1 000 000 pour celui de *El País*, par exemple.

D 1   EL SOBRE - LA PRENSA

sello

Sr. D. Santiago Segura
Calle San Luis, 6, 4° izda
28013 MADRID
Espagne

D 2   DIALOGUE   (CD)

P = el periodista   **L = Luisa**

En un quiosco

P — Hola, buenos días Luisa, dame El País, por favor.
L — Cógelo, está en la segunda estantería a la izquierda.
P — ¿ No tienes el Semanal del domingo ?
L — No, lo siento, los he vendido todos.
P — Vaya, qué mala suerte.
L — Si quieres tengo la revista de El Mundo.
P — ¡ Ah, no ! Es la competencia y me niego a comprarla.
L — ¿ Y por qué no coges el Semanal en tu trabajo ? ¿ De qué
        te sirve ser periodista allí ?
P — Hombre, me gusta venir a verte cada lunes y hablar con la
        chica más guapa del barrio.
L — Gracias, eres muy amable. Pero, dime, ¡ no me puedo
        creer que no leas El Mundo !
P — Te voy a decir un secreto, lo leo pero a escondidas.

D 3 L'ENVELOPPE - LA PRESSE (traduction et remarques)

el sobre	l'enveloppe	la avenida	l'avenue
el sello	le timbre	la plaza	la place
la dirección	l'adresse	el paseo	la promenade
las señas	l'adresse	nombre (de pila)	prénom
la calle	la rue	apellido	nom de famille

Abréviations :

Sr. D. = Señor Don **calle** = c/
Sra. Dª = Señora Doña **izda** = **izquierda** (gauche)
  dcha = **derecha** (droite)

■ **Don** et **Doña** ne s'emploient que devant le prénom.

■ Le numéro de la rue et parfois celui de l'étage sont toujours indiqués après le nom de la rue.

■ En Espagne comme en France, le nom de l'agglomération est précédé du *code postal*, **el código postal**.

D 4 TRADUCTION

P = le journaliste L = Luisa

Dans un kiosque à journaux

P — Bonjour Luisa, donne-moi *El País*, s'il te plaît.
L — Prends-le, il est sur la deuxième étagère à gauche.
P — Tu n'as plus le supplément hebdomadaire du dimanche ?
L — Non, désolée, je les ai tous vendus.
P — Ça alors, ce n'est pas de chance !
L — Si tu veux, j'ai le magazine de *El Mundo*.
P — Ah, non ! C'est la concurrence et je me refuse à l'acheter.
L — Et pourquoi est-ce que tu ne prends pas le supplément hebdomadaire à ton travail ? À quoi ça te sert d'être journaliste ?
P — Eh bien, j'aime venir te voir tous les lundis et parler à la plus jolie fille du quartier.
L — Merci, tu es bien aimable. Mais, dis-moi, je ne peux pas croire que tu ne lises pas *El Mundo* !
P — Je vais te dire un secret, je le lis mais en cachette.

11. ¡ _____ vuestros dólares pero no _____ estos trajes !

   a) Cambien   —   compren
   b) Cambiad   —   compréis
   c) Cambiéis —   comprad
   d) Cambiad   —   comprad

12. ¡ Vosotros siempre _____ jugar y él nunca _____ !

   a) pueden   —   juega
   b) podéis   —   juego
   c) pueden   —   juego
   d) podéis   —   juega

13. ¿ Por qué no _____ tus padres que _____ ?

   a) quieren   —   vuelvas
   b) quieres   —   vuelvan
   c) queremos   —   volvamos
   d) quiere   —   vuelva

14. ¡ No _____ _____ vuestro vecino, _____ que telefonar a su hermano !

   a) habéis visto   —   a   —   tenéis
   b) han visto   —   /   —   han
   c) habéis visto   —   a   —   debéis
   d) han visto   —   /   —   hay

15. _____ veinte pero todavía no _____ todos aquí.

   a) son   —   son
   b) están   —   están
   c) son   —   están
   d) están   —   son

(Voir corrigé p. 378.)

16. No _____ ricos pero _____ felices.

   a) somos   —   estamos
   b) estamos   —   estamos
   c) somos   —   somos
   d) estamos   —   somos

17. Hace falta que vosotros _____ más cuidado y que no _____ huelga.

   a) tenéis   —   hay
   b) tengáis   —   hayáis
   c) tengáis   —   haya
   d) tengas   —   hayas

18. ¿ Tú no _____ a su mujer ? Más vale que la _____ .

   a) conoces   —   conozcas
   b) conozcas   —   conoces
   c) conoces   —   conoces
   d) conozcas   —   conozcas

19. Señora, no _____ contesto porque no _____ comprendo.

   a) le   —   le
   b) le   —   la
   c) la   —   le
   d) la   —   la

20. ¿ Me aconsejan Ustedes este libro ? — Sí, _____ _____ aconsejamos.

   a) le   —   lo
   b) os   —   lo
   c) se   —   le
   d) se   —   lo

(Voir corrigé p. 378.)

No siento nada

A 1 PRÉSENTATION

● Verbes du type **sentir** : présent de l'indicatif

sentir	*sentir, regretter, entendre*
siento	*je sens*
sientes	*tu sens*
siente	*il sent*
sentimos	*nous sentons*
sentís	*vous sentez*
sienten	*ils sentent*

el hambre	*la faim*	**dormir**	*dormir*
el mar	*la mer*	**mentir**	*mentir*
el olor	*l'odeur*	**morir**	*mourir*
la pena	*la peine*	**preferir**	*préférer*
el viento	*le vent*	**referirse**	*se référer*
advertir	*faire remarquer*	**lo de**	*l'affaire, l'histoire de*
divertirse	*s'amuser*		

A 2 APPLICATION

1. ¿ Sientes el olor del mar ? — No, no siento nada.
2. ¿ Sienten Uds mucha pena ? — Sí, sentimos mucha pena.
3. ¿ Siente Ud que ella beba ? — ¡ Claro que lo siento !
4. ¿ Sientes el viento ? — Sí, lo siento.
5. Te advierto que no quiero nada.
6. No te diviertes, ¿ verdad ? — No, no me divierto.
7. ¿ Por qué me mientes ? — Pero, no te miento.
8. ¿ Prefieres que él se quede ? — Sí, lo prefiero.
9. ¿ A qué te refieres ? — Me refiero a lo de ayer.
10. Te mueres de hambre, ¿ no ? — Sí, me muero de hambre.
11. ¿ Duermes mucho ? — Sí, duermo mucho.
12. Os advierto que prefiero divertirme.
13. Nunca miento. Prefiero callarme.

A 3 REMARQUES

■ Les verbes du type de **sentir** (p. 357) ont un présent de l'indicatif à diphtongue, c'est-à-dire que la dernière voyelle du radical, le ~ **e**, devient ~ **ie** aux trois premières personnes du singulier et à la 3ᵉ personne du pluriel :

   sentir :   ~ **ie**   ~ **ie**   ~ **ie**   ~ **e**   ~ **e**   ~ **ie**

morir et **dormir** ont une conjugaison parallèle à celle de **sentir** :

   dormir :   ~ **ue**   ~ **ue**   ~ **ue**   ~ **o**   ~ **o**   ~ **ue**

■ Rappel : **olor** : les mots espagnols terminés en ~ **or** sont masculins, sauf **flor** et **labor**.

■ **lo de** : expression commode et qui se réfère à quelque chose qui est connu de votre interlocuteur : *l'affaire, la question, l'histoire de.*

                 Habla de lo de la carta.
                 Il parle de l'affaire de la lettre.

■ Attention aux différentes significations de **sentir** : *sentir, éprouver, ressentir, regretter, entendre.*

A 4 TRADUCTION

1. Sens-tu l'odeur de la mer ? — Non, je ne sens rien.
2. Éprouvez-vous (V.P.) beaucoup de peine ? — Oui, nous éprouvons beaucoup de peine.
3. Regrettez-vous qu'elle boive ? — Bien sûr que je le regrette !
4. Entends-tu le vent ? — Oui, je l'entends.
5. Je le fais remarquer que je ne veux rien.
6. Tu ne t'amuses pas, n'est-ce pas ? — Non, je ne m'amuse pas.
7. Pourquoi me mens-tu ? — Mais, je ne te mens pas.
8. Préfères-tu qu'il reste ? — Oui, je le préfère.
9. À quoi te réfères-tu ? — Je me réfère à l'histoire d'hier.
10. Tu meurs de faim, non ? — Oui, je meurs de faim.
11. Tu dors beaucoup ? — Oui, je dors beaucoup.
12. Je vous (T.P.) fais remarquer que je préfère m'amuser.
13. Je ne mens jamais. Je préfère me taire.

B 1 PRÉSENTATION

• Verbes du type **sentir** : présent du subjonctif

sentir	sentir, regretter, entendre
sienta	*que je sente*
sientas	*que tu sentes*
sienta	*qu'il sente*
sintamos	*que nous sentions*
sintáis	*que vous sentiez*
sientan	*qu'ils sentent*

el asunto	le sujet, le thème	convertirse	se convertir
la lluvia	la pluie	invertir	investir
el negocio	l'affaire commerciale	así	ainsi, de
la obra	l'œuvre		cette façon
la sed	la soif	ni hablar	pas question

B 2 APPLICATION

1. Siento mucho que te diviertas así.

2. Ella siente mucho que siempre nos refiramos a este asunto.

3. Uds prefieren que nos divirtamos sin gastar dinero.

4. Más vale que no mintamos, ¿ verdad ?

5. Hace falta que Uds inviertan dinero en este negocio.

6. ¿ Dormir para olvidar ? No es útil que durmamos para olvidar.

7. ¿ Invertir en esto ? ¡ Ni hablar ! No quiero que invirtáis.

8. Es imposible que os muráis de sed, con esta lluvia.

9. Prefiero que no te refieras a esta obra.

10. Sentimos que os convirtáis tan rápidamente.

11. No quiero que os refiráis a esto.

12. No es bueno que os divirtáis siempre.

B 3 REMARQUES

■ Les verbes du type de **sentir** ont un présent du subjonctif qui a deux sortes d'irrégularité :
— le ~**e** du radical devient ~**ie** aux **trois premières personnes du singulier** et à la **3ᵉ personne du pluriel**, c'est la diphtongue :

   ~e   →   ~ie ~ie ~ie ... ... ~ie

— le ~**e** du radical devient ~**i** aux **deux premières personnes du pluriel** :

   ~e   →   ... ... ~i ~i ...

Ainsi, au présent du subjonctif, les modifications de la dernière voyelle du radical sont les suivantes :

   sentir :   ~**ie** ~**ie** ~**ie** ~**i** ~**i** ~**ie**

■ D'une façon semblable, les verbes **morir** et **dormir** présenteront des modifications semblables :

   morir :
   dormir : ~**ue** ~**ue** ~**ue** ~**u** ~**u** ~**ue**

Présent du subjonctif de **dormir** :
duerma duermas duerma durmamos durmáis duerman

B 4 TRADUCTION

1. Je regrette beaucoup que tu t'amuses comme ça.
2. Elle regrette beaucoup que nous nous référions toujours à ce sujet.
3. Vous préférez (V.P.) que nous nous amusions sans dépenser d'argent.
4. Il vaut mieux que nous ne mentions pas, n'est-ce pas ?
5. Il faut que vous investissiez (V.P.) de l'argent dans cette affaire.
6. Dormir pour oublier ? Il n'est pas utile que nous dormions pour oublier.
7. Investir dans cela ? Pas question ! Je ne veux pas que vous investissiez (T.P.)
8. Il est impossible que vous mouriez (T.P.) de soif, avec cette pluie.
9. Je préfère que tu ne te réfères pas à cette œuvre.
10. Nous regrettons que vous vous convertissiez (T.P.) si rapidement.
11. Je ne veux pas que vous vous référiez (T.P.) à cela.
12. Il n'est pas bon que vous vous amusiez (T.P.) toujours.

C 1 ÉNONCÉ

A. Conjuguer

à l'indicatif présent	au subjonctif présent
convertir	**invertir**
dormir	**morir**

B. Traduire

Je préfère ...

1. Vous regrettez (T.P.) ?
2. Nous investissons ?
3. Tu t'amuses beaucoup ?
4. Tu te convertis ?

1. que vous regrettiez.
2. que nous investissions.
3. que tu t'amuses beaucoup.
4. que tu te convertisses.

C. Traduire

1. Mange cela. Je préfère que tu ne meures pas de faim.
2. Bois cela. Je préfère que tu ne meures pas de soif.
3. Je te préviens que je préfère m'amuser.
4. Que vous dormiez ou non (T.P.), cela m'est égal.
5. Cela m'est égal que vous vous (T.P.) référiez à cette lettre.
6. Je regrette que cette histoire d'hier ne t'amuse pas.

C 2 RÉCAPITULATION

A. Répondre négativement

1. Es una buena costumbre, ¿ no crees ?
2. Están todos cansados, ¿ no te parece ?
3. Él tiene ganas de fumar, ¿ es bueno ?
4. Se levantan a las seis, ¿ es necesario ?
5. Hay un cuarto de baño, ¿ es preciso ?

B. Remplacer les vouvoiements par des tutoiements

1. ¿ Se acuerdan Uds de nosotros ?
2. ¿ Piensan Uds empezar pronto ?
3. ¿ Pueden Uds volver mañana ?
4. ¿ Se queda Ud toda la tarde ?
5. ¿ Le gustan a Ud nuestras ideas ?

(Voir corrigé p. 376.)

C 3 CORRIGÉ

A. à l'indicatif présent : convertir et dormir

convierto, conviertes, convierte, convertimos, convertís, convierten
duermo, duermes, duerme, dormimos, dormís, duermen

au subjonctif présent : invertir et morir

invierta, inviertas, invierta, invirtamos, invirtáis, inviertan
muera, mueras, muera, muramos, muráis, mueran

B.

Prefiero ...

1. ¿ Lo sentís ?
2. ¿ Invertimos ?
3. ¿ Te diviertes mucho ?
4. ¿ Te conviertes ?

1. que lo sintáis.
2. que invirtamos.
3. que te diviertas mucho.
4. que te conviertas.

C.

1. Come esto. Prefiero que no te mueras de hambre.
2. Bebe esto. Prefiero que no te mueras de sed.
3. Te advierto que prefiero divertirme.
4. Que durmáis o no, me da igual.
5. Me da igual que os refiráis a esta carta.
6. Siento que lo de ayer no te divierta.

C 4 CIVILISATION : la télévision

Il existe deux chaînes publiques : la première, **TVE1 (Televisión española 1)** propose toutes sortes de *programmes*, **programas**, elle est, d'après les statistiques, la plus regardée par les familles ; **la 2** est davantage orientée vers un public jeune et intellectuel avec des programmes plus culturels et musicaux.

Il y a aussi les chaînes privées : **Antena 3** bénéficie d'une grande audience, **audiencia**, et se veut une chaîne destinée à tout le monde : émissions culturelles, reportages, films, etc. **Tele 5**, très commerciale, offre des jeux, **juegos**, des films et des feuilletons américains, **series americanas**.

Pour recevoir **Canal Plus**, il faut un décodeur, **descodificador**, et être abonné, **estar abonado**.

Par ailleurs, depuis 1983, chaque autonomie a sa propre chaîne de télévision et pour les communautés parlant aussi une autre langue que l'espagnol, les émissions sont présentées dans cette langue.

D 1 LA TELEVISIÓN

la cadena	el telediario
el canal	la imagen
la antena	el satélite
la difusión	la publicidad
emitir	la pantalla
el informativo	la noticia
el televisor	el programa
encender	apagar
ver la televisión	la antena parabólica
el locutor	el presentador
el volumen	en color
en blanco y negro	el cable
el mando a distancia,	hacer zapping
el telemando	televisivo
el telespectador	salir en la tele
una serie	la telenovela, el culebrón

D 2 DIALOGUE

F = Felipe   V = la vecina

F — ¡ Por fin solo ! Voy a ver qué ponen en la tele. En la 2 una película del oeste y luego deportes. *(Llaman a la puerta[1].)* Vaya, ¿ quién puede ser ?

V — Hola, soy la vecina de arriba, vengo para saber si su tele funciona.

F — Sí, perfectamente.

V — ¿ Qué está usted viendo ?

F — Nada de momento, pero…

V — Genial, porque la mía se ha roto[2] y no he podido ver el final de la película. ¿ Le importa si… ? Gracias. Es muy amable.

F — Oiga[3], mire, es que yo…, en fin…

V — Oh, no se moleste por mí, puede seguir con su trabajo.

---

1. **Llaman a la puerta** : voir traduction de *on*, p. 348.
2. **se ha roto** : **roto**, participe passé irrégulier de **romper** = *casser*.
3. **oiga** : impératif du verbe **oír** = *écouter*, voir leçon 24, B1.

D 3   LA TÉLÉVISION

la chaîne	*le journal télévisé*
le canal	*l'image*
l'antenne	*le satellite*
la diffusion	*la publicité*
émettre	*l'écran*
le bulletin d'informations	*la nouvelle*
le téléviseur	*le programme*
allumer	*éteindre*
regarder la télévision	*l'antenne parabolique*
l'animateur	*le présentateur*
le volume	*en couleur*
en noir et blanc	*le câble*
la télécommande	*zapper*
	télévisé
le téléspectateur	*passer à la télé*
une série	*le feuilleton télévisé*

D 4   TRADUCTION

F = Felipe   V = la voisine

F — Enfin seul ! Je vais voir ce qu'il y a à la télé. Sur la 2 un western et après Sport. *(On sonne à la porte.)* Zut, qui ça peut bien être ?

V — Salut, je suis la voisine du dessus, je viens pour savoir si votre télé marche.

F — Oui, parfaitement.

V — Et qu'est-ce que vous êtes en train de regarder ?

F — Rien pour l'instant, mais…

V — Parfait, parce que la mienne est tombée en panne et je n'ai pas pu regarder la fin du film. Ça vous ennuie si… ? Merci, vous êtes très aimable.

F — Écoutez, c'est que moi… enfin…

V — Oh, ne vous dérangez pas pour moi, vous pouvez continuer votre travail.

A 1 PRÉSENTATION

• Verbes du type **pedir** : présent de l'indicatif

pedir *demander, exiger*

pido	*je demande*
pides	*tu demandes*
pide	*il demande*
pedimos	*nous demandons*
pedís	*vous demandez*
piden	*ils demandent*

la cuenta	*la note*	**repetir**	*répéter*
el queso	*le fromage*	**seguir**	*continuer*
despedirse de	*prendre congé*	**seguir** + gér.	*continuer à* + inf.
elegir	*choisir*	**servir**	*servir*
perseguir	*poursuivre*	**vestirse**	*s'habiller*
reírse de	*se moquer de*	**una vez más**	*une fois de plus*

A 2 APPLICATION

1. ¿ Qué pides ahora ? — Bueno, ahora... un queso.

2. ¿ Pides la cuenta ? — Sí, pido la cuenta.

3. Me despido de Uds. — ¿ Cómo ? ¿ Ud se despide ?

4. Te repito que no me río de este señor.

5. ¿ Se ríen Uds de él ? — No, no nos reímos de él.

6. Me visto de prisa para no llegar tarde.

7. ¿ Siguen Uds estudiando ? — Sí, seguimos estudiando.

8. ¿ Para qué sirve esto ? — Esto no sirve para nada.

9. ¿ Cómo se elige entre los dos ? ¿ Qué te parece ?

10. ¿ Por qué me persigues siempre ?

11. — ¡ Qué cuentas ! No te persigo.

12. ¿ Seguimos esperándolos o nos despedimos ?

13. — No, Uds no se despiden. Uds siguen esperando.

14. — Bueno, una vez más seguimos esperando.

A 3   REMARQUES

■ Les verbes du type **pedir** (p. 357) ont un présent de l'indicatif irrégulier : le ~**e** du radical se change en ~**i** aux **trois premières personnes du singulier et à la 3ᵉ personne du pluriel** et les deux premières personnes du pluriel sont régulières :

     pedir :   ~**i**   ~**i**   ~**i**   ~**e**   ~**e**   ~**i**

■ **seguir** signifie *suivre, continuer*. Mais **seguir** + **gérondif** signifie *continuer à* ou *de* + infinitif ; c'est une des formes progressives (**estar** + gérondif, voir p. 351) :

     seguir estudiando, *continuer à étudier.*

■ Attention aux modifications orthographiques : les verbes terminés en ~**guir** comme **perseguir** perdent le **u** devant **o** ou **a** :

présent ind. : **persigo, persigues**, etc.
présent subj. : **persiga, persigas**, etc.

■ **Llegar tarde**, *arriver en retard* ; **comer de prisa**, *manger rapidement.*

A 4   TRADUCTION

1. Que demandes-tu maintenant ? — Eh bien, maintenant... un fromage.
2. Demandes-tu la note ? — Oui, je demande la note.
3. Je prends congé de vous (V.P.). — Comment ? Vous prenez congé ?
4. Je te répète que je ne me moque pas de ce monsieur.
5. Vous moquez-vous (V.P.) de lui ? — Non, nous ne nous moquons pas de lui.
6. Je m'habille rapidement pour ne pas arriver en retard.
7. Continuez-vous (V.P.) à étudier ? — Oui, nous continuons à étudier.
8. À quoi cela sert-il ? — Cela ne sert à rien.
9. Comment choisit-on entre les deux ? Qu'en penses-tu ?
10. Pourquoi me poursuis-tu toujours ?
11. — Que racontes-tu ? Je ne te poursuis pas.
12. Nous continuons à les attendre ou nous prenons congé ?
13. — Non, vous ne prenez pas (V.P.) congé. Vous continuez à attendre.
14. — Bien, une fois de plus, nous continuons à attendre.

B 1 PRÉSENTATION

- Verbes du type **pedir** : présent du subjonctif

impedir	*empêcher*
impida	*que j'empêche*
impidas	*que tu empêches*
impida	*qu'il empêche*
impidamos	*que nous empêchions*
impidáis	*que vous empêchiez*
impidan	*qu'ils empêchent*

los estudios	*les études*	**proseguir**	*poursuivre,*
preferible	*préférable*		*continuer*
concebir	*concevoir*	**ahora mismo**	*immédiatement*
conseguir	*obtenir,*	**así**	*ainsi, comme ça*
	réussir	**sino que**	*mais que*

B 2 APPLICATION

1. Mi padre me impide elegir lo que quiero.
2. No concibo que te impida elegir.
3. ¿ Por qué impides a tu hermana que hable ?
4. No le impido nada. Que hable ella si quiere.
5. No concibo que le impidas hablar.
6. No concebimos que sigas así sin hacer nada.
7. Preferimos que prosigas tus estudios.
8. Pero, ¿ qué contáis ? Sigo estudiando.
9. Me visto como quiero.
10. ¡ No concibo que te vistas así !
11. Es preferible que me despida ahora mismo.
12. No le pido a Ud que se despida sino que espere.
13. Vuestra madre prefiere que elijáis rápidamente.

B 3   REMARQUES

■ Rappel : **acción** : le premier **c** est presque dur [k] ; le deuxième est interdental [z] : [ak-zi**o**-n].

■ Les verbes du type **pedir** (p. 357) ont un présent du subjonctif irrégulier : le ~**e** du radical se transforme en ~**i** à toutes les personnes :

     pedir :   ~**i**   ~**i**   ~**i**   ~**i**   ~**i**   ~**i**

■ **pedir** et **concebir** sont suivis du subjonctif.

■ **impedir** est suivi de l'infinitif si le complément est un pronom : **me impide elegir**, *il m'empêche de choisir* ; il est suivi de **que** et du subjonctif si le complément est un nom : **impides a tu hermana que hable**, *tu empêches ta sœur de parler*.

■ **elegir** : le **g** devient un **j** devant **o** ou **a**.

■ *mais* se traduit par **sino**, et non par **pero**, lorsqu'il y a opposition entre deux mots et par **sino que** lorsqu'il y a opposition entre deux propositions :

     No quiero beber sino comer.
     Je ne veux pas boire mais manger.
     No quiero que comas sino que bebas.
     Je ne veux pas que tu manges mais que tu boives.

B 4   TRADUCTION

1. Mon père m'empêche de choisir ce que je veux.
2. Je ne conçois pas qu'il t'empêche de choisir.
3. Pourquoi empêches-tu ta sœur de parler ?
4. Je ne l'empêche de rien. Qu'elle parle si elle veut.
5. Je ne conçois pas que tu l'empêches de parler.
6. Nous ne concevons pas que tu continues comme ça sans rien faire.
7. Nous préférons que tu poursuives tes études.
8. Mais, que racontez-vous ? Je continue à étudier.
9. Je m'habille comme je veux.
10. Je ne conçois pas que tu t'habilles comme ça !
11. Il est préférable que je prenne congé immédiatement.
12. Je ne vous demande pas de prendre congé, mais d'attendre.
13. Votre mère préfère que vous choisissiez (T.P.) rapidement.

22 Exercices et Récapitulation

A. Traduire

1. Je te préviens que …
2. Tu ne m'amuses pas.
3. Elle s'habille bien.
4. Vous vous servez de ça.
5. Il croit que nous mentons.
6. Vous le regrettez (V.P.).
7. Ils investissent dans cela.
8. Vous vous amusez (V.P.).

B. Traduire (*seul* = **solo** ; *les affaires* = **los negocios**)

1. Je préfère que vous le répétiez (V.P.) encore une fois.
2. Je n'empêche personne de choisir ce qu'il veut.
3. Je te préviens que je dors toujours beaucoup.
4. Que tu lui mentes ne sert à rien, je te le répète.
5. Je vous (V.P.) demande de ne pas vous servir seuls.
6. Il n'est pas indispensable que vous choisissiez (T.P.) maintenant.
7. Il me semble préférable que tu le lui répètes.
8. Nous préférons que vous investissiez (V.P.) dans d'autres affaires.

A. Répondre affirmativement

1. ¿ Me contestas ?
2. ¿ Nos contestas ?
3. ¿ Me escribe Ud ?
4. ¿ Nos escribe Ud ?
5. ¿ Me habla Ud ?
6. ¿ Nos habla Ud ?

— Sí, señor _____
— Sí, señores _____
— Sí, señora _____
— Sí, señoras _____

B. Répondre en remplaçant le nom complément par le pronom personnel qui convient

1. ¿ Aceptan Uds mi ayuda ?
2. ¿ Has visto a mis hermanos ?
3. ¿ Llamáis a vuestra prima ?
4. ¿ Conoces a este muchacho ?
5. ¿ Has leído estas novelas ?
6. ¿ Escucháis a vuestros padres ?

(Voir corrigé p. 376.)

C 3 CORRIGÉ

A.

1. Te advierto que ...
2. No me diviertes.
3. Ella se viste bien.
4. Ud se sirve de esto.
5. Él cree que mentimos.
6. Uds lo sienten.
7. Ellos invierten en esto.
8. Uds se divierten.

B.

1. Prefiero que Uds lo repitan una vez más.
2. No impido a nadie que elija lo que quiere.
3. Te advierto que duermo siempre mucho.
4. Que le mientas no sirve para nada, te lo repito.
5. Les pido que no se sirvan solos.
6. No es indispensable que elijáis ahora.
7. Me parece preferible que se lo repitas.
8. Preferimos que Uds inviertan en otros negocios.

C 4 CIVILISATION : routes et autoroutes

■ En vue de l'Exposition Universelle de Séville et des Jeux Olympiques de Barcelone de 1992, l'Espagne mit au point le **Plan General de Carreteras** afin d'améliorer son *réseau de transports*, **red de transportes**. Cette mesure concernait un total de 3 250 km d'**autovías**, *voies rapides* et *autoroutes*, **autopistas**. En règle générale, les autoroutes espagnoles sont plus chères que les françaises. Les **autovías** sont gratuites.

Le réseau routier de l'ensemble du pays est de 18 669 km.

Le sigle **MOPU**, que l'on trouve fréquemment sur les panneaux de signalisation en Espagne, représente le **Ministerio de Obras Públicas y Urbanismo**, qui correspond à notre ministère de l'Équipement.

En Espagne, les plaques d'immatriculation commencent par des lettres qui indiquent la capitale provinciale où la voiture a été immatriculée. Ainsi, **M** représente **Madrid** ; **GR**, Granada ; **BU**, **Burgos**, etc. Une autre lettre correspond à l'âge du véhicule.

D 1 CARRETERAS Y AUTOPISTAS

la autovía	el peaje
las señales de tráfico	el cruce
la curva	el límite de velocidad
el código de la circulación	conducir
el carné de conducir	la gasolinera
la velocidad	el semáforo
el cinturón de seguridad	el paso a nivel
el paso de cebra	el carril
el arcén	saltarse un semáforo
el radar	la documentación del coche
el seguro del coche	la red de carreteras
el mapa de carreteras	cambiar de fila
desviarse	el desvío
el bache	el tráfico
el atasco	un badén

D 2 DIALOGUE

L = Luis   E = Eva

E — **Adelanta, hace media hora que vamos detrás de ese camión.**

L — **Déjame, ¿ no ves que no puedo ?**

E — **Pero, no viene nadie.**

L — **Esta gente está loca, conduce a toda pastilla.**

E — **Y tú como una tortuga.**

L — **Lento pero seguro.**

E — **Acelera, por favor.**

L — **No tenemos ninguna prisa, además hay que ser prudente conduciendo.**

E — **Tu prudencia está acabando con mis nervios y con mi paciencia.**
(Un frenazo.)

L — **Ala**[1], **qué loco. Se cree el dueño de la carretera. Ni siquiera**[2] **ha puesto el intermitente. Bueno, según el mapa, pronto hay que desviarse a la derecha.**

E — **¡ Cuidado ! Luis, frena, frena..., que le damos...**

1. **Ala** : interjection = *allons, allez*.

D 3 ROUTES ET AUTOROUTES

la voie rapide	*le péage*
les panneaux de signalisation	*le croisement*
le tournant, le virage	*la limitation de vitesse*
le code de la route	*conduire*
le permis de conduire	*le poste à essence*
la vitesse	*le feu tricolore*
la ceinture de sécurité	*le passage à niveau*
le passage piéton	*la voie, le couloir*
le bas-côté	*griller un feu*
le radar	*les papiers de la voiture*
l'assurance de la voiture	*le réseau routier*
la carte routière	*changer de file*
prendre la déviation	*la déviation*
le nid de poule	*la circulation*
l'embouteillage	*un dos d'âne*

D 4 TRADUCTION

L = Luis   E = Eva

E — Dépasse-le, ça fait une demi-heure que nous suivons ce camion.

L — Laisse-moi, tu ne vois pas que je ne peux pas ?

E — Mais, il n'y a personne.

L — Les gens sont fous, ils conduisent à toute allure.

E — Et toi comme une tortue.

L — Lentement mais sûrement.

E — Accélère, s'il te plaît.

L — Nous ne sommes pas du tout pressés ; en plus, il faut être prudent quand on conduit.

E — Ta prudence est en train d'user mes nerfs et d'épuiser ma patience.

(Un coup de frein.)

L — Il est fou celui-là. Il croit que la route est pour lui tout seul. Il n'a même pas mis son clignotant. Bon, d'après la carte, il faut bientôt prendre la déviation à droite.

E — Attention ! Luis, freine, freine..., nous allons rentrer dedans...

2. **ni siquiera** = *ne ... même pas.*

A 1 PRÉSENTATION

- Présents de l'indicatif irréguliers (I)

	poner	mettre		
	pongo	*je mets*	**ponemos**	*nous mettons*
	pones	*tu mets*	**ponéis**	*vous mettez*
	pone	*il met*	**ponen**	*ils mettent*

valer	*valoir*	→ **valgo, vales, vale, valemos, valéis, valen**
salir	*sortir, partir*	→ **salgo, sales, sale, salimos, salís, salen**
hacer	*faire*	→ **hago, haces, hace, hacemos, hacéis, hacen**
traer	*apporter*	→ **traigo, traes, trae, traemos, traéis, traen**
caer	*tomber*	→ **caigo, caes, cae, caemos, caéis, caen**

el café	*le café*	**a menudo**	*souvent*
el sombrero	*le chapeau*	**nunca**	*jamais*
la tontería	*la bêtise*	**no ... más que**	*ne ... que*
esquiar	*skier*	**sólo**	*ne ... que*
nadar	*nager*	**también**	*aussi*

A 2 APPLICATION

1. — ¿ Quién se pone un sombrero ? ¿ Ud ?
2. — Sí, me pongo un sombrero. ¿ Y Uds ?
3. — Nos ponemos un sombrero también.
4. — ¿ Quién sale a las ocho ? ¿ Ud ?
5. — Sí, salgo a las ocho. ¿ Y Uds ?
6. — Salimos a las ocho también.
7. — ¿ Quién trae el café ?
8. — Traigo el café.
9. — ¿ Vale Ud para nadar ?
10. — No, no valgo para nadar.
11. — ¿ Caes a menudo cuando esquías ?
12. — No, no caigo nunca cuando esquío.
13. — ¡ No haces más que tonterías !
14. — Sí, sólo hago tonterías.

23 | Je fais toujours les exercices

A 3 REMARQUES

■ Quelques verbes irréguliers ont une 1re personne du singulier du présent de l'indicatif en ~**go**, différente des autres personnes de ce même temps dont les terminaisons restent régulières.

traer, *apporter* : **traigo**, **traes**, etc.

(Verbes irréguliers, voir pp. 362 à 371).

■ Il ne faut pas oublier que le verbe **salir** se termine en ~**ir** et qu'en conséquence ses terminaisons comportent un **i** aux deux premières personnes du pluriel :

... ... **salimos**, **salís**, ...

■ La formule restrictive française *ne ... que* se traduit en espagnol par **no ... más que** ou bien par **sólo**.

> **No hace más que leer** ou **sólo lee.**
> *Il ne fait que lire.*

■ **ponerse** : a) *se mettre*
    b) *mettre* (un vêtement, des chaussures, etc.)

A 4 TRADUCTION

1. — Qui met un chapeau ? Vous ?
2. — Oui, je mets un chapeau. Et vous (V.P.) ?
3. — Nous mettons un chapeau aussi.
4. — Qui sort (part) à huit heures ? Vous ?
5. — Oui, je sors (pars) à huit heures. Et vous (V.P.) ?
6. — Nous sortons (partons) à huit heures aussi.
7. — Qui apporte le café ?
8. — J'apporte le café.
9. — Êtes-vous bon à la nage ?
10. — Non, je ne suis pas bon à la nage (je ne suis pas bon nageur).
11. — Tombes-tu souvent quand tu skies ?
12. — Non, je ne tombe jamais quand je skie.
13. — Tu ne fais que des sottises (bêtises) !
14. — Oui, je ne fais que des bêtises.

B 1   PRÉSENTATION

- <u>Présents du subjonctif irréguliers</u> (I)

			présent du subjonctif
poner	*mettre*	**pongo**	→ **ponga, pongas, ponga,** ...
valer	*valoir*	**valgo**	→ **valga, valgas, valga,** ...
salir	*sortir*	**salgo**	→ **salga, salgas, salga,** ...
hacer	*faire*	**hago**	→ **haga, hagas, haga,** ...
traer	*apporter*	**traigo**	→ **traiga, traigas, traiga,** ...
caer	*tomber*	**caigo**	→ **caiga, caigas, caiga,** ...

creo que + indicatif	*je crois que* + indicatif
no creo que + subjonctif	*je ne crois pas que* + subjonctif

el ejercicio	*l'exercice*	**seguro**	*sûr, certain*
la pena	*la peine*	**creer**	*croire*
el periódico	*le journal*	**pensar(ie)**	*penser*
la tarde	*l'après-midi*	**ponerse a**	*se mettre à*
la velocidad	*la vitesse*	**a pesar de**	*malgré*
al corriente	*au courant*	**siempre**	*toujours*

B 2   APPLICATION

1. ¿ Cree Ud que traen los periódicos ?
2. — No, no creo que los traigan.
3. ¿ Creen Uds que hago siempre mis ejercicios ?
4. — No, no creemos que Ud los haga siempre.
5. ¿ Piensa Ud que Roberto se pone al corriente ?
6. — No, no pienso que se ponga al corriente.
7. ¿ Cree Ud que esto vale la pena ?
8. — No, no creo que esto valga la pena.
9. ¿ Piensan Uds que sus amigos salen esta tarde ?
10. — No, no pensamos que salgan.
11. ¿ Creen Uds que no caigo a pesar de la velocidad ?
12. — No, no creemos que Ud caiga.
13. ¿ Está Ud segura de que Federico tiene el periódico ?
14. — No, no estoy segura de que lo tenga.

B 3 REMARQUES

■ Les terminaisons du subjonctif **sont les mêmes pour les verbes réguliers et irréguliers,** c'est-à-dire ~**e** pour les verbes en ~**ar** et ~**a** pour les verbes en ~**er** et ~**ir.**

■ L'irrégularité des verbes qui se terminent en ~**go** à la 1re personne du présent de l'indicatif se retrouve à toutes les personnes du subjonctif :

valgo → valga, valgas, valga, valgamos, valgáis, valgan.

■ Après le verbe **creer** à la forme négative on emploie le **subjonctif,** mode qui rapporte des faits éventuels, car il y a un doute. Mais après **creer** employé affirmativement, le doute disparaissant, on emploie **l'indicatif,** mode qui rapporte des faits réels. Il en est de même pour d'autres verbes ou expressions qui expriment l'opinion comme **pensar,** *penser,* **estar seguro de que,** *être sûr que,* etc.

> **No estoy seguro de que él lo crea.**
> *Je ne suis pas sûr qu'il le croie.*

> **Estoy seguro de que él lo cree.**
> *Je suis sûr qu'il le croit.*

B 4 TRADUCTION

1. Croyez-vous qu'ils apportent les journaux ?
2. — Non, je ne crois pas qu'ils les apportent.
3. Croyez-vous (V.P.) que je fais toujours mes exercices ?
4. — Non, nous ne croyons pas que vous les fassiez toujours.
5. Pensez-vous que Robert se met au courant ?
6. — Non, je ne pense pas qu'il se mette au courant.
7. Croyez-vous que cela vaut la peine ?
8. — Non, je ne crois pas que cela vaille la peine.
9. Pensez-vous (V.P.) que vos amis sortent cet après-midi ?
10. — Non, nous ne pensons pas qu'ils sortent.
11. Croyez-vous (V.P.) que je ne tombe pas malgré la vitesse ?
12. Non, nous ne croyons pas que vous tombiez.
13. Êtes-vous certaine que Frédéric a le journal ?
14. — Non, je ne suis pas certaine qu'il l'ait.

C 1   ÉNONCÉ

A. Répondre négativement

1. ¿ Quién trae el periódico? ¿ Ud ?
2. ¿ Quién sale esta tarde ? ¿ Ud ?
3. ¿ Vale Ud para andar ?
4. ¿ Hace Ud siempre sus ejercicios ?
5. ¿ Cae Ud a menudo cuando esquía ?
6. ¿ Qué se pone Ud ? ¿ Un sombrero ?
7. ¿ Cree Ud que no hago más que tonterías ?
8. ¿ Piensa Ud que esto vale la pena ?

B. Traduire

1. Je vous apporte le café et les journaux.
2. Je ne tombe jamais malgré la vitesse.
3. Je ne fais que des bêtises.
4. Je ne suis pas bon nageur (à la nage).
5. Il croit que vous vous mettez au courant.
6. Il ne croit pas que vous vous mettiez au courant.
7. Pensez-vous qu'il part cet après-midi ?
8. Non, je ne crois pas qu'il parte cet après-midi.

C 2   RÉCAPITULATION

A. Répondre affirmativement

1. ¿ Me lo prometes ?
2. ¿ Nos lo prometéis ?
3. ¿ Me lo promete Ud ?
4. ¿ Nos lo prometen Uds ?

B. Répondre en remplaçant le nom complément par le pronom complément qui convient

1. ¿ Me presta Ud su coche ?
2. ¿ Me enseñas los regalos ?
3. ¿ Nos aconseja Ud este viaje ?
4. ¿ Nos lleváis las revistas ?
5. ¿ Me comunican Uds la dirección ?

(Voir corrigé p. 376.)

C 3 CORRIGÉ

A.

1. – No, no traigo el periódico.
2. – No, no salgo esta tarde.
3. – No, no valgo para andar.
4. – No, no hago nunca mis ejercicios.
5. – No, no caigo nunca cuando esquío.
6. – No, no me pongo un sombrero.
7. – No, no creo que Ud no haga más que tonterías.
8. – No, no pienso que esto valga la pena.

B.

1. Le traigo el café y los periódicos.
2. No caigo nunca a pesar de la velocidad.
3. No hago más que tonterías (Sólo hago…).
4. No valgo para nadar.
5. Él cree que Ud se pone al corriente.
6. No cree que Ud se ponga al corriente.
7. ¿ Piensa Ud que él sale esta tarde ?
8. No, no creo que salga esta tarde.

C 4 CIVILISATION : quelques grandes villes

■ **BARCELONA** : plus de 3 500 000 habitants, est la capitale de la Catalogue et le siège de la **Generalitat**, le gouvernement catalan autonome. Port méditerranéen, ville profondément *bilingue*, **bilingüe**, on y parle aussi bien le catalan que l'espagnol.

■ **VALENCIA**, plus de 900 000 habitants, est au centre de la région agricole la plus cultivée d'Europe. **La huerta** est une plaine irriguée qui peut produire jusqu'à quatre récoltes par an. **Valencia** est particulièrement réputée pour ses *oranges*, **naranjas**, **la paella** et ses **Falla,** à l'occasion de la Saint-Joseph.

■ **SEVILLA**, 800 000 habitants, est la quatrième ville d'Espagne et la capitale de l'Andalousie. L'Exposition Universelle de 1992 a permis à Séville d'accéder au rang de métropole européenne. Un refrain d'une vieille chanson dit :

Quien no ha visto Sevilla, no ha visto maravilla.
Qui n'a pas vu Séville n'a pas vu de merveille.

D 1 AUTOBÚS Y METRO

coger el autobús	perder el autobús
el conductor de autobús	los viajeros
el asiento	estar libre
estar ocupado	la parada de autobús
el billete	el horario de autobuses
el recorrido	el controlador
subir al autobús	bajar del autobús
el bonobús	sacar un billete
el revisor	la línea
hacer cola	sólo bus
el cobrador	el final de la línea
el metro	un tren
la boca del metro	la estación
un taco de billetes	fechar un billete
los usuarios	el microbús

D 2 DIALOGUE

— ¡ Oiga, no empuje que vamos a subir todos !
— Vale, pero es que hace casi media hora que estoy esperando.

— Eh, usted, su billete, no se cuele [1].
— No, no, es que no lo encuentro. He debido de [2] perderlo : bueno, pues déme un billete por favor.

— ¡ Qué calor que hace aquí ! Le importa si abro un poco la ventanilla.
— En absoluto [3].

— ¿ Quiere sentarse, señora ?
— Sí, gracias, es usted muy amable.

— Señorita, me está aplastando el pie con el tacón.
— Uy, perdone. Lo he hecho sin querer [4].

— ¡ Es mi parada ! ¡ Paso ! ¡ Déjenme pasar ! ¡ Paso !
— Tranquila, que yo también bajo. ¡ Vaya otra vez usted !

1. **no se cuele** : impératif négatif de **colarse** = *se faufiler*.
2. **he debido de...** : **deber de** = *devoir* avec la nuance de *supposer*.

D 3   AUTOBUS ET MÉTRO

prendre l'autobus	rater l'autobus
le chauffeur de bus	les voyageurs
la place	être libre
être occupé	l'arrêt de bus
le ticket	l'horaire des bus
le trajet	le contrôleur
monter dans le bus	descendre du bus
la carte d'abonnement	prendre un ticket
le contrôleur	la ligne
faire la queue	couloir réservé aux bus
le receveur	le terminus
le métro	une rame
la bouche de métro	la station
un carnet de tickets	valider, composter un ticket
les usagers	le minibus

D 4   TRADUCTION

— Eh, ne poussez pas, nous allons tous monter !
— Oui, d'accord, mais ça fait presque une demi-heure que j'attends.

— Eh, vous, votre ticket, ne vous faufilez pas.
— Non, non, c'est que je ne le trouve pas. J'ai dû le perdre, bon, alors, donnez-moi un ticket, s'il vous plaît.

— Qu'est-ce qu'il fait chaud ici ! Ça vous gêne si j'ouvre un peu la fenêtre ?
— Non, pas du tout.

— Voulez-vous vous asseoir, madame ?
— Oui, merci, vous êtes très aimable.

— Mademoiselle, vous êtes en train de m'écraser le pied avec votre talon.
— Oh, mon Dieu, excusez-moi. Je ne l'ai pas fait exprès.

— C'est mon arrêt, laissez-moi passer ! Laissez-moi passer !
— Ne vous inquiétez pas, je descends moi aussi. Tiens, c'est encore vous.

3. **en absoluto** a toujours un sens négatif.
4. **lo he hecho sin querer** (mot à mot) : *je l'ai fait sans vouloir.*

A 1 PRÉSENTATION

● Présents de l'indicatif irréguliers (II)

> **venir** *venir*
> vengo, vienes, viene, venimos, venís, vienen
>
> **decir** *dire*
> digo, dices, dice, decimos, decís, dicen
>
> **oír** *entendre*
> oigo, oyes, oye, oímos, oís, oyen
>
> **ver** *voir*
> veo, ves, ve, vemos, veis, ven

el abuelo	*le grand-père*	**sordo**	*sourd*
el campo	*la campagne*	**acabar de**	*venir de*
la gente	*les gens*	**desde**	*depuis*
el mar	*la mer*	**hasta**	*jusque*
el pueblo	*le village*	**poco**	*peu*
el ruido	*le bruit*	**todavía**	*encore*
el tiempo	*Le temps*	**ya**	*déjà*

A 2 APPLICATION

1. Vengo de mi pueblo.
2. Acabo de ver a mis abuelos que viven en el **campo**.
3. ¿ Qué dice Ud ?
4. — Digo que estoy muy bien.
5. Se ve muy bien desde su casa.
6. — Cuando el tiempo está bueno veo hasta el mar.
7. Veo a poca gente.
8. — ¿ Cómo dice Ud ?
9. Soy un poco sordo y no oigo muy bien.
10. Digo que la gente no viene a verme.
11. ¿ Oyes el ruido del mar ? — No, no oigo nada.
12. ¿ Están ya sus hermanos en casa ?
13. — No, no los veo. Todavía no han venido.

A 3   REMARQUES

■ On ne peut pas savoir si un verbe est **régulier ou irrégulier** à la vue du seul infinitif. Il faut donc faire un effort de mémoire.

■ En général, les terminaisons sont les mêmes que celles des verbes réguliers.

■ **venir** diphtongue comme les verbes du type **pensar** (p. 110), sauf à la première personne du singulier.

■ **decir** se conjugue avec une alternance de voyelles **e/i** dans le radical comme dans le verbe **pedir** (p. 184).

■ **oír** : on intercale un **y** entre le **o** du radical et la terminaison aux deuxième et troisième personnes du singulier et la troisième personne du pluriel.

■ Lorsque **poco** est suivi d'un nom, il est adjectif en espagnol et s'accorde en genre et en nombre : **veo a poca gente**.

■ **acabar**, *achever* ; **acabar de**, *venir de*, pour exprimer le passé immédiat.

■ **se ve muy bien** : *on voit très bien*, voir traduction de *on*, p. 348.

A 4   TRADUCTION

1. Je viens de mon village.
2. Je viens de voir mes grands-parents qui vivent à la campagne.
3. Que dites-vous ?
4. — Je dis que je vais très bien.
5. On a une belle vue depuis votre maison (on voit très bien …).
6. — Quand le temps est beau, je vois jusqu'à la mer.
7. Je vois peu de monde (peu de gens).
8. — Comment dites-vous ?
9. Je suis un peu sourd et je n'entends pas très bien.
10. Je dis que les gens ne viennent pas me voir.
11. Entends-tu le bruit de la mer ? — Non, je n'entends rien.
12. Vos frères sont-ils déjà chez vous (à la maison) ?
13. — Non, je ne les vois pas. Ils ne sont pas encore venus.

B 1 PRÉSENTATION

● Présents du subjonctif irréguliers (II)

présent du subjonctif

venir	*venir*	**vengo**	→	**venga, vengas, venga,** ...
decir	*dire*	**digo**	→	**diga, digas, diga,** ...
oír	*entendre*	**oigo**	→	**oiga, oigas, oiga,** ...
ver	*voir*	**veo**	→	**vea, veas, vea, veamos,** ...

le pido que + subjonctif	*je vous demande de ...*
le ruego que + subjonctif	*je vous prie de ...*
le digo que + subjonctif	*je vous dis de ...*
	(incitation à agir)
le digo que + indicatif	*je vous dis que ...*
	(constatation)

el alumno	*l'élève*	**la sonrisa**	*le sourire*
el consejo	*le conseil*	**la verdad**	*la vérité*
la dificultad	*la difficulté*	**callar (se)**	*se taire*
el estadio	*le stade*	**rogar**	*prier*
el labio	*la lèvre*	**en el futuro**	*à l'avenir*
la música	*la musique*		

B 2 APPLICATION

1. No oigo nunca los consejos.
2. — Le pido (a Ud) que los oiga.
3. Los chicos no vienen al estadio con nosotros.
4. — Les digo (a ellos) que vengan.
5. Este alumno no ve nunca las dificultades.
6. — Le pido (a él) que las vea en el futuro.
7. Este chico dice siempre la verdad.
8. Digo que este chico dice siempre la verdad.
9. — Le digo (a él) que me la diga a mí también.
10. Estos alumnos hablan y no oyen la música.
11. — Les ruego (a ellos) que callen y oigan la música.
12. Venimos siempre con la sonrisa en los labios.
13. Dice que venimos siempre con la sonrisa en los labios.
14. Nos dice que vengamos siempre con la sonrisa en los labios.

B 3   REMARQUES

■ **Le pido (a Ud) que venga** = *je vous demande de venir*. Lorsque le sujet du verbe principal, ici **pedir**, agit ou essaie d'agir sur l'état ou la situation du sujet du verbe dépendant, ici **venir**, celui-ci se met au subjonctif en espagnol. **Après un verbe d'ordre ou de prière**, comme **pedir**, *demander*, **rogar**, *prier* ou **decir**, *dire*, etc., il convient donc de traduire l'infinitif français par **le subjonctif espagnol**.

■ Attention à l'accord du verbe dépendant :
le digo (a Ud) que venga → le sujet est **Ud**.
les digo (a Uds) que vengan → le sujet est **Uds**.

■ **Digo que viene**, *je dis qu'il vient* : ici le verbe **decir** n'incite pas à agir mais **se limite à constater un fait**. Le verbe **venir** reste donc **à l'indicatif**.

■ Rappel : l'irrégularité qui affecte la première personne du singulier du présent de l'indicatif se retrouve à toutes les personnes du subjonctif présent.

B 4   TRADUCTION

1. Je n'entends jamais les conseils.
2. — Je vous demande de les entendre.
3. Les garçons ne viennent pas au stade avec nous.
4. — Je leur dis de venir.
5. Cet élève ne voit jamais les difficultés.
6. — Je lui demande de les voir à l'avenir.
7. Ce garçon dit toujours la vérité.
8. Je dis que ce garçon dit toujours la vérité.
9. — Je lui dis de me la dire à moi aussi.
10. Ces élèves parlent et n'écoutent pas la musique.
11. — Je les prie de se taire et d'écouter la musique.
12. Nous venons toujours le sourire aux lèvres.
13. Il dit que nous venons toujours le sourire aux lèvres.
14. Il nous dit de toujours venir le sourire aux lèvres.

C 1 ÉNONCÉ

A. Répondre affirmativement

1. Venimos del campo. ¿ Y Ud ?
2. Decimos siempre la verdad. ¿ Y Ud ?
3. Vemos a poca gente. ¿ Y Ud ?
4. No oímos el ruido de los coches. ¿ Y Ud ?
5. Vengo a clase con la sonrisa en los labios. ¿ Y Uds ?
6. Digo que no soy sordo. ¿ Y Uds ?
7. No oigo la música. ¿ Y Uds ?
8. ¿ Ven Uds a menudo a mis abuelos ?

B. Traduire

1. Je viens de la campagne, de mon village.
2. Je viens de voir mes grands-parents.
3. J'entends le bruit de la mer.
4. Je dis que le temps est beau.
5. Il vous demande de ne pas voir ces gens-là.
6. Il vous (V.P.) prie de ne pas venir maintenant.
7. Il vous (V.P.) dit de vous taire.
8. Il dit qu'il ne vient jamais à la maison.

C 2 RÉCAPITULATION

A. Mettre au singulier

1. No mentimos nunca.
2. ¿ Dormís bien ?
3. Te advertimos que no podemos.
4. Sentimos molestarte.
5. ¿ Os referís a lo de ayer ?

B. Compléter en mettant le verbe indiqué entre parenthèses à la forme convenable

1. (sentir)   Es posible que ella _____ mucha pena.
2. (convertirse) No queremos que él _____ a tus ideas.
3. (referirse)   No es bueno que vosotros _____ a esta carta.
4. (divertirse)   Sienten que vosotros _____ tanto.
5. (invertir)   Prefieren que nosotros no _____ en este negocio.
6. (morirse)   No me parece que vosotros _____ de hambre.

(Voir corrigé p. 376.)

C 3   CORRIGÉ

A.

1. — Vengo del campo.
2. — Digo siempre la verdad.
3. — Veo a poca gente.
4. — No oigo el ruido de los coches.
5. — Venimos a clase con la sonrisa en los labios.
6. — Decimos que no somos sordos.
7. — No oímos la música.
8. — Vemos a menudo a sus abuelos.

B.

1. Vengo del campo, de mi pueblo.
2. Acabo de ver a mis abuelos.
3. Oigo el ruido del mar.
4. Digo que el tiempo está bueno.
5. Le pide (a Ud) que no vea a esa gente.
6. Les ruega (a Uds) que no vengan ahora.
7. Les dice (a Uds) que callen.
8. Dice que no viene nunca a casa.

C 4   CIVILISATION : **Iberia** et **Aviaco**

▨ **Iberia** est la principale **compañía aérea**, *compagnie aérienne*, espagnole. Créée en 1920, elle dessert l'ensemble de la planète, mais plus particulièrement l'Europe et l'Amérique latine. Dans certains pays d'Amérique du Sud, elle est entrée dans le capital de différentes compagnies aériennes nationales. Par le nombre de voyageurs transportés, **Iberia** se classe parmi les premières compagnies du monde.

▨ Il existe pour des vols intérieurs, la compagnie **Aviaco**. Elle a établi **un puente aéreo**, *pont aérien* entre Madrid et Barcelone permettant d'assurer de très nombreux départs chaque jour, et sans réservation préalable. **Aviaco** dessert également les autres grandes ville de province : Valence, Malaga, Saint-Sébastien, etc.

▨ L'aéroport de **Madrid-Barajas** a été complètement remodelé tout comme celui de Barcelone, **el Prat de Llobregat**.

D 1   EL TRANSPORTE AÉREO

el vuelo	el aeropuerto
el avión	volar
aterrizar	la pista de aterrizaje
despegar	la tarjeta de embarque
los pasajeros	el asiento
la ventanilla	la bandeja
el piloto	la cabina de pilotaje
el capitán	coger el avión
la azafata	el helicóptero
llegada	el auxiliar de vuelo
salida	puerta número …
embarcar	el embarque
el despegue	reservar
facturar las maletas	hacer escala
el equipaje	la tripulación

D 2   DIALOGUE

V = el viajero   T = el taxista   S = una señora   A = la azafata

(En un taxi)

V — Acelere, más deprisa que voy a perder el avión.

T — Eh, ¿ qué quiere, que vuele ?

V — Tenga. Quédese con la vuelta. Adiós.

(En el aeropuerto)

— **Último aviso : embarque inmediato por la puerta número 5 para los pasajeros con destino a Lima.**

V — Oh, ese es mi vuelo. ¿ Dónde diablos está el mostrador de facturación ?

S — Eh, cuidado, que casi tira[1] a la niña, bruto.

V — Buenos días señorita, perdone pero es que he tenido un problema…

A — Siempre hay problemas. Su pasaporte.

V — Se lo he dado con el billete.

A — A mí no me ha dado nada, señor.

V — No se ponga nerviosa. Ah, mire, aquí está.

A — Tome, su tarjeta de embarque y dése prisa[2]. No, por allí no, a la izquierda.

---

1. **casi tira…** : **casi** = *presque* ; **tirar** = *jeter, faire tomber*.

D 3   LE TRANSPORT AÉRIEN

le vol	*l'aéroport*
l'avion	*voler*
atterrir	*la piste d'atterrissage*
décoller	*la carte d'embarquement*
les passagers	*la place*
le hublot	*le plateau*
le pilote	*la cabine de pilotage*
le commandant	*prendre l'avion*
l'hôtesse	*l'hélicoptère*
arrivée	*le steward*
départ	*porte numéro …*
embarquer	*l'embarquement*
le décollage	*réserver*
enregistrer les bagages	*faire escale*
les bagages	*l'équipage*

D 4   TRADUCTION

V = le voyageur   T = le chauffeur de taxi   S = une dame   A = l'hôtesse

   (Dans un taxi)
V — Accélérez, plus vite, je vais rater l'avion.
T — Eh, que voulez-vous ? Que je vole ?
V — Tenez, gardez la monnaie. Au revoir.

   (À l'aéroport)
— Dernier appel : embarquement immédiat, porte numéro 5 pour les passagers à destination de Lima.
V — Zut, c'est mon vol. Où diable est le comptoir d'enregistrement ?
S — Eh, faites attention, vous avez failli faire tomber ma fille, brute.
V — Bonjour mademoiselle, excusez-moi, mais c'est que j'ai eu un problème…
A — Il y a toujours des problèmes. Votre passeport.
V — Je vous l'ai donné avec le billet.
A — Vous ne m'avez rien donné, monsieur.
V — Ne vous énervez pas. Ah, regardez, le voilà.
A — Tenez, votre carte d'embarquement, et dépêchez-vous. Non, pas par là, à gauche.

   2. **darse prisa** : *se hâter, se dépêcher.*

A 1 PRÉSENTATION

- Présents de l'indicatif irréguliers (III)

> **ir** *aller*
> **voy, vas, va, vamos, vais, van**
> **dar** *donner*
> **doy, das, da, damos, dais, dan**
> **saber** *savoir*
> **sé, sabes, sabe, sabemos, sabéis, saben**
> **caber** *tenir, contenir*
> **quepo, cabes, cabe, cabemos, cabéis, caben**

el agua	*l'eau*	**el vaquero**	*le jean*
el hijo	*le fils*	**el vaso**	*le verre*
el maletero	*le coffre*	**la universidad**	*l'université*
la moto	*la moto*	**darse prisa**	*se presser*
el paquete	*le paquet*	**irse**	*s'en aller*
el retraso	*le retard*	**llevar retraso**	*avoir du retard*
el traje	*le costume*	**ya no** + verbe	*ne ... plus*
con mucho gusto	*avec grand plaisir*		

A 2 APPLICATION

1. ¿ Adónde va Ud ahora ? — Voy a la universidad.
2. ¿ Sale Ud ahora ? — Sí, me voy ahora.
3. ¿ Qué van Uds a ver en Toledo ?
4. — Vamos a ver la catedral.
5. ¿ Sabe Ud adónde van sus hijos ?
6. — No, no lo sé.
7. ¿ Saben Uds si Andrés tiene una moto ?
8. — No, no tiene moto sino coche.
9. ¿ Me da Ud un vaso de agua, por favor ?
10. — Se lo doy con mucho gusto.
11. Llevamos retraso y tenemos que darnos prisa.
12. Los paquetes no caben en el maletero de mi coche.
13. Ya no quepo en este vaquero.

A 3 REMARQUES

■ **Les présents de l'indicatif** des verbes **ir**, *aller*, **dar**, *donner*, **saber**, *savoir*, et **caber**, *tenir*, *contenir*, présentent des formes très particulières. Il convient donc de les étudier soigneusement.

■ Le sens général du verbe **ir** est *aller* ; **irse**, forme pronominale, signifie *s'en aller*, *partir*.

■ **¿ dónde ?** = *où ?* Mais avec un verbe de mouvement on fait généralement précéder **dónde** de la préposition **a** : **¿ adónde vas ?** = *où vas-tu ?* ou d'une autre préposition : **de**, *de*, **por**, *par*, **hasta**, *jusque*, etc.

■ *ne … plus* : cette formule est rendue par **ya no** précédant le verbe ou parfois par **no … ya** encadrant le verbe. Elle peut être renforcée par l'addition de **más** : **ya no voy**, **no voy ya**, **ya no voy más** = *je n'y vais plus*.

■ **Rappel** : à l'infinitif le (ou les) pronom(s) se place(nt) après le verbe et se soude(nt) à lui sans trait d'union : **ir + se = irse**, *s'en aller*, *partir*.

A 4 TRADUCTION

1. Où allez-vous maintenant ? — Je vais à l'université.
2. Partez-vous maintenant ? — Oui, je m'en vais maintenant.
3. Qu'allez-vous (V.P.) voir à Tolède ?
4. — Nous allons voir la cathédrale.
5. Savez-vous où vont vos enfants ?
6. — Non, je ne le sais pas.
7. Savez-vous (V.P.) si André a une moto ?
8. — Non, il n'a pas de moto, mais une voiture.
9. Vous me donnez un verre d'eau, s'il vous plaît ?
10. — Je vous le donne avec grand plaisir.
11. Nous avons du retard et nous devons nous presser.
12. Les paquets ne tiennent pas dans le coffre de ma voiture.
13. Ce « jean » ne me va plus (je ne tiens plus dans …).

B 1 PRÉSENTATION

● Présents du subjonctif irréguliers (III)

présent du subjonctif

ir	*aller*	voy	→	**vaya, vayas, vaya, ...**
dar	*donner*	doy	→	**dé, des, dé, demos, ...**
saber *savoir*		sé	→	**sepa, sepas, sepa, ...**
caber *tenir dans*		quepo	→	**quepa, quepas, quepa, ...**

es posible que + subjonctif *il est possible que ...*

la habitación	*la chambre*	**la plata**	*l'argent (métal)*
el hospital	*l'hôpital*	**la silla**	*la chaise*
la medalla	*la médaille*	**el viaje**	*le voyage*
el mueble	*le meuble*	**bastar (con)**	*suffire (de)*
la mesa	*la table*	**dar un paseo**	*faire une*
la oficina	*le bureau*		*promenade*
el partido	*le match*	**en seguida**	*tout de suite*

B 2 APPLICATION

1. Tengo que ir a la oficina en seguida.
2. Importa que yo vaya a la oficina en seguida.
3. Me voy de vacaciones por tres semanas.
4. Es posible que me vaya de vacaciones por tres semanas.
5. No sé el resultado del partido.
6. Es posible que Ricardo lo sepa.
7. Los muebles no caben todos en esta habitación.
8. Basta con que quepan esta mesa y las sillas.
9. ¿ Dónde está su hermana ?
10. — No sé, es fácil que dé un paseo.
11. No sé de qué es esta medalla.
12. — Es posible que yo lo sepa : es de plata.
13. — ¿ De quién es ? — Es de mi tío.
14. — ¿ Vamos al hospital mañana ?
15. — Sí, hace falta que vayamos a ver a tu abuelo.

B 3   REMARQUES

■ Nous avons déjà vu qu'en espagnol il faut employer le subjonctif après les expressions contenant une idée d'obligation comme **hace falta que**, *il faut que*, etc. (p. 145). Les tournures impersonnelles suivantes qui indiquent aussi une idée d'obligation, d'utilité ou de devoir à accomplir entrent dans cette catégorie : **es fáccil que**, *il se peut que* ; **basta con que**, *il suffit que* ; **conviene que**, **es útil que**, **es bueno que**, **importa que**, **es importante que**.

■ **me voy por una semana** = *je pars pour une semaine* : lorsque *pour* exprime la durée, il se traduit en espagnol par la préposition **por** (p. 349).

■ Pour indiquer **la possession ou la matière**, on utilise toujours en espagnol le verbe **ser** et la préposition **de** :

Es de Juan.   *C'est à Jean.*
Es de oro.   *Elle est en or.*

B 4   TRADUCTION

1. Je dois aller au bureau tout de suite.
2. Il est important que j'aille au bureau tout de suite.
3. Je pars en vacances pour trois semaines.
4. Il est possible que je parte en vacances pour trois semaines.
5. Je ne sais pas le résultat du match.
6. Il est possible que Richard le sache.
7. Les meubles ne tiennent pas tous dans cette pièce.
8. Il suffit que cette table et les chaises tiennent.
9. Où est votre sœur ?
10. Je ne sais pas, il se peut qu'elle fasse une promenade.
11. Je ne sais pas en quoi est cette médaille.
12. — Il est possible que je le sache : elle est en argent.
13. — À qui est-elle ? — Elle appartient (est) à mon oncle.
14. — Nous allons à l'hôpital demain ?
15. — Oui, il faut que nous allions voir ton grand-père.

C 1   ÉNONCÉ

A. Répondre affirmativement

1. ¿ Se va Ud a la universidad en seguida ?
2. ¿ Sabe Ud dónde está la moto de Andrés ?
3. ¿ Me da Ud un vaso de agua mineral ?
4. Ya no cabéis en esta sala. ¿ Es posible ?
5. Nos vamos a la oficina. ¿ Es útil ?
6. Sabemos el resultado. ¿ Es importante ?
7. Ud nos da esta medalla. ¿ Es posible ?
8. Vamos a dar un paseo. ¿ Es bueno ?

B. Traduire (*remercier* = **dar las gracias**)

1. Je ne sais pas où ils vont maintenant.
2. Nous allons à Malaga pour voir la cathédrale.
3. La table et les chaises ne tiennent pas dans cette pièce.
4. Je vais faire une promenade.
5. Il est important que nous partions tout de suite.
6. Il suffit que nous sachions le résultat du match.
7. Il convient que nous le remercions.
8. Il est possible que ces paquets tiennent dans le coffre de la voiture.

C 2   RÉCAPITULATION

A. Mettre le verbe au singulier

1. ¿ Seguís escribiendo ?
2. Repetimos las frases.
3. ¿ Servís café con leche ?
4. Elegimos estos discos.
5. ¿ Piden Uds la cuenta ?

B. Compléter en mettant le verbe indiqué entre parenthèses à la forme convenable

1. (seguir)   No concibo que ellos _____ así.
2. (despedirse)   Siento que Uds _____ tan pronto.
3. (vestirse)   Prefieren que vosotros _____ mejor.
4. (impedir)   No te pido que los _____ hablar.
5. (servirse)   Es preferible que ellas no _____ solas.

(Voir corrigé p. 376.)

C 3   CORRIGÉ

A.

1. — Sí, me voy a la universidad en seguida.
2. — Sí, sé donde está la moto de Andrés (o — Sí, lo se).
3. — Sí, le doy un vaso de agua mineral.
4. — Sí, es posible que ya no quepamos en esta sala.
5. — Sí, es útil que Uds se vayan a la oficina.
6. — Sí, es importante que Uds sepan el resultado.
7. — Sí, es posible que yo les dé esta medalla.
8. — Sí, es bueno que Uds vayan a dar un paseo.

B.

1. No sé adónde van ahora.
2. Vamos a Málaga par ver la catedral.
3. La mesa y las sillas no caben en esta habitación.
4. Voy a dar un paseo.
5. Importa que nos vayamos en seguida.
6. Basta con que sepamos el resultado del partido.
7. Conviene que le demos las gracias.
8. Es posible que estos paquetes quepan en el maletero del coche.

C 4   CIVILISATION : le tourisme culturel

■**TOLEDO**, déclaré monument national, fut autrefois la ville d'élection des Romains, des Wisigoths, des Maures, des juifs et des chrétiens. La cathédrale est le témoignage du tumultueux passé religieux de la ville. Il faut voir aussi l'église **San Juan de los Reyes**, la synagogue **Santa María la Blanca** et **l'Alcázar**, forteresse symbolique.

■**GRANADA** est située dans un cadre privilégié, doté d'une végétation verdoyante. Elle s'étend sur trois collines : **la Alhambra** (la rouge, en arabe), **El Albaicín**, le plus ancien quartier de la ville, et le **Sacromonte**, colline qui s'élève face au **Generalife**.

■**CÓRDOBA** est l'une des plus anciennes villes d'Espagne. Cité de « l'esprit et de la culture », Cordoue doit sa renommée à l'éclat des civilisations dont elle fut le berceau. **La mezquita-catedral** est le symbole de la juxtaposition du christianisme et de l'islam.

D 1 EL TURISMO Y LOS MONUMENTOS

la catedral	el claustro
el convento	el museo
la exposición	la mezquita
el castillo	la iglesia
el casco antiguo	la plaza de toros
el estadio	la universidad
el mercado	la fuente
el jardín	el rastro
la plaza mayor	el edificio
la estatua	el estilo
el conservatorio	Correos
el ayuntamiento	el campanario
el retablo	el palacio
la piedra	la sinagoga
las murallas	la escultura

D 2 DIALOGUE

J = Juan   A = Amalia

J — Esta catedral es una verdadera maravilla.

A — Sí, y qué tranquilidad.

J — Sí, pero hay un olor a incienso insoportable.

A — ¡ Vaya ! Nunca estás [1] contento. Ahora, podemos ir a ver la capilla de Cristo Crucificado.

J — Prefiero pasearme por el claustro y respirar un poco de aire fresco.

A — Vale, nos encontramos en la salida dentro de media hora.

(Una hora más tarde)

J — ¡ Ah, por fin ! Hace una hora que te espero.

A — ¡ No es culpa mía ! Me he encontrado con un grupo de japoneses y no he podido liberarme hasta ahora.

J — ¿ Por qué ?

A — Me han propuesto que les acompañe para guiarlos y han hecho fotos de todo, hasta de las tarjetas postales.

1. **nuncas estás** = no estás nunca.

D 3 LE TOURISME ET LES MONUMENTS

la cathédrale	*le cloître*
le couvent	*le musée*
l'exposition	*la mosquée*
le château	*l'église*
la vieille ville	*les arènes*
le stade	*l'université*
le marché	*la fontaine*
le jardin	*le marché aux puces*
la grand-place	*l'immeuble*
la statue	*le style*
le conservatoire	*la poste*
la mairie	*le clocher*
le retable	*le palais*
la pierre	*la synagogue*
les murailles	*la sculpture*

D 4 TRADUCTION

J = Juan   A = Amalia

J — Cette cathédrale est une vraie merveille.

A — Oui, et quelle tranquillité.

J — Oui, mais il y a une odeur d'encens insupportable.

A — Décidément. Tu n'es jamais content. Maintenant, on peut aller voir la chapelle du Christ Crucifié.

J — Je préfère me promener dans le cloître et respirer un peu d'air frais.

A — D'accord, nous nous retrouvons à la sortie dans une demi-heure.

(Une heure plus tard)

J — Ah, enfin ! Ça fait une heure que je t'attends.

A — Ce n'est pas ma faute ! J'ai rencontré un groupe de Japonais et je n'ai pu m'en libérer que maintenant.

J — Pourquoi ?

A — Ils m'ont demandé de les accompagner pour les guider et ils ont pris des photos de tout, même des cartes postales.

A 1   PRÉSENTATION

- Imparfaits de l'indicatif réguliers

andar	marcher	hacer	faire
andaba	je marchais	hacía	je faisais
andabas	tu marchais	hacías	tu faisais
andaba	il marchait	hacía	il faisait
andábamos	nous marchions	hacíamos	nous faisions
andabais	vous marchiez	hacíais	vous faisiez
andaban	ils marchaient	hacían	ils faisaient

la energía	l'énergie	intentar	essayer de
atreverse a	oser	llamar	appeler
ayudar	aider	llegar	arriver
dar una vuelta	faire un tour	lo … todo	tout
entrar	entrer	antes	auparavant
existir	exister	cada día	chaque jour
ignorar	ignorer	de memoria	par cœur

A 2   APPLICATION

1. Antes, Ud andaba con mucha energía. — Antes sí, pero ahora no.
2. ¿ Intentabas llamarme ? — Sí, intentaba llamarte.
3. ¿ Él lo ignoraba todo ? — Sí, lo ignoraba todo.
4. ¿ Quién nos ayudaba ? — María nos ayudaba.
5. Acabábamos de llegar. Acababais de salir.
6. Ud hacía lo que quería. Antes, esto no existía.
7. ¿ No te atrevías a entrar ? — No, no me atrevía.
8. Ella lo sabía todo. No prometía nada.
9. Lo aprendíais todo de memoria.
10. Nunca añadía ella nada, porque no se atrevía.
11. No te atrevías a decirlo, ¿ verdad ?
12. Nos gustaba dar una vuelta cada día.
13. ¿ No sabías que yo venía hoy ? — No, no lo sabía.

A 3   REMARQUES

■ Rappel : **ignorar** : attention à la prononciation : d'abord **ig~**, puis **~norar** : [ig-norar].

■ L'imparfait de l'indicatif est presque toujours régulier. Il s'obtient de la façon suivante :

— si l'infinitif est terminé en **~ar**, on ajoute au radical :

| **~aba** | **~abas** | **~aba** | **~ábamos** | **~abais** | **~aban** |

— si l'infinitif est terminé en **~er** ou **~ir**, on ajoute au radical :

| **~ía** | **~ías** | **~ía** | **~íamos** | **~íais** | **~ían** |

■ **lo ... todo** : quand **todo** est complément d'objet direct d'un verbe, il est annoncé, avant le verbe, par **lo**.

Lo intentaba todo.
Il essayait tout.

■ **cada día**, *chaque jour, tous les jours* ; **cada** est invariable : **cada año**, *chaque année, tous les ans*.

A 4   TRADUCTION

1. Avant, vous marchiez très énergiquement. — Avant oui, mais plus maintenant.
2. Essayais-tu de m'appeler ? — Oui, j'essayais de t'appeler.
3. Il ignorait tout ? — Oui, il ignorait tout.
4. Qui nous aidait ? - Marie nous aidait.
5. Nous venions d'arriver. Vous veniez (T.P.) de partir.
6. Vous faisiez ce que vous vouliez. Avant, ça n'existait pas.
7. Tu n'osais pas entrer ? — Non, je n'osais pas.
8. Elle savait tout. Elle ne promettait rien.
9. Vous appreniez (T.P.) tout par cœur.
10. Elle n'ajoutait jamais rien, parce qu'elle n'osait pas.
11. Tu n'osais pas le dire, n'est-ce pas ?
12. Nous aimions faire un tour tous les jours.
13. Tu ne savais pas que je venais aujourd'hui ? — Non, je ne le savais pas.

B 1 PRÉSENTATION

• Imparfaits de l'indicatif irréguliers

ir	*aller*	ser	*être*	ver	*voir*
iba	*j'allais*	era	*j'étais*	veía	*je voyais*
ibas	...	eras	...	veías	
iba		era		veía	
íbamos		éramos		veíamos	
ibais		erais		veíais	
iban		eran		veían	

hermano/a	*frère, sœur*	dar la gana	*faire envie*
el oro	*l'or*	ir de	*aller en*
el piso	*l'appartement*	ir (a) por	*aller chercher*
el reloj	*la montre*	pasar	*passer*
las vacaciones	*les vacances*	claro	*bien sûr*
contento	*content*	excepto	*sauf, excepté*
juntos, as	*ensemble*	burlarse	*se moquer*

B 2 APPLICATION

1. Era él, claro, pero no podía creerlo.
2. Éramos seis y el piso era muy pequeño.
3. Era verdad que esto no era indispensable.
4. Carlos creía que nos burlábamos de él.
5. Yo no veía nada de lo que hacía ella.
6. No veíamos lo que él creía ver.
7. Todos lo veían, excepto tú. ¿ Qué te pasaba ?
8. Tú no veías lo que quería él.
9. Yo iba con él cuando lo pedía.
10. Íbamos juntos porque éramos amigos.
11. Ibas de vacaciones cuando te daba la gana.
12. ¿ Ud iba por el pan ? Voy con Ud.
13. Este reloj es de oro, era de mi padre.
14. No estabas contento porque veías que me iba.

B 3 REMARQUES

▪ Attention aux accents écrits sur les premières personnes du pluriel de **ser** et de **ir**, ainsi qu'à toutes les personnes de **ver**.

▪ **Seuls les imparfaits de l'indicatif** des verbes **ser**, **ver**, et **ir**, sont **irréguliers**.
Il convient donc de les savoir par cœur puisqu'ils échappent aux règles qui régissent l'imparfait de l'indicatif de tous les autres verbes.

▪ **ir** : attention aux différentes prépositions qui peuvent suivre ce verbe :

ir a = *aller à, vers*
ir de = *aller en* (promenade, vacances, etc.)
ir por (familièrement, **ir a por**) = *aller chercher* ; la préposition **por** après un verbe de mouvement est à traduire ainsi :

   subir por, *monter chercher* ; **correr por**, *courir chercher*.

▪ **ser de** pour indiquer la possession et la matière, voir p. 211.

B 4 TRADUCTION

1. C'était lui, bien sûr, mais je ne pouvais pas le croire.
2. Nous étions six et l'appartement était très petit.
3. C'était vrai que cela n'était pas indispensable.
4. Charles croyait que nous nous moquions de lui.
5. Je ne voyais rien de ce qu'elle faisait.
6. Nous ne voyions pas ce que lui croyait voir.
7. Tous le voyaient, sauf toi. Que t'arrivait-il ?
8. Toi, tu ne voyais pas ce qu'il voulait.
9. Moi, j'allais avec lui quand il le demandait.
10. Nous allions ensemble parce que nous étions amis.
11. Tu allais en vacances quand ça te faisait envie.
12. Vous alliez chercher le pain ? Je vais avec vous.
13. Cette montre est en or, elle était à mon père.
14. Tu n'étais pas content parce que tu voyais que je partais.

C 1 ÉNONCÉ

A. Traduire   (*blond* = **rubio**)

1. J'apprenais tout.
2. Tu le savais par cœur.
3. Elle n'ignorait rien.
4. Elles allaient en vacances.
5. Ils étaient trente-cinq.
6. Tu ne voyais rien.
7. Tu venais d'entrer.
8. Il venait te chercher.
9. Sa fille était blonde.
10. Nous étions tous là.

B. Traduire

1. Elle était en train d'ouvrir les fenêtres.
2. J'étais sûre que c'était lui.
3. Elles ne savaient rien et promettaient tout.
4. Je savais très bien que ce n'était pas comme ça.
5. C'était vrai que vous marchiez (V.P.) un peu tous les jours.
6. Je ne savais jamais quand vous étiez fatiguée.
7. Pourquoi n'osiez-vous (T.P.) pas l'appeler ?
8. Elle venait de le dire, mais lui ne pouvait pas le savoir.

C 2 RÉCAPITULATION

A. Mettre au singulier

1. Decimos siempre la verdad.
2. Salimos el domingo que viene.
3. No vemos nunca a tus primos.
4. ¿ A qué hora venís a casa ?
5. Nosotros tampoco oímos nada.

B. Compléter en mettant le verbe indiqué entre parenthèses à la forme convenable

1. (venir)   No quieren que Ud _____ a verlos.
2. (decir)   Os pido que _____ la verdad.
3. (valer)   No pienso que esto _____ la pena.
4. (ver)   No creo que ellos _____ las dificultades.
5. (traer)   Hace falta que Uds los _____

(Voir corrigé p. 376.)

C 3 CORRIGÉ

A.

1. Lo aprendía todo.
2. Lo sabías de memoria.
3. Ella no ignoraba nada.
4. Ellas iban de vacaciones.
5. Eran treinta y cinco.
6. No veías nada.
7. Acababas de entrar.
8. Venía él por ti.
9. Su hija era rubia.
10. Todos estábamos aquí.

B.

1. Ella estaba abriendo las ventanas.
2. Estaba yo segura de que era él.
3. Ellas no sabían nada y lo prometían todo.
4. Sabía yo muy bien que no era así.
5. Era verdad que Uds andaban un poco cada día.
6. Yo no sabía nunca cuando Ud estaba cansada.
7. ¿ Por qué no os atrevíais a llamarle ?
8. Ella acababa de decirlo, pero él no podía saberlo.

C 4 CIVILISATION : la peinture

La peinture espagnole occupe une place d'honneur dans les grandes collections du monde entier. Le plus célèbre peintre du XVIe siècle fut Domeniko Theotokopoulos, dit **El Greco**, spécialisé dans le portrait et les sujets religieux (**Espolio**, **El Caballero de la mano en el pecho**, **El entierro del Conde de Orgaz**).

Au XVIIe siècle, **Ribera** et **Zurbarán** excellent dans les jeux d'ombre et de lumière. **Murillo**, longtemps peintre du petit peuple des bas quartiers, se concentre, vers 1640, sur les commandes de sujets religieux pour des églises et des couvents et atteint la perfection dans les figures de Vierge à l'enfant. Mais le grand peintre de l'époque est **Velázquez**. Doué d'un grand talent de coloriste, il acquiert une maîtrise unique du traitement de la lumière et de l'espace, comme en témoignent deux toiles majeures : **Las Meninas** et **La rendición de Breda**.

Francisco Goya y Lucientes (1746-1828) est souvent considéré comme le premier des peintres « modernes », notamment pour ses représentations de cauchemars.

Le XXe siècle aura été, lui aussi, très riche : **Miró**, **Picasso**, **Dali**, **Gris**, etc.

D 1   LA PINTURA Y LOS COLORES

el color	el tono
amarillo	naranja
azul	negro
beige	oro
blanco	plata
crema	púrpura
gris	rojo
malva	rosa
marrón	verde
morado	violeta
azul marino	azul claro
una obra	la galería de arte
la exposición	el cuadro
el lienzo	exponer cuadros
la acuarela	el dibujo
la pintura al óleo	un dibujo al pastel

D 2   DIALOGUE

J = Javier   C = Concha

J — Mira este cuadro, ¿ qué representa ?

C — En mi opinión, esta figura abstracta simboliza el dolor y la muerte, ¿ qué piensas tú ?

J — Yo veo más bien la representación de la lucha entre el bien y el mal.

C — Puede ser. Observa qué intensidad tienen estas pinceladas, llenas de violencia y a la vez de armonía.

J — A mí lo que más me impresiona es el juego de los claroscuros

C — Este pintor tiene una paleta sorprendente. Me encanta.

J — Tienes razón. Además es muy comprometido.

C — Este lienzo es de su periodo cubista.

J — Sin duda. A ver el año. Anda, pero… no es un Picasso.

C — ¿ Ah no ? Ah, pues ahora que lo dices, se nota, se nota.

D 3 LA PEINTURE ET LES COULEURS

la couleur	*la tonalité*
jaune	*orange*
bleu	*noir*
beige	*or*
blanc	*argent*
crème	*pourpre*
gris	*rouge*
mauve	*rose*
marron	*vert*
violet	*violet*
bleu marine	*bleu clair*
une œuvre	*la galerie d'art*
l'exposition	*le tableau*
la toile	*exposer des tableaux*
l'aquarelle	*le dessin*
une peinture à l'huile	*un pastel*

D 4 TRADUCTION

J = Javier   C = Concha

J — Regarde ce tableau, que représente-t-il ?

C — À mon avis, cette figure abstraite symbolise la douleur et la mort, qu'en penses-tu ?

J — Moi, je vois plutôt la représentation de la lutte entre le bien et le mal.

C — Oui, peut-être. Remarque l'intensité de ces coups de pinceau, pleins de violence et d'harmonie en même temps.

J — Moi, ce qui m'impressionne le plus, c'est le jeu de clairs-obscurs.

C — Ce peintre a une palette surprenante. Je l'adore.

J — Tu as raison. En plus, il est très engagé.

C — Cette toile appartient à sa période cubiste.

J — Sans doute. Regardons l'année. Mais..., ce n'est pas un Picasso.

C — Ah bon, tiens, maintenant que tu le dis, ça se voit, ça se voit.

A 1 PRÉSENTATION

• Passé simple des verbes en ~**ar**

quit ar	**quitar**	*ôter*
quit é	**quité**	*j'ai ôté*
quit a ste	**quitaste**	*tu as ôté*
quit ó	**quitó**	*il a ôté*
quit a mos	**quitamos**	*nous avons ôté*
quit a steis	**quitasteis**	*vous avez ôté*
quit a ron	**quitaron**	*ils ont ôté*

el chaleco	*le gilet*	**enterarse de**	*s'informer de*
el grupo	*le groupe*	**explicar**	*expliquer*
el pastel	*le gâteau*	**marcharse**	*partir, s'en aller*
la salida	*le départ*	**preguntar**	*demander, interroger*
solo/a	*seul(e)*	**probar**	*goûter, essayer*
comprobar	*vérifier*	**¿ verdad ?**	*n'est-ce pas ?*
callarse	*se taire*	**ayer**	*hier*
contestar	*répondre*	**anteayer**	*avant-hier*

A 2 APPLICATION

1. ¿ Te quitaste el chaleco ? — Sí, me lo quité.
2. ¿ Se marchó Ud solo ? — No, me marché con Enrique.
3. ¿ No se lo explicaron ellos ? — No nos lo explicaron.
4. ¿ Qué preguntó Ud ? — Pregunté si estaba ella.
5. Y, ¿ qué contestaron ? — Contestaron que no estaba.
6. ¿ Probasteis este pastel ? — Sí, lo probamos.
7. Y, ¿ os gustó ? — No, no nos gustó mucho.
8. ¿ Comprobaste que era él ? — Sí, lo comprobé.
9. ¿ Se enteró Ud de su salida ? — No, no me enteré.
10. ¡ No sé por qué Ud no se enteró !
11. No me enteré porque no estaba.
12. Se calló Ud, ¿ verdad ? — Sí, me callé y ahora lo siento.

A 3   REMARQUES

■ Le passé simple des verbes réguliers dont l'infinitif est terminé par **~ar** se forme de la façon suivante :

radical +   **~é**   **~aste**   **~ó**   **~amos**   **~asteis**   **~aron**

■ Le passé simple est d'un **emploi très courant** en espagnol moderne, alors que le français l'abandonne dans la langue parlée ; c'est pour cela qu'il est traduit dans cette méthode par le passé composé. L'espagnol utilise le passé simple à chaque fois que l'action exprimée par le verbe se situe dans une unité de temps — le jour, la semaine, le mois, l'année, etc. — qui est révolue : *hier, avant-hier, la semaine dernière, le mois dernier,* etc., *j'ai répondu à ton ami* = **ayer**, **anteayer**, **la semana pasada**, **el mes pasado**, etc. **contesté a tu amigo.**

■ **quitar** : attention au faux ami : il signifie *ôter* et non pas *quitter* qui se traduit par **dejar**, **abandonar** ou par **despedirse de** (*prendre congé*).

■ **quitarse el chaleco**, *enlever son gilet* : l'espagnol remplace souvent le possessif (*son*) par l'article défini (**el**) et le verbe se met alors à la forme pronominale :

Me quito el chaleco.   *J'enlève mon gilet.*

■ **enterarse de**, *s'informer de* ; *être informé, savoir* ; *apprendre (une nouvelle), se renseigner, se rendre compte.*

A 4   TRADUCTION

1. Tu as enlevé ton gilet ? — Oui, je l'ai enlevé.
2. Vous êtes parti seul ? — Non, je suis parti avec Henri.
3. Ils ne vous l'ont pas expliqué ? — Ils ne nous l'ont pas expliqué.
4. Qu'avez-vous demandé ? — J'ai demandé si elle était là.
5. Et qu'ont-ils répondu ? — Ils ont répondu qu'elle n'était pas là.
6. Avez-vous (T.P.) goûté ce gâteau ? — Oui, nous l'avons goûté.
7. Et, vous avez aimé ? — Non, nous n'avons pas beaucoup aimé.
8. As-tu vérifié que c'était lui ? — Oui, je l'ai vérifié.
9. Avez-vous été informé de son départ ? — Non, je ne l'ai pas su.
10. Je ne sais pas pourquoi vous ne vous êtes pas renseigné !
11. Je ne l'ai pas su parce que je n'étais pas là.
12. Vous vous êtes tu, n'est-ce pas ? — Oui, je me suis tu et je le regrette maintenant.

B 1 PRÉSENTATION

* <u>Passé simple des verbes en ~**er** et ~**ir**</u>

volver	*rentrer*	**recibir**	*recevoir*
volví	*je suis rentré*	**recibí**	*j'ai reçu*
volviste	*tu es rentré*	**recibiste**	*tu as reçu*
volvió	*il est rentré*	**recibió**	*il a reçu*
volvimos	*nous sommes rentrés*	**recibimos**	*nous avons reçu*
volvisteis	*vous êtes rentrés*	**recibisteis**	*vous avez reçu*
volvieron	*ils sont rentrés*	**recibieron**	*ils ont reçu*

decidir	*décider de*	**prohibir**	*interdire*
despedir	*renvoyer, congédier*	**anoche**	*hier soir*
encontrar	*trouver, rencontrer*	**al contrario**	*au contraire*
volver a encontrar	*retrouver*	**con mucho gusto**	
insistir	*insister*	*avec grand plaisir*	
llover	*pleuvoir*	**durante**	*pendant*
perder el tiempo		**tampoco**	*non plus*
perdre son temps		**tanto**	*tant, tellement*
permitir	*permettre de*	**muchísimo**	*beaucoup énormément*

B 2 APPLICATION

1. ¿ Cuándo volvió Ud ? — Volví anoche.
2. ¿ Volviste a encontrarle ? — No, no volví a encontrarle.
3. ¿ Caíste ? — Yo no, pero él sí, cayó.
4. Llovió durant todo el día. Y llovió muchísimo.
5. Ayer, ¿ perdió Ud el tiempo ? — No, al contrario, no lo perdí.
6. ¿ La recibió Ud ? — Sí, la recibí con mucho gusto.
7. ¿ Por qué insististeis tanto ? — Pero, ¡ no insistimos !
8. ¿ Le permitieron Uds entrar ? — No, no se lo permitimos.
9. ¿ Decidió Ud despedirle ? — Todavía no.
10. No.decidí nada y no le prohibí nada tampoco.
11. No, no lo decidí porque no lo podía decidir.
12. Volvieron a verme anoche.

B 3 REMARQUES

■ Le passé simple des verbes réguliers dont l'infinitif se termine en ~**er** ou ~**ir** se forme de la façon suivante :
radical + ~**í** ~**iste** ~**ió** ~**imos** ~**isteis** ~**ieron**

■ Aux 3e personnes du singulier et du pluriel, les verbes dont le radical se termine par une voyelle, prennent un **y** au lieu du **i** :
le ~**ió** → **leyó**   ca ~**ieron** → **cayeron**

■ Attention donc aux passés simples : le seul élément, en dehors du radical, qui différencie les formes des verbes en ~**ar** de celles de verbes en ~**er** ou ~**ir**, **c'est la voyelle ou le groupe de voyelles de la terminaison** :
radical + ~**é** ~**a(ste)** ~**ó** ~**a(mos)** ~**a(steis)** ~**a(ron)**
radical + ~**í** ~**i(ste)** ~**ió** ~**i(mos)** ~**i(steis)** ~**ie(ron)**

■ **permitir** et **prohibir** sont suivis de l'infinitif si leur complément est un pronom : **le prohibí salir**, *je lui ai interdit de sortir*. Ils sont suivis du subjonctif si le complément est un nom :
Prohíbo a mi hermano que salga.
J'interdis à mon frère de sortir.

■ Attention à **decidir** qui en espagnol se construit sans préposition :
Decidí comer. *J'ai décidé de manger.*

B 4 TRADUCTION

1. Quand êtes-vous revenu ? — Je suis revenu hier soir.
2. L'as-tu retrouvé ? — Non, je ne l'ai pas retrouvé.
3. Es-tu tombé ? — Moi non, mais lui si, il est tombé.
4. Il a plu (pendant) toute la journée. Et il a beaucoup plu.
5. Hier, avez-vous perdu votre temps ? — Non, au contraire, je ne l'ai pas perdu.
6. Vous l'avez reçue ? — Oui, je l'ai reçue avec grand plaisir.
7. Pourquoi avez-vous tant insisté (T.P.) ? — Mais, nous n'avons pas insisté !
8. Lui avez-vous permis (V.P.) d'entrer ? — Non, nous ne le lui avons pas permis.
9. Avez-vous décidé de le renvoyer ? — Pas encore.
10. Je n'ai rien décidé et je ne lui ai rien interdit non plus.
11. Non, je ne l'ai pas décidé parce que je ne pouvais pas le décider.
12. Ils sont revenus me voir hier soir.

C 1 ÉNONCÉ

A. Traduire

1. Aujourd'hui, j'ai insisté.
2. Aujourd'hui, je n'ai rien promis.
3. Aujourd'hui, je l'ai goûté.
4. Aujourd'hui, tu n'as rien répondu.
5. Aujourd'hui, il s'est informé.
6. Aujourd'hui, nous avons décidé.

7. Hier, j'ai insisté.
8. Hier, ...
9. Hier, ...
10. Hier, ...
11. Hier, ...
12. Hier, ...

B. Traduire (*vers* = **hacia**)

1. Hier, à quelle heure es-tu rentré ? — Je ne me rappelle pas, je suis arrivé vers six heures, je crois.
2. Nous avons tout mangé hier soir.
3. Je l'ai appelé la semaine dernière : il était bien.
4. Nous le lui avons interdit le mois dernier.
5. Je le lui ai demandé avant-hier, mais il n'a rien répondu.

C 2 RÉCAPITULATION

A. Mettre au pluriel

1. Voy a lavar los platos.
2. ¿ Sabes dónde vive Alfredo ?
3. Conozco muy bien a su prima.
4. Me lo pongo todos los días.
5. ¿ Puedo saber de qué se trata ?

B. Compléter en mettant le verbe indiqué entre parenthèses à la forme convenable

1. (conocer) Creo que él _____ muy bien a Laura.
2. (saber) No creemos que ella _____ conducir.
3. (dar) Te digo que me la _____ ahora mismo.
4. (ser) Dicen que este modelo _____ el mejor.
5. (caerse) ¡ Cuidado ! ¡ No _____ Uds !

(Voir corrigé p. 376.)

C 3 CORRIGÉ

A.

1. Hoy, he insistido.
2. Hoy, no he prometido nada.
3. Hoy, lo he probado.
4. Hoy, no has contestado nada.
5. Hoy, se ha enterado.
6. Hoy, hemos decidido.
7. Ayer, insistí.
8. Ayer, no prometí nada.
9. Ayer, lo probé.
10. Ayer, no contestaste nada.
11. Ayer, se enteró.
12. Ayer, decidimos.

B.

1. Ayer ¿ a qué hora volviste ? — No recuerdo, llegué hacia las seis, creo.
2. Lo comimos todo anoche.
3. Le llamé la semana pasada : estaba bien.
4. Se lo prohibimos el mes pasado.
5. Se lo pregunté anteayer, pero no contestó nada.

C 4 CIVILISATION : les Espagnols et le temps

▪ Les Espagnols n'ont pas, pas encore, la même notion du temps que bon nombre d'Européens. Si les hommes d'affaires — **hombres de negocios** — se sont vite alignés sur leurs confrères, l'Espagnol « de base » n'a pas le « stress », **el estrés**, de la vie quotidienne. S'il est capable de travailler beaucoup, il a aussi le goût de ne rien faire, de reporter à plus tard, **luego**, ce que d'autres considéreraient nécessaire de faire tout de suite.

▪ **Mañana** pour indiquer qu'on remet à ce jour-là ce qui pourrait être fait aujourd'hui est devenu un mot international.

▪ Les proverbes, **los refranes**, sont révélateurs également : : **Mañana será otro día**, *demain il fera jour*. Observons encore qu'un Français dira, pour faire patienter son interlocuteur, *un instant, s'il vous plaît*, l'Espagnol, moins pressé sans doute, préfère dire **un momento por favor**. Aussi ne faut-il pas s'étonner que la ponctualité en Espagne ne soit pas aussi... observée qu'ailleurs.

D 1 SITUARSE EN EL PASADO

hoy	esta mañana
	esta tarde
	esta noche

En el pasado :

ayer	ayer por la mañana
	ayer por la tarde
	anoche
anteayer	anteayer por la mañana
	anteayer por la tarde
	anteanoche
hace	hace quince días
	hace dos meses
	hace tres años

D 2 DIALOGUE (CD)

J = Javier   P = Pili

P — Hola, ayer te esperé una hora.

J — ¡ Qué cara ! Quedamos a las 7 y te esperé hasta y media.

P — Pues llegué a menos veinticinco. ¡ Qué poca paciencia tienes !

J — ¡ Y tú, qué fresca eres ! Estoy harto de esperarte.

P — Javier no seas grosero. No me esperas tanto.

J — El otro día te esperé muerto de frío en la calle durante tres cuartos de hora.

P — ¿ Cuándo ?

J — Anteayer por la tarde cuando viste a tu amiga y os pusisteis [1] a hablar como cotorras.

P — ¡ Hijo, qué poco aguante !

J — La próxima vez…

P — Bueno, no te enfades. Te prometo que en el futuro voy a hacer todo lo posible para no llegar tarde.

J — Eso es lo que dices siempre, y yo soy tan idiota que [2] te creo.

1. **os pusisteis** : passé simple irrégulier de **ponerse**, voir leçon 34, A1.
2. **tan… que** : *si, tellement… que.*

D 3   SE SITUER DANS LE PASSÉ

aujourd'hui	*ce matin* *cet après-midi* *ce soir, cette nuit*

Dans le passé :

hier	*hier matin* *hier après-midi* *hier soir*
avant-hier	*avant-hier matin* *avant-hier après-midi* *avant-hier soir*
il y a	*il y a quinze jours* *il y a deux mois* *il y a trois ans*

D 4   TRADUCTION

J = Javier   P = Pili

P — Salut ! Hier je t'ai attendu une heure.
J — Quel culot ! Nous avions rendez-vous à 7 heures et je t'ai attendue jusqu'à la demie.
P — Eh bien, je suis arrivée à moins vingt-cinq. Tu as peu de patience !
J — Et toi, tu es gonflée ! J'en ai marre de t'attendre !
P — Javier, ne sois pas grossier ! Tu ne m'attends pas tant que ça.
J — L'autre jour, je t'ai attendue mort de froid dans la rue pendant trois quarts d'heure.
P — Quand ?
J — Avant-hier après-midi quand tu as rencontré ton amie et que vous vous êtes mises à jacasser comme des pies.
P — Tu n'as pas beaucoup de patience.
J — La prochaine fois…
P — Allez, ne te fâche pas. Je te promets qu'à l'avenir je vais faire tout mon possible pour ne plus être en retard.
J — C'est ce que tu dis toujours, et moi je suis assez bête pour te croire.

A 1 PRÉSENTATION

- Verbes en **~ar** : imparfaits du subjonctif

llenar *remplir*

llenaron →	llenara	llenase	*que je remplisse*
	llenara	**llenase**	*que je remplisse*
	llenaras	**llenases**	*que tu remplisses*
	llenara	**llenase**	*qu'il remplît*
	llenáramos	**llenásemos**	*que nous remplissions*
	llenarais	**llenaseis**	*que vous remplissiez*
	llenaran	**llenasen**	*qu'ils remplissent*

el accidente	*l'accident*	**mismo**	*même*
el arte	*l'art*	**preferible**	*préférable*
el atasco	*l'embouteillage*	**acercarse a**	*s'approcher de*
la gente	*les gens*	**desear**	*souhaiter*
el lugar	*le lieu*	**evitar**	*éviter*
los padres	*les parents*	**interesarse por**	*s'intéresser à*
el vaso	*le verre*	**marcharse**	*partir*
concebible	*concevable*	**presentar**	*présenter*
deseable	*souhaitable*	**(es) verdad que**	*c'est vrai que*

A 2 APPLICATION

1. Yo no quería que él me llenara el vaso con agua.
2. Era preferible que la presentases tú mismo.
3. ¿ Era concebible que esa gente no se interesara por el arte ?
4. No me parecía deseable que ellas se marchasen.
5. No queríamos que os acercarais al lugar del accidente.
6. ¿ Por qué no queríais que nos acercáramos ?
7. Creo que no era indispensable que lo compraseis.
8. Él deseó que ayudaras a tus padres.
9. Los ayudé. Y no era útil que me lo explicara.
10. ¿ No era posible que evitases el atasco ?
11. No estabas segura de que ellos lo recordaran.
12. ¿ Verdad que él no quería que tú lo aceptases ?
13. Sí, es verdad. Él no quería que yo aceptase.

A 3   REMARQUES

■ Il y a **deux formes du subjonctif imparfait en espagnol** : toutes deux se construisent à partir de **la troisième personne du pluriel du passé simple** et s'emploient indifféremment (p. 352). La première est peut-être un peu plus fréquente.

Il convient de bien connaître les deux formes, car elles sont d'un emploi constant, même dans la langue la plus populaire ; dans ce cas-là, le français contemporain utilise presque toujours le présent du subjonctif et c'est ce temps qui est utilisé dans les traductions et les exercices de cette méthode.

■ Veillez bien à respectez la concordance des temps (pp. 258 et 260).

■ **la gente**, *les gens*. Attention, en espagnol, le mot est au singulier la plupart du temps.

■ **marcharse**, *partir*, *s'en aller*. Attention au faux ami.

■ **acercarse a**, *s'approcher de*. Attention à la préposition espagnole requise par l'idée de mouvement du verbe.

■ **los padres**, *les parents*, c'est-à-dire le père et la mère.

A 4   TRADUCTION

1. Je ne voulais pas qu'il remplisse mon verre avec de l'eau.
2. Il était préférable que tu la présentes toi-même.
3. Était-il concevable que ces gens-là ne s'intéressent pas à l'art ?
4. Il ne me semblait pas souhaitable qu'elles partent.
5. Nous ne voulions pas que vous vous approchiez (T.P.) du lieu de l'accident.
6. Pourquoi ne vouliez-vous pas que nous nous approchions ?
7. Je crois qu'il n'était pas indispensable que vous l'achetiez (T.P.) ?
8. Il a souhaité que tu aides tes parents.
9. Je les ai aidés. Et il n'était pas utile qu'il me l'explique.
10. Il n'était pas possible que tu évites l'embouteillage ?
11. Tu n'étais pas sûre qu'ils se le rappellent.
12. C'est vrai qu'il ne voulait pas que tu l'acceptes ?
13. Oui, c'est vrai. Il ne voulait pas que j'accepte.

B 1 PRÉSENTATION

- Verbes en ~**er** et ~**ir** : imparfaits du subjonctif

unir *unir*

unieron →

uniera	**uniese**	*que j'unisse*
unieras	**unieses**	*que tu unisses*
uniera	**uniese**	*qu'il unît*
uniéramos	**uniésemos**	*que nous unissions*
unierais	**unieseis**	*que vous unissiez*
unieran	**uniesen**	*qu'ils unissent*

la oferta	*l'offre*	**lamentar**	*regretter*
servicios prestados			
services rendus		**reunir**	*réunir*
inevitable	*inévitable*	**reunirse**	*se réunir, rejoindre*
aconsejar	*conseiller*	**sorprender**	*surprendre*
agradecer	*remercier*	**volver a ver**	*revoir*
atreverse a	*oser*	**además**	*en plus, en outre*

B 2 APPLICATION

1. Querían que nos reuniéramos.
2. Ud les escribió que se reuniesen con nosotros mañana.
3. Era preferible que los recibiéramos.
4. Era inevitable que tu hermano insistiese.
5. No me sorprendió que se atreviera a insistir.
6. No concebía él que no decidierais nada.
7. Lamentaba él que no aceptaras su oferta.
8. Era indispensable que le agradeciésemos los servicios prestados.
9. ¿ Prohibiste a Antonio que volviera a verme ?
10. No, sólo quería que no perdiese el tiempo.
11. Y además le aconsejaste que no me escribiera.
12. No era posible que lo aceptara sin decir nada.

B 3 REMARQUES

■ Comme pour les verbes en **~ar**, les verbes en **~er** et en **~ir** ont deux formes de subjonctif imparfait : elles se construisent à partir de la 3e personne du pluriel du passé simple et s'emploient indifféremment.

■ Il convient donc de ne pas oublier cette 3e personne du pluriel du passé simple qui commande les imparfaits du subjonctif :

$$\text{llenar } \text{~aron} \begin{cases} \text{~ara} & \text{~aras} & \text{~ara} & \text{~áramos} & \text{~arais} & \text{~aran} \\ \text{~ase} & \text{~ases} & \text{~ase} & \text{~ásemos} & \text{~aseis} & \text{~asen} \end{cases}$$

$$\left.\begin{matrix} \text{ver} \\ \text{unir} \end{matrix}\right\} \text{~ieron} \begin{cases} \text{~iera} & \text{~ieras} & \text{~iera} & \text{~iéramos} & \text{~ierais} & \text{~ieran} \\ \text{~iese} & \text{~ieses} & \text{~iese} & \text{~iésemos} & \text{~ieseis} & \text{~iesen} \end{cases}$$

■ **agradecer** : attention à la construction de ce verbe qui n'admet pas de préposition :

te agradezco este servicio = *je te remercie **de** ce service*

■ **escribir**, *écrire*, **aconsejar**, *conseiller* : ces verbes sont suivis du subjonctif en espagnol, et de l'infinitif en français (verbes d'ordre ou de prière, p. 203).

Le escribí que aceptara.
Je lui ai écrit d'accepter.

B 4 TRADUCTION

1. Ils voulaient que nous nous réunissions.
2. Vous leur avez écrit de nous rejoindre demain.
3. Il était préférable que nous les recevions.
4. Il était inévitable que ton frère insiste.
5. Cela ne m'a pas surpris qu'il ose insister.
6. Il ne concevait pas que vous ne décidiez rien (T.P.).
7. Il regrettait que tu n'acceptes pas son offre.
8. Il était indispensable que nous le remerciions des services rendus.
9. As-tu interdit à Antoine de me revoir ?
10. Non, je voulais seulement qu'il ne perde pas son temps.
11. Et en plus, tu lui as conseillé de ne pas m'écrire.
12. Il n'était pas possible qu'il l'accepte sans rien dire.

C 1 ÉNONCÉ

A. Conjuguer à l'imparfait du subjonctif

forme en ~**ra** : **gastar**, *dépenser*

forme en ~**se** : **subir**, *monter*

B. Traduire   (*admettre* = **admitir**)

1. Ils ont obéi, eux : il fallait, toi aussi, que tu oses.
2. Il n'était pas indispensable que tu l'aides, je crois.
3. Cela ne m'a pas plu que tu te moques de lui.
4. Je ne lui ai jamais conseillé d'accepter cela.
5. Il ne m'a pas paru souhaitable que vous le rejoigniez.
6. Il regrettait que tu ne t'intéresses pas à l'art.
7. Il était préférable qu'ils se réunissent sans nous.
8. Il regrettait beaucoup que tu t'inquiètes tant et que tu te fatigues ainsi.
9. Vous n'admettiez pas (T.P.) que nous mangions tous ensemble. Je me demande pourquoi.

C 2 RÉCAPITULATION

A. Mettre à l'imparfait de l'indicatif

1. Me siento al lado de la ventana.
2. Vienen de parte del señor Martínez.
3. Es el primer nombre de la lista.
4. Vamos a casa de nuestros primos.
5. No sé lo que queréis hacer.

B. Répondre en mettant le verbe au temps approprié

1. Hoy estudiamos mucho.   ¿ Y Ud ayer ?
2. Hoy nos cansamos mucho.   ¿ Y Uds ayer ?
3. Hoy nos despedimos de él.   ¿ Y Ud ayer ?
4. Hoy nos divertimos mucho.   ¿ Y Uds ayer ?
5. Hoy debemos escucharla.   ¿ Y Ud ayer ?
6. Hoy volvemos a las siete.   ¿ Y Uds ayer ?

(Voir corrigé p. 376.)

C 3   CORRIGÉ

A.

gastara	gastaras	gastara	gastáramos	gastarais	gastaran
subiese	subieses	subiese	subiésemos	subieseis	subiesen

B.

1. Ellos obedecieron : hacía falta que te atrevieras tú también.
2. No era indispensable que le ayudaras, creo.
3. No me gustó que te burlaras de él.
4. Nunca le aconsejé que aceptase esto.
5. No me pareció deseable que Ud se reuniera con él.
6. Lamentaba que no te interesaras por el arte.
7. Era preferible que se reunieran sin nosotros.
8. Sentía él mucho que te inquietaras tanto y que te cansaras así.
9. Vosotros no admitíais que comiésemos todos juntos. Me pregunto por qué.

C 4   CIVILISATION : l'Espagne et l'Europe

■ À partir de 1975, l'Espagne s'efforça d'obtenir son intégration dans la Communauté Européenne. Elle bénéficia pendant un certain nombre d'années d'« accords préférentiels », mais ne put devenir membre de la CEE que le 1er janvier 1986.

Les pays avec lesquels l'Espagne a le plus de rapports commerciaux, aussi bien pour les importations que pour les exportations, sont dans l'ordre, la France, l'Allemagne, l'Italie, le Royaume-Uni et les États-Unis.

Les produits espagnols les plus exportés sont *les fruits*, **la fruta** — en particulier *les agrumes*, **los agrios** — et *les légumes secs*, **las legumbres**, *les légumes verts*, **las hortalizas**, les vins, *les chaussures*, **el calzado**, les voitures, les bateaux, l'acier, le matériel de transport, les avions, les produits dérivés du pétrole, etc.

D 1   LA ADUANA

los intercambios	el control
registrar	declarar
¿ algo que declarar ?	la declaración
nada que declarar	decomisar
el fraude	defraudar
un cartón de cigarrillos	la franquicia
el contrabando, el alijo	la frontera
pasar la aduana	los impuestos arancelarios
derechos arancelarios	las leyes arancelarias
el aduanero	la policía
el pasaporte	el interrogatorio
el visado	vigente
la firma	exportar
importar	exportación-importación
el contrabandista	la imitación fraudulenta

D 2   DIALOGUE

A = el aduanero   **T = la turista**

En la aduana

A — ¿ Algo que declarar ?

T — No, nada.

A — ¿ Qué lleva en esa maleta ?

T — Regalos para mis hijos.

A — Ábrala, por favor.

T — No puedo, he perdido la llave.

A — ¡ Le ordeno que la abra inmediatamente !

T — Pero si le digo que no tengo la llave. ¿ Tengo yo acaso cara de contrabandista ?

A — En los tiempos que corren, no se puede uno[1] fiar de nadie. Démela, voy a tratar de abrirla. Pásenme unas tenazas...

T — No me destroze la maleta, por favor, es un **regalo de mi marido.**

A — Ya está. ¡ Pero... sólo hay juguetes !

T — Ya se lo he dicho, pero como no ha querido creerme.

1. **no se puede uno** : **uno**, traduction de *on*, voir p. 348.

D 3 LA DOUANE

les échanges	le contrôle
fouiller	déclarer
quelque chose à déclarer ?	la déclaration
rien à déclarer	saisir
la fraude	frauder
une cartouche de cigarettes	la franchise, l'exemption
la contrebande	la frontière
passer la douane	les taxes douanières
droits douaniers	la législation douanière
le douanier	la police
le passeport	l'interrogatoire
le visa	en vigueur
la signature	exporter
importer	export-import
le contrebandier	la contrefaçon

D 4 TRADUCTION

A = le douanier   T = la touriste

À la douane

A — Quelque chose à déclarer ?

T — Non, rien.

A — Qu'avez-vous dans cette valise ?

T — Des cadeaux pour mes enfants.

A — Ouvrez-la, s'il vous plaît.

T — Je ne peux pas, j'ai perdu la clé.

A — Je vous ordonne de l'ouvrir immédiatement !

T — Mais je vous dis que je n'ai pas la clé. Est-ce que j'ai par hasard une tête de contrebandier ?

A — Par les temps qui courent, on ne peut avoir confiance en personne. Donnez-la-moi, je vais essayer de l'ouvrir. Passez-moi des tenailles...

T — N'abîmez pas ma valise, s'il vous plaît, c'est un cadeau de mon mari.

A — Ça y est. Mais... il n'y a que des jouets !

T — Je vous l'avais dit, mais comme vous n'avez pas voulu me croire.

A 1 PRÉSENTATION

- Le futur régulier

infinitif + ~é	~ás	~á	~emos	~éis	~án

hablar	+	~é	→ hablaré	*je parlerai*
beber	+	~ás	→ beberás	*tu boiras*
vivir	+	~á	→ vivirá	*il vivra*
cantar	+	~emos	→ cantaremos	*nous chanterons*
comer	+	~éis	→ comeréis	*vous mangerez*
pedir	+	~án	→ pedirán	*ils demanderont*

el cigarrillo	*la cigarette*	luego	*après, ensuite*
la conferencia	*la conférence*	apagar	*éteindre*
la cuenta	*la note*	asistir	*assister*
la luz	*la lumière*	bailar	*danser*
la novela	*le roman*	comprar	*acheter*
el puro	*le cigare*	encender	*allumer*
después	*après, ensuite*	pagar	*payer*

A 2 APPLICATION

1. Fumo un cigarrillo. Fumaré un cigarrillo.
2. Compras la novela. Comprarás la novela.
3. Apaga la luz. Apagará la luz.
4. Encendemos los puros. Encenderemos los puros.
5. Pagáis la cuenta. Pagaréis la cuenta.
6. Asisten a la conferencia. Asistirán a la conferencia.
7. ¿ Enciende Ud este puro ? — Lo encenderé después.
8. ¿ Apagas la luz ? — La apagaré luego (más tarde).
9. ¿ Compras esta novela ? — La compraré mañana.
10. ¿ Bailan Uds hoy ? — Sí, bailaremos esta noche.
11. ¿ Ya han pagado los clientes ? — No, pagarán mañana.
12. ¿ Ya has escrito la carta ? — No, la escribiré luego.
13. ¿ Qué hora será ? — Serán las cinco.
14. ¿ Dónde estará Miguel ahora ?
15. — Estará leyendo una novela en el jardín.

A 3 REMARQUES

■ **Le futur régulier**, aussi bien en espagnol qu'en français, est en réalité un temps formé de l'infinitif du verbe suivi du présent de l'indicatif du verbe auxiliaire *avoir*, **haber**.

Dans le futur espagnol cet auxiliaire se présente sans **h** et la deuxième personne du pluriel est réduite :

(h)**é**   (h)**ás**   (h)**á**   (h)**emos**   (hab)**éis**   (h)**án**

Ces terminaisons sont les mêmes pour tous les futurs, réguliers et irréguliers. Elles comportent toutes un **accent écrit**, sauf la première personne du pluriel.

■ Le futur espagnol peut exprimer à lui seul **l'aspect de conjecture, de probabilité** pour des faits envisagés au présent :

no viene, estará enfermo, *il ne vient pas, il doit être malade*

■ **¿ Qué ?** que, quoi, **¿ Dónde ?** *où*. N'oubliez pas l'accent sur les mots interrogatifs.

■ Au gérondif, le **i** de ~**iendo** se transcrit **y** lorsque le radical du verbe se termine par une voyelle : **leer** : **le~iendo → leyendo**.

A 4 TRADUCTION

1. Je fume une cigarette. Je fumerai une cigarette.
2. Tu achètes le roman. Tu achèteras le roman.
3. Il éteint la lumière. Il éteindra la lumière.
4. Nous allumons les cigares. Nous allumerons les cigares.
5. Vous payez la note. Vous paierez la note.
6. Ils assistent à la conférence. Ils assisteront à la conférence.
7. Allumez-vous ce cigare ? — Je l'allumerai après.
8. Éteins-tu la lumière ? — Je l'éteindrai plus tard.
9. Achètes-tu ce roman ? — Je l'achèterai demain.
10. Dansez-vous (V.P.) aujourd'hui ? — Oui, nous danserons ce soir.
11. Les clients ont-ils déjà payé ? — Non, ils paieront demain.
12. As-tu déjà écrit la lettre ? — Je l'écrirai plus tard.
13. Quelle heure peut-il être ? — Il doit être cinq heures.
14. Où Michel peut-il être maintenant ?
15. — Il doit être en train de lire un roman dans le jardin.

B 1 PRÉSENTATION

- Le conditionnel régulier

infinitif + ~ía	~ías	~ía	~íamos	~íais	~ían

comprar	+ ~ía	→ compraría	*j'achèterais*
vender	+ ~ías	→ venderías	*tu vendrais*
abrir	+ ~ía	→ abriría	*il ouvrirait*
cerrar	+ ~íamos	→ cerraríamos	*nous fermerions*
volver	+ ~íais	→ volveríais	*vous reviendriez*
recibir	+ ~ían	→ recibirían	*ils recevraient*

la cumbre	*le sommet*	admitir	*admettre*
el dinero	*l'argent*	esconder	*cacher*
las joyas	*les bijoux*	fumar	*fumer*
la máquina	*la machine*	parecer	*sembler, paraître*
el permiso	*l'autorisation*	pedir	*demander*
la solución	*la solution*	subir	*monter*
aceptar	*accepter*	utilizar	*utiliser*

B 2 APPLICATION

1. Pido permiso. Pediría permiso.
2. Aceptas el dinero. Aceptarías el dinero.
3. Admite la solución. Admitiría la solución.
4. Utilizamos la máquina. Utilizaríamos la máquina.
5. Subís a la cumbre. Subiríais a la cumbre.
6. Esconden las joyas. Esconderían las joyas.
7. Joaquín fuma. Yo no fumaría.
8. Parece que lo acepta. ¿ Lo aceptaría Ud ?
9. Admito esta solución. ¿ La admitirías ?
10. Utilizamos la máquina. ¿ Ud la utilizaría ?
11. Suben a la cumbre. ¿ Vosotros subiríais ?
12. Esconden las joyas. ¿ Las esconderían Uds ?
13. Estarían de vacaciones en Mallorca.
14. Nos gustaría utilizar esta máquina.

B 3 REMARQUES

■ **Le conditionnel régulier** s'obtient, en espagnol comme en français, en ajoutant à l'infinitif du verbe les terminaisons de l'imparfait de l'indicatif du verbe auxiliaire *avoir*, **haber**, c'est-à-dire :

~ **ía**   ~ **ías**   ~ **ía**   ~ **íamos**   ~ **íais**   ~ **ían**

■ Comme en français, on peut employer le conditionnel en espagnol comme un **moyen d'atténuation** soit pour rapporter des faits non garantis, soit pour exprimer poliment des demandes :

estaría en Líbano, *il serait au Liban*
me gustaría bailar con Ud, *j'aimerais danser avec vous*

Le conditionnel peut aussi exprimer la probabilité au passé :

Estaría yo con el jefe de ventas cuando llamaste.
Je devais être avec le chef des ventes quand tu as appelé.

■ **Attention à la prononciation** : dans le groupe ~ **ía**, l'accent sur le **i** indique que ces deux voyelles appartiennent à des syllabes différentes. Ainsi **comería** se prononcera en quatre syllabes distinctes **co ~ me ~ rí ~ a**, sans craindre d'allonger le son du **i**.

B 4 TRADUCTION

1. Je demande l'autorisation. Je demanderais l'autorisation.
2. Tu acceptes l'argent. Tu accepterais l'argent.
3. Il admet la solution. Il admettrait la solution.
4. Nous utilisons la machine. Nous utiliserions la machine.
5. Vous montez (T.P.) au sommet. Vous monteriez au sommet.
6. Ils cachent les bijoux. Ils cacheraient les bijoux.
7. Joachim fume. Moi, je ne fumerais pas.
8. Il semble qu'il l'accepte. L'accepteriez-vous ?
9. J'admets cette solution. L'admettrais-tu ?
10. Nous utilisons la machine. L'utiliseriez-vous ?
11. Ils montent au sommet. Vous, vous monteriez (T.P.) ?
12. Ils cachent les bijoux. Les cacheriez-vous (V.P.) ?
13. Ils seraient (ou devaient être) en vacances à Majorque.
14. Nous aimerions utiliser cette machine.

C 1 ÉNONCÉ

A. Répondre au futur en employant le pronom complément

1. ¿ Compras esta novela ?
2. ¿ Escribe él la carta ?
3. ¿ Bailan Uds el tango ?
4. ¿ Encienden ellos la luz ?

B. Mettre au conditionnel

1. Asisto a la conferencia.
2. Admites la solución.
3. Ud acepta el dinero.
4. Logramos el permiso.
5. Subís a la cumbre.
6. Apagan la luz.

C. Traduire

1. Payez-vous la note maintenant ? — Non, je la paierai demain.
2. Utilisez-vous cette machine (V.P.) ? — Non, nous l'utiliserons plus tard.
3. Quelle heure peut-il être ?
4. J'aimerais fumer un cigare.
5. Il se cacherait aux États-Unis (los Estados Unidos).
6. Nous n'admettrions pas ce retard (retraso).

C 2 RÉCAPITULATION

Compléter en mettant au passé simple le verbe indiqué entre parenthèses

1. (llegar)   Javier _____ demasiado tarde.
2. (cambiar)   ¿ Y tú ? ¿ _____ tus francos ?
3. (pagar)   ¿ Y vosotros ? ¿ _____ la cuenta ?
4. (preguntar) Ellos me lo _____ la semana pasada.
5. (entender)   Paquito no te _____ muy bien.
6. (perder)   ¿ Y tú ? ¿ _____ también el tren ?
7. (decidir)   ¿ Y vosotros ? ¿ Qué _____ hacer ?
8. (prometer)   Ellas me lo _____ el mes pasado.

(Voir corrigé p. 377.)

C 3 CORRIGÉ

A.

1. — La compraré.
2. — La escribirá.
3. — Lo bailaremos.
4. — La encenderán.

B.

1. Asistiría a la conferencia.
2. Admitirías la solución.
3. Ud aceptaría el dinero.
4. Lograríamos el permiso.
5. Subiríais a la cumbre.
6. Apagarían la luz.

C.

1. ¿ Paga Ud la cuenta ahora ? — No, la pagaré mañana.
2. ¿ Utilizan Uds esta máquina ? — No, la utilizaremos luego.
3. ¿ Qué hora será ?
4. Me gustaría fumar un puro.
5. Se escondería en los Estados Unidos.
6. No admitiríamos este retraso.

C 4 CIVILISATION : l'Espagnol et la générosité

■ L'une des grandes qualités de l'Espagnol est la générosité. L'Espagnol aime inviter et ne regarde pas à la dépense, même si elle dépasse ses moyens. Il n'est pas rare de voir une famille espagnole, parents et enfants, grands-parents, oncles et tantes aller au restaurant et choisir les meilleurs plats. Si un étranger demande un renseignement, l'Espagnol fera l'impossible pour l'aider, se déviera de son propre chemin pour l'accompagner. Dans la rue, l'Espagnol répond de bon cœur à toutes les sollicitations, il n'hésitera pas à faire l'aumône.

Une chanson populaire dit que saint Martin donna la moitié de sa cape à un pauvre parce qu'il était français : **si hubiera sido español, la hubiera dado entera,** *s'il avait été espagnol, il l'aurait donnée toute entière.*

D 1 EL DINERO

dar la vuelta	un billete
una moneda	tener suelto/cambio
un cheque	la tarjeta de crédito
el monedero	la cartera
el euro	el franco suizo
el banco	un fajo de billetes
la calderilla	no tener ni un duro
la fortuna	un dineral
el dinerillo	la propina
pagar al contado	comprar a plazos
cobrar	ganar dinero
cambiar dinero	la divisa
cheques de viaje	la cuenta corriente
el ahorro	una libreta de ahorros
el cajero automático	la Caja de Ahorros

D 2 DIALOGUE

Cl = el cliente   E = la empleada   C = el cajero

Cl – Buenos días, quisiera cambiara dinero.

E – Rellene este impreso y después pase directamente a la caja.
(En la caja)

C – Vamos a ver, desea cambiar 500 yens por euros, ¿ no ?

Cl – Eso es.

C – Lo siento, ahora, no tenemos euros ; sin embargo, podemos darle dólares.

Cl – ¿ Y qué hago yo con dólares en Francia ?

C – Los dólares se utilizan en el mundo entero.

Cl – Ya[1], pero allí en Francia no sirven para nada.

C – Hombre, no diga eso. La moneda americana está muy cotizada.

Cl – Sí, pero no podría comprar nada con dólares en París.

C – Todo el mundo quiere dólares. Además allí podría venderlos.

Cl – Bueno, si no hay otra solución...

1. **Ya** : dans la langue parlée, il est parfois utilisé avec la valeur de **sí** = *oui*.

D 3 L'ARGENT

rendre la monnaie	un billet
une pièce de monnaie	avoir de la monnaie
un chèque	la carte bleue
le porte-monnaie	le portefeuille
l'euro	le franc suisse
la banque	une liasse de billets
la petite monnaie	ne pas avoir un sou
la fortune	une grosse somme, une fortune
l'argent de poche	le pourboire
payer comptant	acheter à crédit
toucher, encaisser	gagner de l'argent
changer de l'argent	la devise
chèques de voyage	le compte courant
l'épargne	un livret d'épargne
le distributeur de billets	la Caisse d'Épargne

D 4 TRADUCTION

Cl = le client   E = l'employée   C = le caissier

Cl – Bonjour, je voudrais changer de l'argent.

E – Remplissez ce bordereau et après allez directement à la caisse..
   (À la caisse)

C – Vous désirez changer 500 yens en euros, n'est-ce pas ?

Cl – Oui, c'est ça.

C – Désolé, en ce moment nous n'avons pas d'euros ; en revanche, nous pouvons vous donner des dollars.

Cl – Et qu'est-ce que je fais avec des dollars en France ?

C – Les dollars s'utilisent dans le monde entier.

Cl – Oui, mais là-bas en France, ils ne servent à rien.

C – Voyons, ne dites pas ça. La monnaie américaine est très cotée.

Cl – Oui, mais je ne pourrais rien acheter avec des dollars à Paris.

C – Tout le monde veut des dollars. En plus, là-bas, vous pourriez les vendre.

Cl – Bon, s'il n'y a pas d'autre solution…

A 1 PRÉSENTATION

- Le futur irrégulier

1. hacer :	haré	harás	hará	haremos	haréis	harán
decir :	diré	dirás	dirá	diremos	diréis	dirán

2. venir, poner, tener, valer, salir (radical + ~**dr-é**) :
vendré ... ; pondré ... ; tendré ... ; valdré ... ; saldré ...

3. saber, caber, poder, haber, querer (radical + ~**r-é**) :
sabré ... ; cabré ... ; podré ... ; habré ... ; querré ...

el artículo	l'article	poder	pouvoir
el esfuerzo	l'effort	poner	mettre
la gente	les gens	proponer	proposer
el proyecto	le projet	querer	vouloir, aimer
caber	tenir, contenir	saber	savoir
decir	dire	salir	sortir, partir
hacer	faire	valer	valoir

A 2 APPLICATION

1. Puedo venir. Podré venir.
2. Haces un esfuerzo. Harás un esfuerzo.
3. Dice que lo sabe. Dirá que lo sabe.
4. Venimos a las once. Vendremos a las once.
5. Queréis hacerlo. Querréis hacerlo.
6. Proponen sus proyectos. Propondrán sus proyectos.
7. Hay mucha gente. Habrá mucha gente.
8. Sé lo que dicen. Sabré lo que dicen.
9. ¿ Has podido verle ? — Podré verle el domingo.
10. ¿ Tiene Ud este artículo ? — Lo tendré mañana.
11. ¿ Lo habéis hecho ? — No, lo haremos el lunes.
12. ¿ Han venido sus amigos ? — Vendrán después.
13. ¿ Salgo ahora ? — Ud saldrá más tarde.
14. ¿ Me lo dice Ud ahora ? — No, se lo diré después.
15. ¿ Cuánto vale eso ? ¿ Cuánto valdrá mañana ?

A 3 REMARQUES

■ **Au futur, la terminaison est la même** pour tous les verbes, réguliers ou irréguliers.

■ **Quand le futur est irrégulier, seul le radical change :**

— pour **saber**, **caber**, **poder**, **haber** et **querer**, il s'agit simplement de contractions réalisées par la chute du **e** de l'infinitif : **saber → sabré**.

— pour **venir**, **poner**, **tener**, **valer** et **salir**, le **e** ou le **i** de l'infinitif est remplacé par un **d** : **venir → vendré**.

— **hacer** et **decir** sont plus irréguliers et présentent les formes **haré** et **diré**.

■ **proponer**, *proposer*, se conjugue comme **poner**. Les verbes composés d'un préfixe (ici **pro~**) et d'un verbe irrégulier (ici **poner**) se conjuguent comme celui-ci.

■ Devant un nom de jour, l'article **el** désigne un jour en particulier : **viene el viernes**, *il vient vendredi*.

A 4 TRADUCTION

1. Je peux venir. Je pourrai venir.
2. Tu fais un effort. Tu feras un effort.
3. Il dit qu'il le sait. Il dira qu'il le sait.
4. Nous venons à onze heures. Nous viendrons à onze heures.
5. Vous voulez le faire. Vous voudrez (T.P.) le faire.
6. Ils proposent leurs projets. Ils proposeront leurs projets.
7. Il y a beaucoup de monde. Il y aura beaucoup de monde.
8. Je sais ce qu'ils disent. Je saurai ce qu'ils disent.
9. As-tu pu le voir ? Je pourrai le voir dimanche.
10. Avez-vous cet article ? — Je l'aurai demain.
11. L'avez-vous fait ? — Non, nous le ferons lundi.
12. Vos amis sont-ils venus ? — Ils viendront après.
13. Je sors maintenant ? — Vous sortirez plus tard.
14. Vous me le dites maintenant ? — Non, je vous le dirai après.
15. Combien cela vaut-il ? Combien cela vaudra-t-il demain ?

B 1   PRÉSENTATION

- Le conditionnel irrégulier
- Futur irrégulier → conditionnel irrégulier

> 1. **hacer** : haré → haría   **decir** : diré → diría
>   haría   harías   haría   haríamos   haríais   harían
>   diría   dirías   diría   diríamos   diríais   dirían
>
> 2. **venir, poner, tener, valer, salir** (radical + ~dr-ía) :
>   vendría ... ; pondría ... ; tendría ... ; valdría ... ; saldría ...
>
> 3. **saber, caber, poder, haber, querer** (radical + ~r-ía) :
>   sabría ... ; cabría ... ; podría ... ; habría ... ; querría ...

la corbata	*la cravate*	**continuar**	*continuer*
el empleo	*l'emploi*	**convenir**	*convenir*
el tráfico	*la circulation*	**detenerse**	*s'arrêter*
feo	*laid*	**suponer**	*supposer*
juntos, as	*ensemble*	**a pesar de**	*malgré*

B 2   APPLICATION

1. Yo no lo hago. ¿ Lo harías ?
2. Tú no lo dices. ¿ Lo diría tu padre ?
3. Ud no la pone. ¿ Por qué la pondría yo ?
4. Nosotros no sabemos. ¿ Lo sabrían Uds ?
5. Vosotros no podéis. ¿ Lo podrían ellos ?
6. Uds no quieren. ¿ Por qué querríamos nosotros ?
7. Decía que lo haría el martes.
8. Quería saber cuándo vendrían Uds.
9. Yo no sabía que él se pondría esta corbata tan fea.
10. Suponía que dispondríais de diccionarios.
11. Salen juntos. Yo no saldría con él.
12. No saben cómo continuar. Yo lo sabría.
13. No se detiene a pesar del tráfico. Yo me detendría.
14. No le conviene este empleo. A mí me convendría.

B 3 REMARQUES

■ Au conditionnel comme au futur, **la terminaison est la même** pour tous les verbes, réguliers ou irréguliers.

■ L'irrégularité du futur se retrouve toujours au conditionnel :

> diré → diría   sabremos → sabríamos
> valdrá → valdría   podrán → podrían

■ Attention au verbe **querer**, *vouloir* : **quería** (avec un **r**), *il voulait*, et **querría** (avec deux **r**), *il voudrait*. Ce verbe est peu utilisé au conditionnel où l'on emploie la forme **quisiera** : **quisiera verla**, *je voudrais la voir*.

■ **valer**, *valoir* ; **valerse de**, *se servir de*.

■ **Rappel.** Les verbes composés sur des verbes irréguliers (préfixe + verbe) se conjuguent comme ceux-ci :

> **detener**, *arrêter* : **detengo** (présent) **detendré** (futur)
> **convenir**, *convenir* : **conviene** (présent) **convendrá** (futur)
> **disponer**, *disposer* : **dispongo** (présent), **dispondré** (futur)

B 4 TRADUCTION

1. Moi, je ne le fais pas. Le ferais-tu ?
2. Toi, tu ne le dis pas. Ton père le dirait-il ?
3. Vous, vous ne la mettez pas. Pourquoi la mettrais-je ?
4. Nous, nous ne savons pas. Le sauriez-vous (V.P.) ?
5. Vous, vous ne pouvez pas (T.P.). Le pourraient-ils ?
6. Vous ne voulez pas (V.P.). Pourquoi voudrions-nous ?
7. Il disait qu'il le ferait mardi.
8. Il voulait savoir quand vous viendriez (V.P.).
9. Je ne savais pas qu'il mettrait cette cravate si laide.
10. Je supposais que vous disposeriez (T.P.) de dictionnaires.
11. Ils sortent ensemble. Moi, je ne sortirais pas avec lui.
12. Ils ne savent pas comment continuer. Moi je le saurais.
13. Il ne s'arrête pas malgré la circulation. Moi, je m'arrêterais.
14. Cet emploi ne lui convient pas. À moi, il me conviendrait.

C 1 ÉNONCÉ

A. Mettre au futur

1. Hago un esfuerzo.
2. Dices la verdad.
3. Tiene la voluntad.
4. Hay mucha gente.
5. La queremos mucho.
6. Ponen la mesa.

B. Mettre au conditionnel

1. Lo hago.
2. Lo propongo.
3. Lo digo.
4. Salimos ahora.
5. Vienen mañana.
6. Lo pueden.

C. Traduire

1. Je dirai ce que (lo que) je sais.
2. Vous proposerez (V.P.) votre projet.
3. Nous ne savons pas si nous pourrons venir.
4. Vous sortirez (T.P.) plus tard.
5. Votre ami viendra bientôt.
6. Où mettrais-je ces chaussures ?
7. Ces dictionnaires nous conviendraient.
8. Vous sauriez ce qu'ils pensent.
9. Je ne sortirais pas avec une cravate si laide.
10. Nous ne nous arrêterions pas malgré la circulation.

C 2 RÉCAPITULATION

Compléter les réponses

A. Volverán a las ocho y cenarán después.

1. ¿ Y Ud ?   — Yo _____
2. ¿ Y Uds ?   — Nosotros _____
3. ¿ Y yo ?   — Tú _____
4. ¿ Y nosotros ?   — Vosotros _____

B. Venderían su coche y comprarían otro.

1. ¿ Y Ud ?   — Yo _____
2. ¿ Y Uds ?   — Nosotros _____
3. ¿ Y yo ?   — Ud _____
4. ¿ Y nosotros ?   — Uds _____

(Voir corrigé p. 377.)

C 3   CORRIGÉ

A.

1. Haré un esfuerzo.
2. Dirás la verdad.
3. Tendrá la voluntad.
4. Habrá mucha gente.
5. La querremos mucho.
6. Pondrán la mesa.

B.

1. Lo haría.
2. Lo propondría.
3. Lo diría.
4. Saldríamos ahora.
5. Vendrían mañana.
6. Lo podrían.

C.

1. Diré lo que sé.
2. Uds propondrán su proyecto.
3. No sabemos si podremos venir.
4. Saldréis luego.
5. Su amigo vendrá pronto.
6. ¿ Dónde pondría yo estos zapatos ?
7. Nos convendrían estos diccionarios.
8. Sabría Ud lo que piensan.
9. Yo no saldría con una corbata tan fea.
10. No nos detendríamos a pesar del tráfico.

C 4   CIVILISATION : la tauromachie

En Espagne, l'art de la tauromachie est devenu un métier au XVIIIᵉ siècle. Toujours sujette à polémique, la corrida constitue une tradition fortement enracinée en Espagne, et dans toutes les régions du pays, durant les foires et les fêtes patronales.

C'est au cours du XIXᵉ siècle que vont être établies les règles de la corrida et qui vont faire triompher le spectacle qui deviendra **la fiesta nacional**. Ces règles vont fixer les expressions corporelles du **toreo**, toute une gestuelle dérivée d'un folklore scénique tel que le flamenco.

Une **corrida** s'organise en trois phases, appelées **tercios**, *tiers*, qui s'adaptent au comportement du taureau en piste : **el tercio de picar**, *la phase des piques*, qui sert à mesurer la force et la bravoure de l'animal, à le ralentir et à le préparer au dénouement ; **el tercio de banderillas**, *la phase des banderilles*, pour relancer le taureau, et **el tercio de matar**, *la phase de la mise à mort*.

D 1 SITUARSE EN EL FUTURO

hoy	esta mañana
	esta tarde
	esta noche

En el futuro :

mañana	mañana por la mañana
	mañana por la tarde
	mañana por la noche
pasado mañana	pasado mañana por la mañana
	pasado mañana por la tarde
	pasado mañana por la noche
dentro de	dentro de quince días
	dentro de dos meses
	dentro de tres años

D 2 DIALOGUE (CD)

D = Daniel   L = Lola

L — ¿ Qué te pasa ?
D — No consigo terminar este artículo.
L — ¿ Cuándo lo tienes que entregar ?
D — Pasado mañana por la tarde.
L — Todavía te quedan dos días, ¿ quieres que te ayude ?
D — Sí, gracias. Así podré terminar de redactar el texto para la conferencia que daré dentro de quince días.
L — ¡ Mírale qué fresco !
D — Bueno, pues entonces termina la traducción que tenía que haber entregado[1] ayer.
L — Pero, ¿ por qué haces todo a última hora ?
D — Oye, si no quieres ayudarme no lo hagas. ¿ Cuándo quieres que vayamos al cine ?
L — Esta noche, y ya te veo venir, chantajista.

1. Ou : **hubiera tenido que entregar**.

D 3 SE SITUER DANS LE FUTUR

aujourd'hui	*ce matin* *cet après-midi* *ce soir, cette nuit*

Dans le futur :

demain	*demain matin* *demain après-midi* *demain soir*
après-demain	*après-demain matin* *après-demain après-midi* *après-demain soir*
dans	*dans quinze jours* *dans deux mois* *dans trois ans*

D 4 TRADUCTION

D = Daniel   L = Lola

L — Qu'est-ce qui t'arrive ?

D — Je n'arrive pas à finir cet article.

L — Quand dois-tu le remettre ?

D — Après-demain après-midi.

L — Il te reste encore deux jours, tu veux que je t'aide ?

D — Oui, merci. Comme ça je pourrai finir de rédiger le texte pour la conférence que je donnerai dans quinze jours.

L — Quel culot !

D — Bon, alors finis la traduction que j'aurais dû remettre hier.

L — Mais, pourquoi tu fais tout à la dernière minute ?

D — Écoute, si tu ne veux pas m'aider, ne le fais pas. Quand veux-tu que nous allions au cinéma ?

L — Ce soir, et je te vois venir, maître chanteur.

21. **Inés** _____ que vosotros _____ .

    a) prefiero   —   dormís
    b) prefiere   —   durmáis
    c) prefiere   —   dormís
    d) prefiero   —   durmáis

22. _____ que no _____ y que _____ .

    a) Pide   —   proseguís   —   os despedís
    b) Pides   —   prosigáis   —   os despidáis
    c) Pedimos   —   prosigáis   —   os despidáis
    d) Piden   —   proseguís   —   os despedís

23. ¿No _____ seguros de que él lo _____ y luego lo _____ ?

    a) estáis   —   haga   —   traiga
    b) estamos   —   hacéis   —   traéis
    c) estás   —   haga   —   traiga
    d) están   —   hagas   —   traigas

24. ¿Qué _____ ? ¿que él _____ o que yo _____ enseguida ?

    a) dicen   —   vienes   —   venga
    b) decís   —   vengas   —   vengo
    c) dice   —   vienes   —   véngo
    d) dices   —   venga   —   venga

25. ¿No es posible que _____ un paseo sin que ellos lo _____ ?

    a) demás   —   sepan
    b) demos   —   sepan
    c) damos   —   saben
    d) demos   —   saben

(Voir corrigé p. 378.)

26. **Es verdad que va allí a menudo, pero no ve nada.**
À l'imparfait, les formes verbales seraient :

   a) sea — vaya — veía
   b) era — iba — vea
   c) sea — iba — veía
   d) era — iba — veía

27. **Los padres _____ anteayer y se _____ de todo.**

   a) volvieron — enteraron
   b) volvieron — enteraban
   c) volvían — enteraron
   d) volvieron — enterraron

28. **Les _____ que le _____ y se _____ .**

   a) aconsejé — agradezcan — marchen
   b) aconsejo — agradecían — marchaban
   c) aconseje — agradecieran — marcharan
   d) aconsejó — agradecieran — marcharan

29. **Lo _____ pasado mañana y lo _____ cuanto antes.**

   a) han pedido — pagaron
   b) pedían — pagaban
   c) pedirán — pagarán
   d) pedirán — pagaran

30. **Se lo _____ y creo que lo _____ .**

   a) propondré — haga
   b) propondré — hará
   c) proponga — hará
   d) proponga — haga

(Voir corrigé p. 378.)

257

A 1 PRÉSENTATION

- Concordance des temps (I)

présent de l'indicatif futur de l'indicatif	→ présent du subjonctif

siento, *je regrette* ... **sentiré**, *je regretterai* ...	→ **que no vengas** *que tu ne viennes pas*

el banco	*la banque*	**colocar**	*placer*
el juego	*le jeu*	**encantar**	*enchanter*
el mecánico	*le mécanicien*	**llamar**	*appeler*
el puesto	*la place, le poste*	**llegar**	*arriver*
la vergüenza	*la honte*	**molestar**	*déranger, gêner*
imprescindible	*indispensable*	**pegar**	*frapper*
mejor	*mieux, meilleur*	**sentir**	*regretter, sentir*

A 2 APPLICATION

1. Le gusta este juego. Lo siento.
2. Siento mucho que le guste este juego.
3. Le has pegado. Es una vergüenza.
4. Es una vergüenza que le hayas pegado.
5. Llamamos al mecánico. Es imprescindible.
6. Es imprescindible que llamemos al mecánico.
7. Te dan el puesto. Me encanta.
8. Me encanta que te den el puesto.
9. Ud colocará el dinero en el banco. Será mejor.
10. Será mejor que Ud coloque el dinero en el banco.
11. Si no te molesta, llegaré a las diez.
12. No me molesta que llegues a las diez.
13. Vendrán todos. Será indispensable.
14. Será indispensable que vengan todos.

A 3 REMARQUES

▨ La concordance des temps en espagnol : comme en français, l'emploi du **présent ou du futur de l'indicatif dans la principale** conduit toujours, si le subjonctif est nécessaire **dans la subordonnée**, à l'emploi du **présent du subjonctif**. Le problème le plus important reste donc de déterminer s'il convient ou non d'utiliser le subjonctif.

▨ **Indicatif ou subjonctif ?** Si la proposition principale est constituée par un verbe qui se borne à rapporter ou à annoncer un **fait réel**, le verbe de la subordonnée reste à **l'indicatif**. Il doit être mis au **subjonctif** si le verbe de la principale **nie ou met en doute la réalité d'un fait** (**no creo que**, *je ne crois pas*) ou s'il se rapporte à des faits éventuels dont la réalisation est liée à **un ordre** (**pedir**, *demander*), **une défense** (**prohibir**, *interdire*), **une obligation** (**hace falta que**, *il faut que*), **une hypothèse** (**es fácil que**, *il se peut que*), **une appréciation** (**siento que**, *je regrette que*), etc.

▨ **me gusta este juego**, *j'aime ce jeu*, revoir la construction de **gustar**, *aimer, plaire*, p. 78.

A 4 TRADUCTION

1. Il aime ce jeu. Je le regrette.
2. Je regrette beaucoup qu'il aime ce jeu.
3. Tu l'as frappé. C'est une honte.
4. C'est une honte que tu l'aies frappé.
5. Nous appelons le mécanicien. C'est indispensable.
6. Il est indispensable que nous appelions le mécanicien.
7. Ils te donnent le poste. Cela m'enchante.
8. Je suis enchanté qu'ils te donnent le poste.
9. Vous placerez l'argent à la banque. Ce sera mieux.
10. Il sera mieux que vous placiez l'argent à la banque.
11. Si ça ne te dérange pas, j'arriverai à dix heures.
12. Ça ne me dérange pas que tu arrives à dix heures.
13. Ils viendront tous. Ce sera indispensable.
14. Ce sera indispensable qu'ils viennent tous.

B 1 PRÉSENTATION

- Concordance des temps (II)

imparfait de l'indicatif passé simple conditionnel	→ imparfait du subjonctif

sentía, *je regrettais* ... **sentí**, *j'ai regretté* ... **sentiría**, *je regretterais* ...	→ **que no llegara** *qu'il n'arrive pas*

la empresa	*l'entreprise*	**firmar**	*signer*
la mano	*la main*	**lavarse**	*se laver*
el recibo	*le reçu*	**pagar**	*payer*
para que	*pour que*	**pedir**	*demander*
sin que	*sans que*	**preocuparse**	*s'inquiéter*
aburrirse	*s'ennuyer*	**sentarse (ie)**	*s'asseoir*
alegrarse	*se réjouir*	**trabajar**	*travailler*

B 2 APPLICATION

1. Quiere que yo trabaje en su empresa.
2. Quería que yo trabajara en su empresa.
3. Te dice que te sientes.
4. Te decía que te sentaras.
5. Le escribo a Ud para que no se preocupe.
6. Le escribí a Ud para que no se preocupara.
7. Le hablo sin que comprenda.
8. Le hablé sin que comprendiera.
9. Me alegro de que no te aburras.
10. Me alegraría de que no te aburrieras.
11. Te pido que te laves las manos.
12. Te pediría que te lavaras las manos.
13. No pago sin que Uds me firmen un recibo.
14. No pagaría sin que Uds me firmaran un recibo.

B 3   REMARQUES

■ La concordance des temps en espagnol (suite) : l'emploi des **temps du passé de l'indicatif (imparfait, passé simple, etc.) et du conditionnel dans la principale** conduit toujours, si le subjonctif est nécessaire **dans la subordonnée**, à l'emploi de **l'imparfait du subjonctif**. Le français moderne tolère le plus souvent l'emploi du présent du subjonctif. Il convient donc d'être très attentif en espagnol où l'imparfait du subjonctif reste la règle.

■ Après des verbes de volonté ou d'ordre, l'infinitif français est à traduire par le subjonctif :

Il te dit de t'asseoir.   *Il te disait de t'asseoir.*
Te dice que te sientes. **Te decía que te sentaras.**

■ L'emploi du subjonctif est obligatoire après un certain nombre de conjonctions espagnoles comme :

para que		*pour que*
sin que		*sans que*
antes (de) que	+ subjonctif	*avant que*
a no ser que		*à moins que*
con tal que		*pourvu que*

B 4   TRADUCTION

1. Il veut que je travaille dans son entreprise.
2. Il voulait que je travaille dans son entreprise.
3. Il te dit de t'asseoir.
4. Il te disait de t'asseoir.
5. Je vous écris pour que vous ne vous inquiétiez pas.
6. Je vous ai écrit pour que vous ne vous inquiétiez pas.
7. Je lui parle sans qu'il comprenne.
8. Je lui ai parlé sans qu'il comprenne.
9. Je me réjouis que tu ne t'ennuies pas.
10. Je me réjouirais que tu ne t'ennuies pas.
11. Je te demande de te laver les mains.
12. Je te demanderais de te laver les mains.
13. Je ne paie pas sans que vous me signiez (V.P.) un reçu.
14. Je ne paierais pas sans que vous me signiez (V.P.) un reçu.

Exercices et Récapitulation

C 1 ÉNONCÉ

A. Mettre le verbe principal au futur
1. Le escribo a Ud que no se preocupe.
2. Te pedimos que llegues a las cinco.

B. Mettre le verbe principal au présent de l'indicatif
1. Me alegraría de que no te aburrieras.
2. Le pedimos a Ud que no pagara.

C. Mettre le verbe principal à l'imparfait de l'indicatif
1. Quiero que te laves las manos.
2. Siento mucho que te aburras.

D. Mettre le verbe principal au passé simple
1. Me alegro de que lo comprendas.
2. Les escriben a Uds que coloquen su dinero en el banco.

E. Mettre le verbe principal au conditionnel
1. Será mejor que tú escribas la carta.
2. Le pido a Ud que llame al mecánico.

F. Traduire
1. Nous vous demandons de signer ce reçu.
2. Je regretterais beaucoup que vous aimiez ce jeu.
3. Nous lui écrirons de ne pas s'inquiéter.
4. Je me réjouis que tu ne t'ennuies pas.
5. Il serait mieux que vous travailliez dans cette entreprise.

C 2 RÉCAPITULATION

Compléter avec le futur du verbe indiqué entre parenthèses

1. (salir)   El tren _____ a las diez.
2. (venir)   Nosotros _____ a verte pronto.
3. (poder)   Ella no _____ salir esta tarde.
4. (ponerse)   Mañana yo _____ el traje gris.
5. (saber)   Ud _____ hablar español muy pronto.
6. (caber)   Ellos no _____ todos en el coche.
7. (hacer)   Y vosotras, ¿ qué _____ mañana ?

(Voir corrigé p. 377.)

C 3   CORRIGÉ

A.
1. Le escribiré a Ud que no se preocupe.
2. Te pediremos que llegues a las cinco.

B.
1. Me alegro de que no te aburras.
2. Le pedimos a Ud que no pague.

C.
1. Quería que te lavaras las manos.
2. Sentía mucho que te aburrieras.

D.
1. Me alegré de que lo comprendieras.
2. Les escribieron a Uds que colocaran su dinero en el banco.

E.
1. Sería mejor que tú escribieras la carta.
2. Le pediría a Ud que llamara al mecánico.

F.
1. Le pedimos a Ud que firme este recibo.
2. Sentiría mucho que le gustara a Ud este juego.
3. Le escribiremos que no se preocupe.
4. Me alegro de que no te aburras.
5. Sería mejor que Ud trabajara en esta empresa.

C 4   CIVILISATION : dévotion et passion

■Les plaisirs temporels et la passion spirituelle ne sont pas pour les Espagnols incompatibles. Le grand pèlerinage de Huelva, **la romería**, qui se déroule chaque printemps, s'apparente presque à une cérémonie païenne au cours de laquelle les couples se font et se défont dans la liesse. À Séville, pendant la procession de la Semaine Sainte, quand la Vierge de la Macarena, transportée à dos d'homme s'avance à travers les rues de la ville, des milliers de voix s'écrient sur son passage : **¡ Guapa, guapa !**, *Comme elle est belle !* (l'adjectif espagnol est utilisé normalement pour souligner la beauté physique d'une femme).

D 1 CÓMO DESCRIBIR

¿ Cómo es este hombre ?

es alto	es bajo
es joven	es viejo
es gordo	es delgado
es fuerte	es débil
es guapo	es feo
es listo	es tonto
es rubio	es castaño
es moreno	es pelirrojo
es simpático	es antipático

Tiene el pelo liso	crespo
rizado, corto	ralo, largo
es calvo	

Tiene ojos azules	marrones
verdes	negros
oscuros	claros

D 2 DIALOGUE

M = Merche **S = Sol**

M — Mira, ¿ qué te parece este chico [1] ?

S — Que está buenísimo.

M — Ya te lo decía yo. Es guapísimo. Un poco delgado quizá.

S — ¡ Y qué ojos !

M — Verdes, como a mí me gustan y encima es moreno.

S — Divino.

M — Y con el pelo rizado, me vuelve loca [2].

S — ¿ Has visto sus dientes ?

M — Y sus manos, ¿ qué me dices ?

S — Alto, fuerte... ¡ cómo camina... !

M — Lástima que sea tan creído y tan tonto.

S — Y tan antipático ¡ Qué pena, de verdad !

---

1. **qué te parece** : **parecer** = *sembler, paraître.* S'emploie fréquemment pour demander ou exprimer un avis, une impression.
2. **vuelve loca** : **volver** + adjectif = *rendre* + adjectif.

D 3 COMMENT DÉCRIRE

Comment est cet homme ?

il est grand	petit
il est jeune	vieux
il est gros	mince
il est fort	faible
il est beau	laid
il est intelligent	bête
il est blond	châtain
il est brun	roux
il est sympathique	antipathique

Il a les cheveux lisses	crépus
frisés, courts	clairsemés, longs
il est chauve	

Il a des yeux bleus	marrons
verts	noirs
foncés	clairs

D 4 TRADUCTION

M = Merche   S = Sol

M — Regarde, comment trouves-tu ce garçon ?
S — Il est à croquer.
M — C'est bien ce que je te disais. Il est très beau. Un peu mince, peut-être.
S — Et ses yeux !
M — Verts, comme je les aime, et en plus, il est brun.
S — Il est divin.
M — Et ses cheveux frisés, ça me rend folle.
S — Tu as vu ses dents ?
M — Et ses mains, qu'est-ce que tu en dis ?
S — Grand, fort… Et sa façon de marcher !
M — Dommage qu'il soit si présomptueux et si bête.
S — Et si antipathique. C'est vraiment dommage !

A 1 PRÉSENTATION

- Passé simple et imparfaits du subjonctif irréguliers (I)

haber (auxiliaire) → *avoir* ← **tener**

hube	*j'ai eu*	**tuve**	
hubiste	*tu as eu*	**tuviste**	
hubo	*il a eu*	**tuvo**	
hubimos	*nous avons eu*	**tuvimos**	
hubisteis	*vous avez eu*	**tuvisteis**	
hubieron	*ils ont eu*	**tuvieron**	
hubiera hubiese	*que j'aie eu*	tuviera tuviese	
hubieras hubieses	...	tuvieras tuvieses	
... ...		... ...	

la discusión	*la discussion*	**el trabajo**	*le travail*
la oportunidad	*l'occasion*	**el valor**	*le courage*
la llamada	*l'appel*	**imaginarse**	*s'imaginer*
la suerte	*la chance*	**nadie**	*personne*
el sitio	*la place*	**tanto/a**	*tant de*
el tío	*l'oncle*	**en cuanto**	*dès que*

A 2 APPLICATION

1. Cuando ellas hubieron llegado, se sentaron.
2. En cuanto él hubo llegado, se sentó.
3. Hubo mucha gente y no hubo bastante sitio.
4. Sentí mucho que no hubiera sitio para todos.
5. ¡ Hubo tantas discusiones ! No tuve tiempo de salir.
6. Tuviste mucha suerte, porque eras la primera.
7. ¿ Tuvieron Uds la oportunidad de encontrarle ?
8. No, no tuvimos esta oportunidad y lo sentimos.
9. ¿ Tuviste tiempo para escribir a tu tío ?
10. No, no lo tuve. ¡ Qué le vamos a hacer !
11. ¡ Era inevitable que no hubiera nadie !
12. Ella no aceptaba que tuviésemos tanto trabajo.
13. Yo no me imaginaba que tuvieses tanto valor.

A 3   REMARQUES

■ **haber** est le **seul auxiliaire** utilisé en espagnol pour la formation des temps composés (voir leçon 14).

■ **haber** au passé simple suivi d'un participe passé constitue le passé antérieur : **hube comido**, *j'eus mangé*.
Attention à la forme impersonnelle de **haber** : **hubo mucha gente**, *il y a eu (il y eut) beaucoup de monde*.

■ **tener** signifie *avoir*, au sens de *posséder*, *détenir*.

■ Les passés simples de ces deux verbes **haber** et **tener** sont irréguliers :
— il y a modification de la voyelle du radical ; aux première et troisième personnes du singulier, la terminaison ne correspond pas à celle des passés réguliers.
— il n'y a pas d'accent écrit aux 1re et 3e personnes du singulier.

■ Les deux subjonctifs imparfaits, comme pour les verbes réguliers, proviennent de la 3e personne du pluriel du passé simple.
On emploie indifféremment l'un ou l'autre des deux subjonctifs imparfaits.

■ **¡ Qué le vamos a hacer !** *On n'y peut rien !, tant pis ! que veux-tu qu'on y fasse !*

A 4   TRADUCTION

1. Quand elles furent arrivées, elles se sont assises.
2. Dès qu'il fut arrivé, il s'est assis.
3. Il y eut beaucoup de monde et il n'y eut pas assez de place.
4. J'ai beaucoup regretté qu'il n'y ait pas eu de place pour tous.
5. Il y eut tant de discussions ! Je n'ai pas eu le temps de sortir.
6. Tu as eu beaucoup de chance, parce que tu étais la première.
7. Avez-vous eu (V.P.) l'occasion de le rencontrer ?
8. Non, nous n'avons pas eu cette occasion et nous le regrettons.
9. As-tu eu le temps d'écrire à ton oncle ?
10. Non, je ne l'ai pas eu. Que veux-tu qu'on y fasse !
11. Il était inévitable qu'il n'y ait personne !
12. Elle n'acceptait pas que nous ayons autant de travail.
13. Je ne m'imaginais pas que tu aies autant de courage.

B 1 PRÉSENTATION

- Passé simple et imparfaits du subjonctif irréguliers (II)

ser	→ *être* ←	**estar**

fui	*j'ai été*	**estuve**
fuiste	*tu as été*	**estuviste**
fue	*il a été*	**estuvo**
fuimos	*nous avons été*	**estuvimos**
fuisteis	*vous avez été*	**estuvisteis**
fueron	*ils ont été*	**estuvieron**

fuera	**fuese**	*que j'aie été*	**estuviera**	**estuviese**
fueras	**fueses**	*...*	**estuvieras**	**estuvieses**
...	**...**		**...**	**...**

el alumno	*l'élève*	**fuera**	*dehors*
el pánico	*la panique*	**estar a punto de**	*être sur le point de*
primero/a	*premier (ère)*	**estar de acuerdo**	*être d'accord*
tremendo	*terrible*	**irse**	*s'en aller, partir*
último/a	*dernier (ère)*		

B 2 APPLICATION

1. ¿ Fuiste un buen alumno ? — Sí, lo fui.
2. Y él, ¿ lo fue ? — Sí, creo que lo fue también.
3. ¿ Fuisteis buenos con ella ? — Sí, fuimos muy buenos.
4. ¿ Fueron ellos los primeros ? — No, fueron los últimos.
5. Fue un pánico tremendo, ¿ no ? — Sí, fue tremendo.
6. ¿ Cuánto tiempo estuvo él fuera ? — Más de una hora.
7. ¿ Estuvo Ud de acuerdo ? — Sí, sí, estuve de acuerdo.
8. Estuvieron Uds a punto de irse, ¿ verdad ?
9. Sí, estuvimos a punto de irnos.
10. ¿ Fue útil que estuvieseis con él ?
11. Yo quería que ella fuese la primera.
12. Yo no podía aceptar que Uds estuvieran aquí sin hacer nada.

B 3 REMARQUES

■ Les passés simples des verbes **ser** et **estar** sont irréguliers. Ils doivent donc être appris par cœur.
Les subjonctifs imparfaits, comme pour les verbes réguliers, proviennent de la troisième personne du pluriel du passé simple.

■ **fuera** : est aussi un adverbe qui signifie *dehors*, *hors de* et qui, bien sûr, n'a rien à voir avec l'imparfait du subjonctif des verbes **ser** ou **ir**.

■ **bueno** : adjectif qui subit l'apocope, c'est-à-dire qui perd la voyelle finale devant un nom masculin singulier :

> **un buen hombre**, *un brave homme*
> **un hombre bueno**, *un homme généreux*

■ Rappel. Attention aux emplois des verbes **ser** et **estar** (voir gram. p. 350 et leçons 15 et 16).

B 4 TRADUCTION

1. As-tu été un bon élève ? — Oui, je l'ai été.
2. Et lui, l'a-t-il été ? — Oui, je crois qu'il l'a été aussi.
3. Avez-vous été (T.P.) bons avec elle ? — Oui, nous avons été très bons.
4. Ont-ils été les premiers ? — Non, ils ont été les derniers.
5. Cela a été une panique terrible, non ? — Oui, cela a été terrible.
6. Combien de temps est-il resté dehors ? — Plus d'une heure.
7. Avez-vous été d'accord ? — Oui, oui, j'ai été d'accord.
8. Vous avez été (V.P.) sur le point de partir, n'est-ce pas ?
9. Oui, nous avons été sur le point de partir.
10. A-t-il été utile que vous soyez (T.P.) avec lui ?
11. Je voulais qu'elle soit la première.
12. Je ne pouvais pas accepter que vous soyez (V.P.) ici sans rien faire.

C 1 ÉNONCÉ

A. Traduire *(assez de = **bastante**)*

1. Avant-hier soir, il y a eu beaucoup de monde.
2. Hier, vous avez eu de la chance.
3. La semaine dernière, il a été ici tout le temps.
4. Elles ont été des élèves très agréables.
5. Nous avons eu l'occasion de pouvoir l'écouter.
6. Dès qu'ils eurent gagné assez d'argent, ils partirent.

B. Traduire

Il était normal . . .

1. Ils ont été contents.
2. Tu as eu confiance.
3. Nous avons été fatigués.
4. Il a été un bon mari.
5. Vous avez été méchante.
6. Elle a été la dernière.
7. Il n'y a rien eu.
8. Il y a eu quelque chose.

9. qu'ils aient été contents.
10. que tu aies eu confiance.
11. que nous ayons été fatigués.
12. qu'il ait été un bon mari.
13. que vous ayez été méchante.
14. qu'elle ait été la dernière.
15. qu'il n'y ait rien eu.
16. qu'il y ait eu quelque chose.

C 2 RÉCAPITULATION

Compléter en mettant le verbe indiqué entre parenthèses à la forme convenable

1. (comprar) No quieren que tú _____ este periódico.
2. (comprar) No querían que tú lo _____ .
3. (leer) Es importante que yo _____ las noticias.
4. (leer) Era importante que yo las _____ .
5. (reunir) Les escribo (a Uds) que _____ a sus amigos.
6. (reunir) Les escribí (a Uds) que los _____ .
7. (aceptar) Conviene que nosotros _____ su oferta.
8. (aceptar) Convendría que nosotros la _____ .
9. (volver) Os prohíbo que _____ a jugar con él.
10. (volver) Os prohibí que _____ a hacerlo.

(Voir corrigé p. 377.)

C 3 CORRIGÉ

A.

1. Anteanoche, hubo mucha gente.
2. Ayer Ud tuvo suerte.
3. La semana pasada, él estuvo aquí todo el tiempo.
4. Ellas fueron alumnas muy agradables.
5. Tuvimos la oportunidad de poder escucharle a él.
6. En cuanto hubieron ganado bastante dinero, se marcharon.

B.

Era normal ...

1. Ellos estuvieron contentos.
2. Tuviste confianza.
3. Estuvimos cansados.
4. Él fue un buen marido.
5. Ud fue mala.
6. Ella fue la última.
7. No hubo nada.
8. Hubo algo.

9. que estuvieran contentos.
10. que tuvieses confianza.
11. que estuviéramos cansados.
12. que fuese un buen marido.
13. que Ud fuera mala.
14. que ella fuese la última.
15. que no hubiera nada.
16. que hubiese algo.

C 4 CIVILISATION : les fêtes

■ La fête nationale est célébrée le 12 octobre, **el doce de octubre**, c'est le jour de la fête de la Vierge du Pilar et aussi l'anniversaire de la découverte, **el descubrimiento**, de l'Amérique.

Mais les fêtes régionales, nombreuses, sont aussi très suivies. Parmi les plus importantes :
- **las Fallas** de Valence, à l'occasion de la **San José** (le 19 mars) ;
- le pèlerinage du **Rocío**, à Huelva à la Pentecôte ;
- la **feria** de Séville, en avril ;
- les **sanfermines**, début juillet à Pamplune avec ses taureaux lâchés dans les rues ;
- les fêtes de la **San Isidro**, à Madrid en mai ;
- la fête de Saint-Jacques, **Santiago**, patron de l'Espagne, le 25 juillet, etc.

D 1   LA FAMILIA

los abuelos	= el abuelo	+ la abuela	
los padres	= el padre	+ la madre	
	el marido	+ la esposa (la mujer)	
los hijos	= el hijo	+ la hija	
	el hermano	+ la hermana	
los parientes :	el tío	+ la tía	= los tíos
	el primo	+ la prima	= los primos
	el suegro	+ la suegra	= los suegros
	el yerno	+ la nuera	
	el cuñado	+ la cuñada	
	el nieto	+ la nieta	= los nietos
	el sobrino	+ la sobrina	= los sobrinos

D 2   DIALOGUE

F = Felipe   C = Carmen

C — Pero bueno, ¿ tú quién eres ?

F — ¿ Yo ? Soy el hermano mayor de Simón.

C — Ah, yo creía que eras su tío. ¿ Cuántos **hermanos** sois ?

F — Somos cinco de la misma madre y del mismo **padre** y tres hermanastros de la segunda mujer de mi padre.

C — ¿ Y el resto de la gente ?

F — Aquél [1] de allá es mi tío por parte de madre, y la viejecita que está sentada al lado, mi abuela paterna.

C — ¿ Cuántos años tiene ? Se conserva muy bien.

F — Sí, tiene 85. La pareja que está al fondo es mi madre y su nuevo marido.

C — ¡ Tu hermano no me había dicho que erais tantos !

F — Ven, vamos a tomar una copa. A propósito, ¿ tú quién eres ?

C — Yo, tu futura cuñada.

1. **aquél** : pronom démonstratif, voir p. 345.

D 3 LA FAMILLE

| **les grands-parents** | = *le grand-père* | + *la grand-mère* |

| **les parents** | = *le père* | + *la mère* |
| | = *le mari* | + *l'épouse la femme)* |

| **les enfants** | = *le fils* | + *la fille* |
| | = *le frère* | + *la sœur* |

la parenté :

l'oncle	+ *la tante*	= *les oncle et tante*
le cousin	+ *la cousine*	= *les cousins*
le beau-père	+ *la belle-mère*	= *les beaux-parents*
le gendre	+ *la belle-fille*	
le beau-frère	+ *la belle-sœur*	
le petit-fils	+ *la petite-fille*	= *les petits-enfants*
le neveu	+ *la nièce*	= *les neveux et nièce*

D 4 TRADUCTION

G = Felipe   C = Carmen

C – Mais, alors, qui es-tu, toi ?

F – Moi ? Je suis le frère aîné de Simon.

C – Ah, je pensais que tu étais son oncle. Vous êtes combien de frères et sœurs ?

F – Nous sommes cinq de la même mère et du même père, et trois demi-frères de la deuxième femme de mon père.

C – Et le reste ?

F – Celui-là, là-bas, c'est mon oncle du côté de ma mère, et la petite dame âgée qui est assise à côté de lui, c'est ma grand-mère paternelle.

C – Elle a quel âge ? Elle est très bien.

F – Oui, elle a 85 ans. Le couple qui est au fond, c'est ma mère et son nouveau mari.

C – Ton frère ne m'avait pas dit que vous étiez autant !

F – Viens, allons prendre un verre. À propos, tu es qui toi ?

C – Moi, ta future belle-sœur.

A 1 PRÉSENTATION

- Passé simple et imparfaits du subjonctif irréguliers (III)

venir	*venir*	**decir**	*dire*
vine	je suis venu	dije	j'ai dit
viniste	...	dijiste	...
vino		dijo	
vinimos		dijimos	
vinisteis		dijisteis	
vinieron		dijeron	
viniera viniese	*que je sois venu*	dijera dijese	*que j'aie dit*
vinieras vinieses	...	dijeras dijeses	...
... ...		... ...	

una vez	*une fois*	**así que**	*ainsi, de telle sorte que*
oponerse	*s'opposer*	**cómo**	*comment*
helar	*geler*	**hasta luego**	*à bientôt*
llover	*pleuvoir*	**sin que**	*sans que*
adiós	*au revoir*	**ya**	*déjà*

A 2 APPLICATION

1. Ya vine dos veces. — ¡ Cómo ! ¿ viniste aquí ?
2. Sí, claro que vine. Dos veces, te dije.
3. ¿ Vinieron Uds a verme ? — Sí, señor, vinimos a verle.
4. Pero, yo no quería que Uds vinieran a verme.
5. ¡ Cómo ! ¿ Ud no quería que viniéramos ?
6. Así que Ud se oponía a que viniésemos a verle.
7. ¿ Dijo Ud que llovía ? — No, dije que helaba.
8. ¿ Dijeron ellos algo ? — No, no dijeron nada.
9. ¿ Os dijisteis adiós ? — Sólo nos dijimos hasta luego.
10. ¿ Querías que yo se lo dijera a ella ?
11. Sí, yo quería que tú se lo dijeras.
12. Vino y me dijo que nos esperaba a las ocho.

274

A 3 REMARQUES

■ Les passés simples des verbes **venir** et **decir** sont irréguliers :
— la voyelle du radical n'est pas la même. (Notez que la même modification intervient en français pour le verbe *venir* : *Je vins, tu vins,* etc.)
— il n'y a pas d'accent écrit aux 1re et 3e personnes du singulier.

■ Attention à la 3e personne du pluriel de **decir** où **j** (jota) est suivi de **e** et non de **ie**.
Les subjonctifs imparfaits, provenant de la 3e personne du pluriel du passé simple, présenteront donc les mêmes irrégularités.

■ Attention : le verbe **decir**, *dire* est suivi de l'indicatif quand il a le sens de *communiquer, faire savoir* et du subjonctif quand il a le sens d'*ordonner* :
> **le dije que aceptabas**, *je lui ai dit que tu acceptais*
> **me dijo que aceptara**, *il m'a dit d'accepter*

■ **como**, sans accent écrit, se traduit par *comme* ; **cómo**, avec accent écrit, se traduit par **comment**.

A 4 TRADUCTION

1. Je suis déjà venu deux fois. — Comment ! tu es venu ici ?
2. Oui, bien sûr que je suis venu. Deux fois, je t'ai dit.
3. Êtes-vous venus (V.P.) me voir ? — Oui, monsieur, nous sommes venus vous voir.
4. Mais, moi je ne voulais pas que vous veniez (V.P.) me voir.
5. Comment ! Vous ne vouliez pas que nous venions ?
6. Ainsi, vous vous opposiez à ce que nous venions vous voir.
7. Avez-vous dit qu'il pleuvait ? — Non, j'ai dit qu'il gelait.
8. Ont-ils dit quelque chose ? — Non, ils n'ont rien dit.
9. Vous êtes-vous dit (T.P.) au revoir ? — Nous nous sommes seulement dit à bientôt.
10. Tu voulais que moi je le lui dise à elle ?
11. Oui, moi je voulais que tu le lui dises.
12. Il est venu et il m'a dit qu'il nous attendait à huit heures.

B 1 PRÉSENTATION

- Passé simple et imparfaits du subjonctif irréguliers (IV)

hacer	*faire*	**querer**	*vouloir, aimer*

hice	*j'ai fait*	**quise**	*j'ai voulu*
hiciste	...	**quisiste**	...
hizo		**quiso**	
hicimos		**quisimos**	
hicisteis		**quisisteis**	
hicieron		**quisieron**	
hiciera **hiciese**		**quisiera** **quisiese**	
hicieras **hicieses**		**quisieras** **quisieses**	
... ...		... ...	
que j'aie fait		*que j'aie voulu*	

hacer lo posible	*faire son possible*	**me da igual**	*cela m'est égal*
parecer	*paraître*	**entonces**	*alors, dans ces conditions*
gracias	*merci*	**muchísimo**	*beaucoup énormément*

B 2 APPLICATION (CD)

1. ¿ Qué hizo él entonces ? — Él no hizo nada.

2. Y tú, ¿ qué hiciste ? — ¿ Qué querías que hiciese ?

3. ¿ Hicieron Uds lo posible ? — Sí, hicimos todo lo posible.

4. ¿ Cuándo lo hicieron ellos ? — Lo hicieron cuando quisieron.

5. ¿ Hicisteis lo que queríais ? — Sí, gracias, lo hicimos.

6. Quisiste a esta chica, ¿ no ? — Sí, la quise muchísimo.

7. No me parecía posible que la quisieras.

8. No quiso Ud venir, ¿ verdad ? — No, no quise venir.

9. ¿ Quería él que lo hiciéramos ? — Sí, quería que lo hicierais.

10. Yo quisiera que lo hicieseis juntos.

11. Que tú lo quisieses o no, me daba igual.

12. Quisiéramos que Uds no le dijeran nada.

B 3 REMARQUES

■ Les passés simples des verbes **hacer** et **querer** sont irréguliers :
— la voyelle du radical n'est pas la même. (Pensez aux verbes *faire*
et *requérir* qui, au passé simple également, ont aussi un **i** : *je fis*,
je requis)
— il n'y a pas d'accent écrit aux 1ʳᵉ et 3ᵉ personnes du singulier.

■ Attention à la modification orthographique que connaît **hacer** à la
3ᵉ personne du singulier : le **c** devient **z** devant le **o** pour conserver le son [z], voir p. 15, sinon **co** se prononcerait [ko].
Les subjonctifs imparfaits proviennent de la 3ᵉ personne du pluriel
du passé simple.

■ **querer** signifie *vouloir* mais suivi de la préposition **a** et d'un nom,
il signifie *aimer*.
Le premier des deux imparfaits du subjonctif est très souvent utilisé à la place du conditionnel **querría** :

quisiera este libro, *je voudrais ce livre*

B 4 TRADUCTION

1. Qu'a-t-il fait alors ? — Il n'a rien fait.
2. Et toi, qu'as-tu fait ? — Que voulais-tu que je fasse ?
3. Avez-vous fait (V.P.) votre possible ? — Oui, nous avons fait tout
   notre possible.
4. Quand l'ont-ils fait, eux ? — Ils l'ont fait quand ils l'ont voulu.
5. Avez-vous fait (T.P.) ce que vous vouliez ? — Oui, merci, nous
   l'avons fait.
6. Tu as aimé cette fille, non ? — Oui, je l'ai beaucoup aimée.
7. Il ne me paraissait pas possible que tu l'aimes.
8. Vous n'avez pas voulu venir, n'est-ce pas ? — Non, je n'ai pas voulu
   venir.
9. Voulait-il que nous le fassions ? — Oui, il voulait que vous le
   fassiez (T.P.).
10. Je voudrais que vous le fassiez (T.P.) ensemble.
11. Que tu le veuilles ou non, cela m'était égal.
12. Nous voudrions que vous (V.P.) ne lui disiez rien.

C 1 ÉNONCÉ

A. Traduire en mettant le verbe principal au passé simple

1. J'ai tout fait.
2. Elle a aimé ce garçon.
3. Il est venu chaque jour.
4. Il a fait ce qu'il a voulu.
5. Il a dit qu'il venait.
6. Ils ont fait ce qu'elles ont dit.
7. Tu es venu et tu l'as dit.
8. Vous l'avez voulu (T.P.).

B. Traduire en mettant au passé simple les passés composés français (*dès que possible* = **cuanto antes** ; *à ce moment-là* = **en aquel momento**)

1. J'ai voulu que vous le disiez et que vous le fassiez (V.P.).
2. Pourquoi ne lui as-tu pas dit de venir ?
3. Que vouliez-vous (T.P.) qu'il fasse ?
4. Je lui ai écrit de le faire dès que possible.
5. Tu l'as voulu, tu l'as dit, tu l'as fait !
6. Que voulais-tu que je lui dise à ce moment-là ?
7. Il ne voulait jamais que je vienne le voir.
8. Il a voulu que je le fasse, je l'ai fait !

C 2 RÉCAPITULATION

A. Transformer en vous adressant à plusieurs personnes

1. Me alegro de que no te aburras aquí.
2. Es mejor que Ud llame al mecánico.
3. Te decíamos que comprobaras la cuenta.
4. Sentiríamos mucho que Ud no lo admitiera.

B. Compléter en mettant le verbe indiqué entre parenthèses à la forme convenable

1. (tener)   No estoy seguro de que él _____ un coche.
2. (tener)   No estaba segura de que él _____ un coche.
3. (haber)   Quiero que tú lo _____ hecho antes.
4. (haber)   Quisiera que tú lo _____ hecho antes.
5. (estar)   Será mejor que yo _____ con vosotras.
6. (estar)   Sería mejor que yo _____ con vosotras.

(Voir corrigé p. 377.)

C 3 CORRIGÉ

A.

1. Lo hice todo.
2. Quiso a este chico.
3. Vino cada día.
4. Hizo él lo que quiso.
5. Dijo que venía.
6. Ellos hicieron lo que ellas dijeron.
7. Viniste y lo dijiste.
8. Lo quisisteis.

B.

1. Quise que Uds lo dijesen y lo hiciesen.
2. ¿ Por qué no le dijiste que viniera ?
3. ¿ Qué queríais que hiciera él ?
4. Le escribí que lo hiciese él cuanto antes.
5. ¡ Lo quisiste, lo dijiste, lo hiciste !
6. ¿ Qué querías que le dijese en aquel momento ?
7. Él no quería nunca que yo viniera a verle.
8. Él quiso que yo lo hiciese, ¡ lo hice !

C 4 CIVILISATION : la promenade avant dîner

■ Les Espagnols ont coutume d'aller *boire un verre*, **tomar algo**, ou *faire une promenade*, **dar un paseo** après la sortie du travail et avant de rentrer chez eux pour le dîner. Ils s'y retrouvent entre amis, même dans les grandes villes.

En Espagne, s'amuser va souvent de pair avec le fait de se trouver dans une foule bruyante. Il y a plusieurs raisons à cela, la première est la chaleur du climat, qui permet aux habitants de rester dehors une grande partie de l'année et de profiter ensemble de la douceur de la nuit.

Cet instinct grégaire qui pousse les gens hors de chez eux ne va pas à l'encontre de leur individualisme car l'Espagnol aime se montrer, voire s'exhiber, et parler. Il apprécie une bonne *ambiance*, **ambiente**, animée, haute en couleurs et… en bruit, et pleine de vie.

D 1 LA ROPA

la chaqueta	el pantalón
la camisa	la corbata
la camiseta	la falda
el vestido	el jersey
el sombrero	el pijama
el abrigo	la cazadora
el impermeable	los zapatos
las zapatillas	las botas
las sandalias	los calcetines
los guantes	la bufanda
la blusa	el pantalón corto
las medias	el calzoncillo
las bragas	el slip, el eslip
el sujetador, el sostén	el chándal
la tela	la lana
la seda	el algodón
el traje	el nilón, el nailón
vestirse	calzarse

D 2 DIALOGUE

H = la hija   M = la madre

M — ¿ Todavía no te has vestido ?

H — No tengo nada que ponerme.

M — Como siempre.

H — De veras, mami, tenemos que ir a comprarme ropa.

M — Te compré unos vaqueros el mes pasado.

H — Tú eres la primera que dices que siempre voy vestida de vaqueros. Y ya no tengo faldas que ponerme.

M — ¿ Cómo ? ¡ Tienes cuatro o cinco en el armario !

H — ¡ Ala ! están pasadas de moda, pero, mami, he visto un vestido corto precioso.

M — ¿ Cuánto cuesta ?

H — Es de buena calidad, de algodón y seda y tiene una caída ma...

M — El precio, Clara.

H — Qué materialista, el dinero antes que lo estético.

D 3   LES VÊTEMENTS

la veste	*le pantalon*
la chemise	*la cravate*
le maillot de corps	*la jupe*
la robe	*le pull-over*
le chapeau	*le pyjama*
le manteau	*le blouson*
l'imperméable	*les chaussures*
les pantoufles	*les bottes*
les sandales	*les chaussettes*
les gants	*l'écharpe*
la blouse, le corsage	*le short*
les bas	*le caleçon*
la culotte	*le slip (homme et femme)*
le soutien-gorge	*le survêtement*
le tissu	*la laine*
la soie	*le coton*
le costume	*le nylon*
s'habiller	*se chausser*

D 4   TRADUCTION

H = la fille   M = la mère

M — Tu n'es pas encore habillée ?

H — Je n'ai rien à me mettre.

M — Comme d'habitude.

H — C'est vrai, maman, nous devons aller m'acheter des vêtements.

M — Je t'ai acheté des jeans le mois dernier.

H — C'est toi qui dis que je suis toujours habillée en jeans. Et je n'ai plus de jupes à me mettre.

M — Comment ? Tu en as quatre ou cinq dans ton armoire !

H — Oh, elles sont démodées, mais, maman chérie, j'ai vu une robe courte très belle.

M — Elle coûte combien ?

H — Elle est de bonne qualité, en coton et en soie, et elle tombe mer…

M — Le prix, Clara.

H — Comme tu es matérialiste, c'est l'argent qui passe avant l'esthétique.

A 1   PRÉSENTATION

- Passé simple et imparfaits du subjonctif irréguliers (V)

poner	*mettre*	caber	*tenir dans*
puse	*j'ai mis*	cupe	*j'ai tenu*
pusiste	...	cupiste	...
puso		cupo	
pusimos		cupimos	
pusisteis		cupisteis	
pusieron		cupieron	
pusiera pusiese		cupiera cupiese	
pusieras pusieses		cupieras cupieses	
... ...		... ...	
que j'aie mis		*que j'aie tenu*	

la ayuda	*l'aide*	exponer	*exposer*
el concierto	*le concert*	gritar	*crier*
la duda	*le doute*	ponerse a	*se mettre à*
la idea	*l'idée*	proponer	*proposer*
componer	*composer*	al corriente	*au courant*

A 2   APPLICATION

1. ¿ Te puso él al corriente ? — Sí, me puso al corriente.

2. Se opusieron Uds, ¿ no ? — No, no nos opusimos.

3. ¿ Propusieron Uds su ayuda ? — No, no propusimos nada.

4. ¿ Cuándo se puso él a gritar ? — Hace una hora, creo.

5. ¿ No se opusieron ellas a que lo propusiéramos ?

6. ¿ No te opusiste a que expusiésemos nuestras ideas ?

7. ¿ Cupieron Uds en este coche ? — No, no cupimos.

8. No cabe duda alguna : no quisieron venir.

9. ¿ Expusisteis algo ? — No, no expusimos nada.

10. ¿ Quién compuso este concierto ? — No sé. Creo que Albéniz.

11. Haría falta que alguien lo supiera y nos lo dijera.

12. Lo compuso Rodrigo. Es el concierto de Aranjuez.

A 3 REMARQUES

■ Les passés simples des verbes **poner** et **caber** sont irréguliers :
— la voyelle du radical de l'infinitif (**o** ou **a**) devient **u**.
— il n'y a pas d'accent écrit aux 1ʳᵉ et 3ᵉ personnes du singulier.
Les subjonctifs imparfaits prennent l'irrégularité de la 3ᵉ personne
du pluriel du passé simple.

■ Tous les verbes de la même famille que **poner** se conjuguent, bien
sûr, comme le verbe **poner** lui-même : **oponerse**, *s'opposer* ;
proponer, *proposer* ; **suponer**, *supposer*, etc.

■ Attention au sens de **caber** : *contenir, tenir dans, trouver place*.
Le verbe **caber** se trouve également dans différentes tournures :
    no cabe duda, *il n'y a pas de doute*
    no cabe duda alguna, *il n'y a aucun doute*
    no cabe la menor duda, *il n'y a pas le moindre doute*
    cabe pensar que, *il y a lieu de penser que*

A 4 TRADUCTION

1. T'a-t-il mis au courant ? — Oui, il m'a mis au courant.
2. Vous vous êtes opposés (V.P.), non ? — Non, nous ne nous
   sommes pas opposés.
3. Avez-vous proposé (V.P.) votre aide ? — Non, nous n'avons rien
   proposé.
4. Quand s'est-il mis à crier ? — Il y a une heure, je crois.
5. Ne se sont-elles pas opposées à ce que nous le proposions ?
6. Tu ne t'es pas opposé à ce que nous exposions nos idées ?
7. Avez-vous tenu dans cette voiture ? — Non, nous n'avons pas
   tenu.
8. Il n'y a aucun doute : ils n'ont pas voulu venir.
9. Avez-vous exposé (T.P.) quelque chose ? — Non, nous n'avons
   rien exposé.
10. Qui a composé ce concerto ? — Je ne sais pas. Je crois que c'est
    Albéniz.
11. Il faudrait que quelqu'un le sache et nous le dise.
12. C'est Rodrigo qui l'a composé. C'est le concerto d'Aranjuez.

B 1 PRÉSENTATION

- Passé simple et imparfaits du subjonctif irréguliers (VI)

saber	*savoir*	**poder**	*pouvoir*

supe	*j'ai su*	pude	*j'ai pu*
supiste	...	pudiste	...
supo		pudo	
supimos		pudimos	
supisteis		pudisteis	
supieron		pudieron	
supiera	supiese	pudiera	pudiese
supieras	supieses	pudieras	pudieses
...	...	...	...
que j'aie su		*que j'aie pu*	

el asunto	*l'affaire*
poder con	*pouvoir, venir à bout*
sacar de	*sortir* (quelque chose)
en seguida	*tout de suite*
eso es	*c'est cela, d'accord*
qué	*que, quoi*

B 2 APPLICATION

1. ¿ Lo supiste en seguida ? — Sí, lo supe en seguida.
2. ¿ Cuándo lo supieron Uds ? — Lo supimos cuando él lo dijo.
3. ¿ No supisteis qué contestar ? — Eso es, no supimos.
4. ¿ Supo Ud algo del asunto ? — No, no supe nada.
5. Lo supo él y era útil que lo supiera.
6. ¿ No pudo Ud con este chico ? — Es verdad. No pude con él.
7. ¿ Pudieron Uds verla ? — Sí, pudimos verla.
8. ¿ Pudisteis sacarle algo ? — No pudimos sacarle nada.
9. Él no quiso que lo supiera yo. Pero lo supe.
10. No era posible que no lo pudiese ella.
11. Él no se oponía a que lo supieras tú.
12. No pudimos aceptar que él se pusiera a fumar.

B 3 REMARQUES

■ Les passés simples des verbes **saber** et **poder** sont irréguliers :
— la voyelle du radical n'est plus la même (pensez qu'en français les mêmes verbes *savoir* et *pouvoir* ont aussi un *u* au radical du passé simple : *je sus, je pus*).
— il n'y a pas d'accent écrit aux 1er et 3e personnes du singulier. Les deux subjonctifs imparfaits proviennent de la 3e personne du pluriel du passé simple.

■ Attention au passé simple de **poder**, *pouvoir* : ne le confondez pas avec celui de **poner**, *mettre, poser* :

poner : **puse**, etc.   **poder** : **pude**, etc.

■ Ne confondez pas **sacar** et **salir** :
sacar de, *sortir de, retirer de*
sacar un pañuelo del bolsillo, *sortir un mouchoir de sa poche*
salir, *sortir (s'en aller)*
salir de casa, *sortir de chez soi*
salir a la calle, *sortir dans la rue*

B 4 TRADUCTION

1. L'as-tu su tout de suite ? — Oui, je l'ai su tout de suite.
2. Quand l'avez-vous (V.P.) su ? — Nous l'avons su quand il l'a dit.
3. Vous n'avez pas su (T.P.) quoi répondre ? — C'est cela. Nous n'avons pas su.
4. Avez-vous su quelque chose de l'affaire ? — Non, je n'ai rien su.
5. Lui, il l'a su et c'était utile qu'il le sache.
6. Vous n'avez pas pu venir à bout de ce garçon ? — C'est vrai. Je n'ai pas pu en venir à bout.
7. Avez-vous pu (V.P.) la voir ? — Oui, nous avons pu la voir.
8. Avez-vous pu (T.P.) en tirer quelque chose ? — Nous n'avons rien pu en tirer.
9. Il n'a pas voulu que je le sache. Mais je l'ai su.
10. Il n'était pas possible qu'elle ne le puisse pas.
11. Il ne s'opposait pas à ce que tu le saches.
12. Nous n'avons pas pu accepter qu'il se mette à fumer.

C 1 ÉNONCÉ

A. Traduire en utilisant le passé simple

1. Quand s'est-il mis à travailler ?
2. Il l'a su tout de suite.
3. Vous n'avez pas pu.
4. Tu as mis la table ?
5. Il s'est opposé à cela.
6. Qu'avez-vous proposé (T.P.) ?
7. Vous n'avez pas pu (T.P.).
8. Pourquoi l'ont-ils supposé ?
9. Elles ont pu le faire.
10. Tu n'as pas pu le dire.

B. Traduire   (*la veste* = **la americana** ; *l'intention* = **la intención**)

1. Il était inévitable qu'elle te mette au courant.
2. Je lui ai déjà dit de venir et de mettre cette veste.
3. Je ne voulais pas que vous le sachiez (V.P.) maintenant.
4. Il n'était pas possible que vous teniez (T.P.) tous dans la voiture.
5. Il était souhaitable que vous puissiez le lui dire.
6. Je n'étais pas sûre que tu te mettes immédiatement à travailler.
7. Nous voulions qu'il n'y ait aucun doute sur nos intentions.
8. Il faudrait qu'il vienne demain et qu'il le fasse.

C 2 RÉCAPITULATION

Répondre affirmativement

A. Hoy hemos venido a explicarnos.

1. ¿ Y Ud ayer ?
2. ¿ Y él ayer ?
3. ¿ Y Uds ayer ?

B. Hoy hemos hecho muchos esfuerzos.

1. ¿ Y Ud ayer ?
2. ¿ Y él ayer ?
3. ¿ Y Uds ayer ?

C. Hoy hemos dicho todo lo que sabíamos.

1. ¿ Y Ud ayer ?
2. ¿ Y ella ayer ?
3. ¿ Y Uds ayer ?

(Voir corrigé p. 377.)

C 3   CORRIGÉ

A.

1. ¿ Cuándo se puso él a trabajar ?
2. Él lo supo en seguida.
3. Ud no pudo.
4. ¿ Pusiste la mesa ?
5. Él se opuso a esto.
6. ¿ Qué propusisteis ?
7. No pudisteis.
8. ¿ Por qué ellos lo supusieron ?
9. Ellas pudieron hacerlo.
10. No pudiste decirlo.

B.

1. Era inevitable que ella te pusiera al corriente.
2. Ya le dije que viniera y que pusiese esta americana.
3. Yo no quería que Uds lo supiesen ahora.
4. No era posible que cupierais todos en este coche.
5. Era deseable que Ud pudiera decírselo.
6. Yo no estaba segura de que te pusieses inmediatamente a trabajar.
7. Queríamos que no cupiera duda alguna sobre nuestras intenciones.
8. Haría falta que él viniera mañana y que lo hiciera.

C 4   CIVILISATION : le cinéma espagnol

■ Le grand maître du cinéma espagnol est **Luis Buñuel** dont le premier film (1928) *Un chien andalou* est réalisé en collaboration avec Dali. Suivront *l'Âge d'or* (1930), **Los olvidados** (1950), **Viridiana**, *Belle de jour*, **Tristana**, *Cet obscur objet du désir* (1977) : c'était un provocateur et un précurseur et ils sont nombreux à être marqués par ses réalisations.

Parmi les plus grands, il faut retenir :
Carlos Saura (Ana y los lobos, 1972) ; **La prima Angélica**, 1983 ; **Cría cuervos**, 1985 ; **Bodas de sangre**, 1981 ; **Ay Carmela**, 1989) ; Francesco Betriu (**Réquiem por un campesino español**, 1985) ; Berlanga et Azconz (**La vaquilla**, 1985) ; Mario Camus (**Los santos inocentes**, 1984) ; Gutiérriez Aragón (**Demonios en el jardín**, 1982) ; Víctor Erice (**El Sur**, 1983) ; Pilar Miró (**El crimen de Cuenca**, 1979), etc.

Le plus connu actuellement est **Pedro Almodóvar**, cinéaste satirique et provocateur de « **la Movida** » (voir C 4 de la leçon 10) : **Mujeres al borde del ataque de nervios**, **Matador**, **Átame**, **Tacones lejanos**, **Jamón** sont des succès internationaux.

D 1 CINE Y TEATRO

ir al cine	al teatro
la sesión	la función
la localidad	el escenario
los bastidores	el decorado
el camerino	el patio
la butaca de patio	la galería
el palco	el gallinero
el reparto	el estreno
el protagonista	el figurante
estar en cartelera	la pantalla
la proyección	proyectar
la película	el « trailer »
el documental	el rodaje
el guión	la cámara
el fotógrafo	la fotografía
rodar	el actor / la actriz

D 2 DIALOGUE

L = Luis   C = Carmen

C — Hoy dan un concierto en la Casa de la Cultura.

L — Ya, pero no hemos reservado y está completo.

C — ¿ Has comprado la guía del ocio ?

L — Sí, podemos ir al cine o al teatro.

C — Prefiero ir al cine.

L — Ahora, en el Paraíso ponen [1] un festival de Buñuel.

C — Sus películas las he visto todas mil veces. Me apetece ver una de suspense.

L — No hay ninguna en cartelera.

C — Pues entonces, una de risa.

L — Todas las que ponen son malísimas.

C — Bueno, pues una de amor.

L — Vamos a ver…, ¡ Tristana, a las diez ! Y después te llevo a cenar a tu restaurante preferido.

C — A veces sabes ser convincente. ¡ Pagas tú, eh !

1. **ponen** : poner una película, *passer un film*.

D 3 CINÉMA ET THÉÂTRE

aller au cinéma	*au théâtre*
la séance	*la représentation*
la place	*la scène*
les coulisses	*le décor*
la loge du comédien	*le parterre*
le fauteuil d'orchestre	*la galerie*
la loge du spectateur	*le poulailler*
la distribution	*la première*
le héros	*le figurant*
être à l'affiche	*l'écran*
la projection	*projeter*
le film	*la bande annonce*
le documentaire	*le tournage*
le scénario	*la caméra*
le photographe	*la photographie*
filmer	*le comédien / la comédienne*

D 4 TRADUCTION

L = Luis   C = Carmen

C — Aujourd'hui, il y a un concert à la Maison de la Culture.

L — Oui, je sais, mais on n'a pas réservé et tout est complet.

C — Tu as acheté l'officiel des spectacles ?

L — Oui, on peut aller au cinéma ou au théâtre.

C — Je préfère aller au cinéma.

L — En ce moment, au Paraiso il y a un festival de Buñuel.

C — Ses films, je les ai tous vus mille fois. J'ai envie d'en voir un à suspense.

L — Il n'y en a aucun qui passe à ce moment.

C — Alors, un film comique.

L — Tous ceux qui passent sont très mauvais.

C — Alors, un film d'amour.

L — Voyons voir…, Tristana à dix heures ! Et après je t'emmène dîner à ton restaurant préféré.

C — Parfois tu sais être convaincant. C'est toi qui payes, hein ?

A 1 PRÉSENTATION

● Passé simple et imparfaits du subjonctif irréguliers (VII)

andar	*marcher*	**traer**	*apporter, amener*
anduve	j'ai marché	traje	j'ai amené
anduviste	...	trajiste	...
anduvo		trajo	
anduvimos		trajimos	
anduvisteis		trajisteis	
anduvieron		trajeron	

anduviera	anduviese	trajera	trajese
anduvieras	anduvieses	trajeras	trajeses
...	...	...	...
que j'aie marché		que j'aie amené	

la lluvia	*la pluie*	**algo**	*quelque chose*
atraer	*attirer*	**bastante**	*assez*
distraerse	*se distraire, s'amuser*	**tanto**	*autant*

A 2 APPLICATION

1. ¿ Cuánto tiempo anduvo Ud ? — Anduve unas tres horas.
2. ¿ También él anduvo tres horas ? — No, él anduvo menos.
3. ¿ Cómo anduvieron ellos ? — Anduvieron bastante bien.
4. ¿ Qué le trajiste ? — Le traje flores.
5. ¿ Qué trajisteis ? — No trajimos nada.
6. ¿ Qué te atrajo en esa chica ? — No sé, pero me atrajo algo.
7. Se distrajeron Uds, ¿ verdad ? — Sí, nos distrajimos mucho.
8. ¿ Por qué anduviste tanto ayer ?
9. No era agradable que anduviésemos tanto, con esta lluvia.
10. ¿ Por qué querías que anduviera yo tanto ?
11. ¿ Qué quería ella que le trajéramos ?
12. Quería que le trajerais caramelos.

A 3 REMARQUES

■ Les passés simples des verbes **andar** et **traer** sont irréguliers et n'ont pas d'accent écrit aux 1re et 3e personnes du singulier. Les subjonctifs imparfaits proviennent de la 3e personne du pluriel du passé simple.

■ Attention à la 3e personne du pluriel du verbe **traer** : **j** (jota) est suivi de **e** et non de **ie** : **trajeron**.

■ Il est bien évident que les verbes appartenant à la même famille que **andar** ou **traer** auront les mêmes irrégularités :

Ella atrajo todas las miradas.
Elle attira tous les regards.

■ **unos**, **unas** indique une quantité approximative :

unas cinco horas, *environ cinq heures*
unas personas, *quelques personnes*
unos caramelos, *des bonbons*

A 4 TRADUCTION

1. Combien de temps avez-vous marché ? — J'ai marché environ trois heures.
2. Lui aussi a marché trois heures ? — Non, il a marché moins.
3. Comment ont-ils marché ? — Ils ont assez bien marché.
4. Que lui as-tu apporté ? — Je lui ai apporté des fleurs.
5. Qu'avez-vous apporté (T.P.) ? — Nous n'avons rien apporté.
6. Qu'est-ce qui t'a attiré chez cette fille ? — Je ne sais pas, mais quelque chose m'a attiré.
7. Vous vous êtes amusés (V.P.), n'est-ce pas ? — Oui, nous nous sommes beaucoup amusés.
8. Pourquoi as-tu tant marché hier ?
9. Il n'était pas agréable que nous marchions tant, avec cette pluie.
10. Pourquoi voulais-tu que je marche tant ?
11. Que voulait-elle que nous lui apportions ?
12. Elle voulait que vous (T.P.) lui apportiez des bonbons.

B 1 PRÉSENTATION

• Passé simple et imparfaits du subjonctif irréguliers (VIII)

| ir | *aller* | dar | *donner* |

fui	*je suis allé*	di	*j'ai donné*
fuiste	...	diste	...
fue		dio	
fuimos		dimos	
fuisteis		disteis	
fueron		dieron	
fuera	fuese	diera	diese
fueras	fueses	dieras	dieses
...	...	...	...
que je sois allé		*que j'aie donné*	

el cine	*le cinéma*	dar de	*donner à*
un desconocido	*un inconnu*	dar las gracias	*remercier*
la propina	*le pourboire*	dar pena	*faire de la peine*
cenar	*dîner*	ir de compras	*aller faire les courses*

B 2 APPLICATION

1. ¿ Fuiste al cine ? — No, fui al teatro.

2. ¿ Fue Ud de compras ? — Sí, fui de compras.

3. ¿ Fueron Uds a Méjico ? — No, fuimos a Caracas.

4. ¿ Fueron Uds de vacaciones ? — Sí, fuimos a España.

5. ¿ Fuisteis a Segovia ? — No, fuimos a Sevilla.

6. ¿ Qué le dio Ud ? — Le di una propina.

7. Y me dio las gracias.

8. ¿ Le disteis de comer ? — Sí, le dimos algo de comer.

9. Pero no quiso. Esto nos dio pena.

10. ¿ Quién le dio estas flores ? — Se las dio un desconocido.

11. Me dio pena que fueseis a cenar con él.

12. ¡ Cómo ! ¿ Le dio pena ? ¿ No sabía Ud que éramos amigos ?

B 3   REMARQUES

■ Les passés simples des verbes **ir** et **dar** sont irréguliers. Faites attention aux voyelles de terminaison du passé simple de **dar**.
Attention également au passé simple de **ir** puisque dans la forme il est identique à celui de **ser** (p. 268).
Les deux subjonctifs imparfaits proviennent de la 3ᵉ personne du pluriel du passé simple.

■ Attention au verbe **dar** qui sert à constituer certaines tournures. Parmi les plus fréquentes :

> **dar asco**, *dégoûter*
> **dar gusto**, *faire plaisir*
> **dar pena**, *faire de la peine*
> **dar de comer**, *donner à manger*

■ **voy a Madrid**, *je vais à Madrid* : après un verbe de mouvement, la préposition **a** exprime le terme du mouvement ; s'il n'y a pas mouvement, on emploie la préposition **en** : **estoy en Madrid**, *je suis à Madrid*.

B 4   TRADUCTION

1. Es-tu allé au cinéma ? — Non, je suis allé au théâtre.
2. Êtes-vous allé faire les courses ? — Oui, je suis allé faire les courses.
3. Êtes-vous allés (V.P.) à Mexico ? — Non, nous sommes allés à Caracas.
4. Êtes-vous allés (V.P.) en vacances ? — Oui, nous sommes allés en Espagne.
5. Êtes-vous allés (T.P.) à Ségovie ? — Non, nous sommes allés à Séville.
6. Que lui avez-vous donné ? — Je lui ai donné un pourboire.
7. Et il m'a remercié.
8. Lui avez-vous donné (T.P.) à manger ? — Oui, nous lui avons donné quelque chose à manger.
9. Mais il n'a pas voulu. Et cela nous a fait de la peine.
10. Qui lui a donné ces fleurs ? — C'est un inconnu qui les lui a données.
11. Cela m'a fait de la peine que vous alliez (T.P.) dîner avec lui.
12. Comment ! Cela vous a fait de la peine ? Ne saviez-vous pas que nous étions amis ?

C 1   ÉNONCÉ

A. Traduire en mettant au passé simple   *(là-bas, là = **allí**)*

1. Tu le lui as donné.
2. Je le leur ai apporté.
3. Vous avez marché.
4. Ils sont allés là-bas.
5. Qu'avons-nous donné ?
6. Pourquoi n'as-tu rien apporté ?
7. Elle a marché des heures.
8. Elles lui ont tout donné.
9. Pourquoi es-tu allé là-bas ?
10. Vous êtes allées (T.P.) avec lui ?

B. Traduire   *(encore = **todavía**)*

1. Il n'était pas indispensable que vous (T.P.) alliez là-bas.
2. Elle ne voulait pas que vous lui apportiez des fleurs.
3. Que nous le lui donnions ou pas, ça lui était égal.
4. Je ne souhaitais pas qu'ils aillent avec elle.
5. Il était normal que tu ailles en vacances.
6. Il ne s'opposait pas à ce que vous lui donniez un pourboire.
7. Je ne croyais pas que vous vous amusiez encore à cela.
8. Il ne pouvait pas croire que nous marchions autant
9. Il fallait que vous lui donniez (V.P.) quelque chose.

C 2   RÉCAPITULATION

A. Compléter avec le verbe indiqué entre parenthèses

1. (decir)   Quieren que nosotros _____ la verdad.
2. (decir)   Querían que nosotros _____ la verdad.
3. (hacer)   Querrán que Uds lo _____ otra vez.
4. (hacer)   Quisieran que Uds lo _____ otra vez.

B. Répondre

1. (Ellos) se pusieron a trabajar. ¿ Y Ud ?
2. (Él) hizo todo lo que pudo. ¿ Y uds ?
3. (Ellas) no supieron contestar. ¿ Y tú ?
4. No quisiste exponer tus ideas. ¿ Y ellos ?
5. No pudisteis oponerse a esto. ¿ Y él ?
6. (Ellos) cupieron todos en el taxi. ¿ Y vosotros ?

(Voir corrigé p. 377.)

C 3   CORRIGÉ

A.

1. Se lo diste.
2. Se lo traje.
3. Ud anduvo.
4. Ellos fueron allí.
5. ¿ Qué dimos ?

6. ¿ Por qué no trajiste nada ?
7. Ella anduvo durante horas.
8. Ellas se lo dieron todo.
9. ¿ Por qué fuiste allí ?
10. ¿ Fuisteis con él ?

B.

1. No era indispensable que fuerais allí.
2. Ella no quería que Ud le trajera flores.
3. Que se lo diéramos o no le daba igual.
4. Yo no deseaba que ellos fueran con ella.
5. Era normal que fueras de vacaciones.
6. Él no se oponía a que Ud le diera una propina.
7. Yo no creía que Ud se distrajera todavía con esto.
8. Él no podía creer que anduviéramos tanto.
9. Hacía falta que Uds le dieran algo.

C 4   CIVILISATION : le tourisme et la mer

■ Grâce à son climat et à sa situation géographique, le tourisme est l'une des principales activités économiques en Espagne ; l'Espagne reçoit chaque année plus de cinquante millions de touristes dont les trois quarts pendant les mois d'été.

La région d'Espagne qui bénéficie du plus grand nombre d'heures d'ensoleillement par an est celle d'**Almería**, avec en moyenne 3 057 heures de soleil, ce qui représente environ 8,3 heures par jour. À l'opposé, la région de **Santander** ne bénéficie que de 1 592 heures de soleil par an, en moyenne.

La côte andalouse de la Méditerranée est connue sous le nom de **Costa del Sol**, et celle de l'Atlantique comme la **Costa de la Luz (Cádiz y Huelva)** ; la côte de Valence comme la **Costa Blanca**, et celle de **Castellón**, comme la **Costa de Azahar**. La côte de Catalogne est connue sous le nom de **Costa Brava** au nord, et de **Costa Dorada** au sud. La **Costa Verde** correspond au littoral Atlantique du nord-ouest espagnol.

D 1 LA PLAYA

la arena	nadar
el bañador	las olas
la barca	playa vigilada
la boya	prohibido bañarse
broncear	la quemadura
el buceo	el quitasol
colchón neumático	el sol
corriente peligrosa	la tumbona
esquí acuático	el velero
el flotador	el vigilante
marea alta/baja	zambullirse
la insolación	el balneario
el bañista	el bronceador
el nadador	ahogarse
el playero	tragar agua

D 2 DIALOGUE

H = la hija   M = la mamá   P = el papá   V = el vigilante

H — ¡ Papi, papi, mira esta concha, ¡ qué grande !

P — ¿ Dónde la has encontrado ?

H — Allí, entre esas rocas. ¿ Quieres hacer un castillo conmigo ?

P — Hija, me gustaría descansar un poco.

H — Me lo prometiste...

P — Bueno, venga, vamos.

H — Mamá, mamá, ven [1] a ver el castillo que hemos hecho.

M — Es muy bonito. Oye, estáis más rojos que un cangrejo. Os voy a poner crema inmediatamente.

P — ¡ Uf, qué calor ! Me voy a bañar primero.

H — Yo también, te echo una carrera, papá.

P — Venga, te dejo ventaja [2].

H — Mamá, mamá, unos señores han tenido que sacar a papá del agua, le ha dado un calambre.

V — Tenga señora su marido. Este hombre está agotado.

---

1. **ven** : impératif irrégulier de **venir**.
2. **te dejo ventaja** : **dejar ventaja**, *laisser l'avantage*.

D 3 LA PLAGE

le sable	*nager*
le maillot de bain	*les vagues*
la barque	*plage surveillée*
la balise	*baignade interdite*
bronzer	*le coup de soleil*
la plongée	*le parasol*
matelas pneumatique	*le soleil*
courant dangereux	*le transat*
ski nautique	*le voilier*
la bouée	*le surveillant*
marée haute/basse	*plonger*
l'insolation	*la station balnéaire*
le baigneur	*la crème solaire*
le nageur	*se noyer*
le plagiste	*boire une tasse*

D 4 TRADUCTION

H = la fille   M = la maman   P = le papa   V = le surveillant

H — Papa, papa, regarde ce coquillage, ce qu'il est gros !

P — Où l'as-tu trouvé ?

H — Là-bas, dans ces rochers. Tu veux faire un château avec moi ?

P — Ma petite, j'aimerais me reposer un peu.

H — Tu me l'as promis…

P — Bon, allez, d'accord.

H — Maman, maman, viens voir le château que nous avons construit.

M — C'est très joli. Oh, vous êtes rouges comme des écrevisses. Je vais vous mettre tout de suite de la crème.

P — Ouf, quelle chaleur ! D'abord, je vais me baigner.

H — Moi aussi, je te prends à la course, papa ?

P — Allez, je te laisse partir d'abord.

H — Maman, maman, des messieurs ont dû sortir papa de l'eau, il a eu une crampe.

V — Madame, voici votre mari. Cet homme est épuisé.

A 1 PRÉSENTATION

- Changements vocaliques au passé simple

sentir : e/i *sentir, regretter*   **dormir : o/u** *dormir*

sentí	*j'ai senti*	dormí	*j'ai dormi*
sentiste	...	dormiste	...
sintió		durmió	
sentimos		dormimos	
sentisteis		dormisteis	
sintieron		durmieron	

la cerveza	*la bière*	divertirse	*se divertir*
el folleto	*la brochure*	herir	*blesser*
la risa	*le rire*	hervir	*bouillir*
el té	*le thé*	morir	*mourir*
advertir	*prévenir, remarquer*	mentir	*mentir*
arrepentirse	*se repentir*	preferir	*préférer*
consentir	*consentir*	referirse	*se référer*
convertir	*convertir*	pronto	*vite*

A 2 APPLICATION

1. Me divertí mucho. Se divirtió mucho.
2. No mentimos nunca. No mintieron nunca.
3. Me dormí pronto. Se durmió pronto.
4. Nos morimos de risa. Se murieron de risa.
5. Lo sentí mucho. Lo sintió mucho.
6. Nos referimos al folleto. Se refirieron al folleto.
7. Bebí agua pero él prefirió cerveza.
8. Te advierto que miente. Quisiera que no mintiera.
9. Lo que dijo me hirió mucho.
10. Hervía el agua del té. No hacía falta que hirviera.
11. Lo consintió. Me alegré de que se convirtiera a nuestras ideas.
12. No se arrepienten. Sentí que no se arrepintieran.
13. Duermen cada día más. Les prohibí que durmieran tanto.

A 3 REMARQUES

▇ Verbes du type **sentir**, *sentir*, *regretter* (p. 362). Au passé simple le **e** du radical se change en **i** lorsqu'il n'y a pas de **i** accentué dans la terminaison. On obtient donc le changement vocalique suivant dans le radical : **e, e, i, e, e, i**.
Pour **dormir** et **morir**, le **o** du radical devient **u** dans les mêmes conditions et l'on obtient le changement vocalique **o, o, u, o, o, u**.

▇ La formation de l'imparfait du subjonctif est identique à celle des autres verbes (p. 234) :

> **sintieron** → **sintiera** ou **sintiese**
> **durmieron** → **durmiera** ou **durmiese**

▇ Revoir les présents de **sentir** et **dormir** (p. 177).

▇ *de plus en plus* se traduit en espagnol **cada día más, cada vez más** ou parfois **más y más**.

▇ **Advertir** a de nombreux sens : *remarquer, constater, observer ; signifier, faire remarquer ; prévenir, mettre en garde, avertir*. Quand *avertir* a le sens de *faire savoir, aviser*, l'espagnol utilise **avisar**.

A 4 TRADUCTION

1. Je me suis beaucoup amusé. Il s'est beaucoup amusé.
2. Nous n'avons jamais menti. Ils n'ont jamais menti.
3. Je me suis vite endormi. Il s'est vite endormi.
4. Nous sommes morts de rire. Ils sont morts de rire.
5. Je l'ai beaucoup regretté. Il l'a beaucoup regretté.
6. Nous nous sommes référés à la brochure. Ils se sont référés à la brochure.
7. J'ai bu de l'eau, mais lui a préféré de la bière.
8. Je te fais remarquer qu'il ment. Je voudrais qu'il ne mente pas.
9. Ce qu'il a dit m'a beaucoup blessé.
10. L'eau du thé bouillait. Il ne fallait pas qu'elle bouille.
11. Il y a consenti. Je me suis réjoui qu'il se soit converti à nos idées.
12. Ils ne se repentent pas. J'ai regretté qu'ils ne se repentent pas.
13. Ils dorment de plus en plus. Je leur ai interdit de dormir autant.

B 1 PRÉSENTATION

- Changements vocaliques au passé simple

pedir : e/i   *demander, commander*

pedí	*j'ai demandé*
pediste	...
pidió	
pedimos	
pedisteis	
pidieron	

Imparfaits du subjonctif : I. **pidiera**, ... II. **pidiese**, ...

el consejo	*le conseil*	elegir	*choisir*
la distancia	*la distance*	expedir	*expédier*
el ejercicio	*l'exercice*	impedir	*empêcher*
la falta	*la faute*	medir	*mesurer*
de prisa	*vite, en hâte*	perseguir	*poursuivre*
corregir	*corriger*	reír	*rire*
despedir	*renvoyer*	repetir	*recommencer*
despedirse	*prendre congé*	seguir	*suivre*
servir	*servir*	vestir	*vêtir*

B 2 APPLICATION

1. Me despedí de ellos. Se despidió de ellos.
2. Sonreí al verlos. Sonrió al verlos.
3. Corregimos las faltas. Corrigieron las faltas.
4. Repetí el ejercicio. Repitió el ejercicio.
5. Los perseguimos. Los persiguieron.
6. Medimos la distancia. Midieron la distancia.
7. Expide los paquetes. Le pedí que los expidiera.
8. Impide eso. Le dije que lo impidiera.
9. Se visten de prisa. Hacía falta que se vistieran de prisa.
10. La despide. Fue necesario que la despidiera.
11. Se ríe al oír eso. Le aconsejé que no se riera.
12. Sigue los consejos. Se los daba para que los siguiera.
13. Eligen los platos. Les dio el menú para que los eligieran.
14. Sirven la comida. Les pedimos que la sirvieran.

B 3 REMARQUES

■ Le passé simple de l'indicatif et les imparfaits du subjonctif des verbes du type **pedir** se forment avec **les mêmes changements vocaliques** que ceux des verbes du type **sentir**.

■ Revoir les présents de **pedir** (p. 184).

■ Attention à la traduction de :

reír	*rire*	et	**reírse**	*se moquer*
despedir	*renvoyer*	et	**despedirse**	*prendre congé*

■ L'infinitif espagnol précédé de **al** se traduit par :
— *quand* + un verbe à un mode personnel
   sonreí al verlos, *j'ai souri quand je les ai vus*
— ou par *en* + participe présent
   sonreí al verlos, *j'ai souri en les voyant*

■ Attention **en** + **gérondif espagnol** se traduit par *dès que, aussitôt que* :
   en llegando a casa, *dès qu'il est arrivé à la maison*

B 4 TRADUCTION

1. J'ai pris congé d'eux. Il a pris congé d'eux.
2. J'ai souri en les voyant. Il a souri en les voyant.
3. Nous avons corrigé les fautes. Ils ont corrigé les fautes.
4. J'ai recommencé l'exercice. Il a recommencé l'exercice.
5. Nous les avons poursuivis. Ils les ont poursuivis.
6. Nous avons mesuré la distance. Ils ont mesuré la distance.
7. Il expédie les paquets. Je lui ai demandé de les expédier.
8. Il empêche cela. Je lui ai dit de l'empêcher.
9. Ils s'habillent en hâte. Il fallait qu'ils s'habillent en hâte.
10. Il la renvoie. Il a été nécessaire qu'il la renvoie.
11. Il se moque en entendant cela. Je lui ai conseillé de ne pas se moquer.
12. Il suit les conseils. Je les lui donnais pour qu'il les suive.
13. Ils choisissent les plats. Il leur a donné le menu pour qu'ils les choisissent.
14. Ils servent le repas. Nous leur avons demandé de le servir.

C 1   ÉNONCÉ

A. Mettre au passé simple

1. Se divierten mucho.
2. Duerme demasiado.
3. Prefieren salir.
4. Miente siempre.
5. Se despide de ella.
6. Miden la distancia.
7. Expide la carta.
8. Sirven la cerveza.

B. Répondre affirmativement

1. Te moriste de risa. ¿ Y ellos ?
2. Me referí al folleto. ¿ Y él ?
3. Os vestisteis de prisa. ¿ Y ellas ?
4. Se rió demasiado. ¿ Y Ud ?
5. Dormiste mucho. ¿ Y ella ?
6. Repetí el ejercicio. ¿ Y Uds ?

C. Traduire en employant le passé simple

1. Nous avons pris congé de nos amis.
2. Il s'est moqué d'eux en les entendant.
3. Il l'a beaucoup regretté.
4. Elle s'est repentie en les voyant.
5. Ils se sont amusés de plus en plus.
6. Je lui ai dit de la renvoyer.
7. Je n'ai jamais cru qu'il corrige ses fautes.
8. Il était nécessaire que l'eau bouille.
9. Il fallait qu'il dorme.
10. Je ne voulais pas qu'il se blesse.

C 2   RÉCAPITULATION

Mettre au passé simple

1. Andamos por el parque con ellos.
2. Van al aeropuerto con don Felipe.
3. Son todos muy amables con ella.
4. Cuando le digo esto, se va ella.
5. ¿ Le da Ud las llaves al mecánico ?
6. Un señor trae estas flores para ti.
7. Sabemos todo lo que pasa en la oficina.

(Voir corrigé p. 377.)

C 3   CORRIGÉ

A.

1. Se divirtieron mucho.
2. Durmió demasiado.
3. Prefirieron salir.
4. Mintió siempre.

5. Se despidió de ella.
6. Midieron la distancia.
7. Expidió la carta.
8. Sirvieron la cerveza.

B.

1. Se murieron de risa.
2. Se refirió al folleto.
3. Se vistieron de prisa.
4. Me reí demasiado.
5. Durmió mucho.
6. Repetimos el ejercicio.

C.

1. Nos despedimos de nuestros amigos.
2. Se rió de ellos al oírlos.
3. Lo sintió mucho.
4. Se arrepintió al verlos.
5. Se divirtieron cada vez más.
6. Le dije que la despidiera.
7. No creí nunca (o nunca creí) que corrigiera sus faltas.
8. Era necesario que el agua hirviera.
9. Hacía falta que durmiera.
10. No quería que se hiriera.

C 4   CIVILISATION : l'environnement

■ Les premiers groupes collectifs écologistes créés en Espagne datent de 1968. La première organisation stable est l'**Asociación Española para la Ordenación del Medio Ambiente (NEORMA)**, créée en 1971. Le président en est le roi d'Espagne. D'autres groupes, importants, sont apparus depuis. Les ports et les plages qui se distinguent par la qualité des eaux, la sécurité et la propreté sont signalés par un drapeau bleu, **bandera azul**.

Par ailleurs, *la pollution*, **la contaminación**, due à la circulation automobile, est tout aussi présente qu'ailleurs et dans certaines villes où la chaleur en accentue les effets, elle nuit gravement à *l'environnement*, **el medio ambiente**.

D 1 EL TRÁFICO URBANO

el tráfico	el aparcamiento
ceda el paso	peligro
obras	dirección prohibida
el código de la circulación	el atasco
aparcar	en doble fila
una multa	el parquímetro
un policía urbano	la pista para ciclistas
el semáforo	en rojo
	en verde
	en amarillo
las luces de un coche :	de posición
	de cruce
	de carretera
carril para autobuses	poner una multa
prohibido girar a la izquierda	prohibido girar a la derecha

D 2 DIALOGUE

A = el automovilista   P = la peatona   O = otro automovilista

A — Vaya, me he vuelto a perder. Antes esta calle no estaba prohibida.

P — Pare, que el semáforo está en verde, ¿ es daltónico o qué ?

A — No hace falta ponerse así, ya lo había visto.

P — Pues cualquiera lo diría [1], un centímetro más y nos arrolla a todos.

A — ¡ Qué exagerada ! *(Bum.)* ¿ Está usted en la luna o qué ? ¡ Qué bestia ! Me ha « jodido » el parachoques.

O — Eh, cuidado, sin insultar, que lo he hecho sin querer.

A — Hombre, sólo faltaba que [2] lo hubiera hecho queriendo, atolondrado.

O — Que no insulte o no relleno el parte.

A — ¿ Quiere que le parta la cara ?

O — Bueno, bueno, ¡ calma !, ¿ quién ha tenido la culpa ?

A — Mi abuela... Imbécil.

1. **cualquiera lo diría** : tournure idiomatique qui correspond à *on ne dirait pas*.

2. **sólo faltaba que** : emploi idiomatique, autre exemple : **no faltaba más**, *il ne manquait plus que ça*.

D 3 LA CIRCULATION URBAINE

la circulation	le stationnement
vous n'avez pas la priorité	danger
travaux	sens interdit
le code de la route	l'embouteillage
garer	en double file
une amende	le parcmètre
un agent	la piste cyclable
le feu tricolore	feu rouge
	feu vert
	feu orange
les lumières d'une voiture	les veilleuses
	les feux de croisement
	les feux de route
voie réservée aux autobus	mettre une contravention
interdit de tourner à gauche	interdit de tourner à droite

D 4 TRADUCTION

A = l'automobiliste   P = la piétonne   O = un autre automobiliste

A — Zut, je me suis encore perdu. Avant cette rue n'était pas interdite.

P — Arrêtez, le feu est vert, vous êtes daltonien ou quoi ?

A — Ce n'est pas la peine de se mettre dans cet état, j'ai vu.

P — Eh bien, on ne le dirait pas, un centimètre de plus et vous nous renversiez tous.

A — Vous exagérez ! *(Boum.)* Vous êtes dans la lune ou quoi ? Quelle brute ! Vous m'avez foutu en l'air mon pare-chocs.

O — Eh, attention, pas d'insultes, je ne l'ai pas fait exprès.

A — Eh bien, il n'aurait plus manqué que cela, espèce d'étourdi.

O — Pas d'insultes ou je ne fais pas le constat.

A — Vous voulez que je vous casse la figure ?

O — Bon, bon, calmez-vous, voyons, à qui la faute ?

A — À ma grand-mère... Imbécile.

A 1 PRÉSENTATION

• Impératif et pronoms enclitiques

presentarse	V.S.	preséntese	no se presente
volverse (ue)	V.P.	vuélvanse	no se vuelvan
sentarse (ie)	1 p.	sentémonos	no nos sentemos
defenderse (ie)	T.S.	defiéndete	no te defiendas
decidirse	T.P.	decidíos	no os decidáis

la camisa	*la chemise*	meterse	*se mêler*
el mueble	*le meuble*	mover (ue)	*remuer*
acostarse (ue)	*se coucher*	recomendar (ie)	*recommander*
defender (ie)	*défendre*	sentarse (ie)	*s'asseoir*
devolver (ue)	*rendre*	volverse (ue)	*se retourner*
entrenarse	*s'entraîner*	allí	*là*
levantarse	*se lever*	demasiado	*trop*
llevarse	*emporter*	temprano	*tôt*

A 2 APPLICATION

1. Levántese temprano. No se levante tan tarde.
2. Entrénense. No se entrenen demasiado.
3. Quedémonos en esta ciudad. No nos quedemos aquí.
4. Acuéstate temprano. No te acuestes demasiado tarde.
5. Sentaos allí. No os sentéis allí.
6. No se decidan Uds tan pronto. Decídanse pronto.
7. No nos divirtamos. Divirtámonos.
8. No te metas en mis cosas. Métete en tus cosas.
9. No os durmáis tan pronto. Dormíos pronto.
10. Tiene Ud que devolverme el libro. Devuélvamelo.
11. Tienen Uds que llevarse esas camisas. Llévenselas.
12. Tenemos que mover estos muebles. Movámoslos.
13. Tienes que despedirte ahora. Despídete.
14. Tenéis que recomendarle un hotel. Recomendádselo.

A 3 REMARQUES

■ Revoir la formation de l'impératif (p. 372).

■ Les pronoms réfléchis : **me, te, se, nos, os, se**.

■ **L'enclise**, c'est-à-dire le rejet du (ou des) pronom(s) personnel(s) complément(s) après le verbe pour ne plus former qu'un seul mot avec lui, se fait en espagnol **à l'infinitif, au gérondif et à l'impératif forme affirmative**. Dans la phrase impérative négative, le (ou les) pronom(s) reste(nt) avant le verbe.

> **preséntemela**, *présentez-la moi*
> **no me la presente**, *ne me la présentez pas*

Attention : pour maintenir l'accentuation du verbe après enclise, il faut écrire l'accent tonique sur la voyelle qui était accentuée avant l'enclise.

■ Le **~d final** des formes **presentad, defended** et **decidid** et le **~s final** des formes **presentemos, defendamos** et **decidamos** disparaissent respectivement devant les pronoms **os** et **nos** : **presentaos, presentémonos** ; **defendeos, defendámonos** ; **decidíos, decidámonos**.

A 4 TRADUCTION

1. Levez-vous tôt. Ne vous levez pas si tard.
2. Entraînez-vous. Ne vous entraînez pas trop (V.P.).
3. Restons dans cette ville. Ne restons pas ici.
4. Couche-toi tôt. Ne te couche pas trop tard.
5. Asseyez-vous là. Ne vous asseyez pas là (T.P.).
6. Ne vous décidez pas si vite. Décidez-vous vite (V.P.).
7. Ne nous amusons pas. Amusons-nous.
8. Ne te mêle pas de mes affaires. Mêle-toi de tes affaires.
9. Ne vous endormez pas si vite. Endormez-vous vite (T.P.).
10. Vous devez me rendre le livre. Rendez-le-moi.
11. Vous devez emporter ces chemises. Emportez-les (V.P.).
12. Nous devons déplacer ces meubles. Déplaçons-les.
13. Tu dois prendre congé maintenant. Prends congé.
14. Vous devez lui recommander un hôtel. Recommandez-le-lui (T.P.).

B 1 PRÉSENTATION

- Impératifs irréguliers

irse	s'en aller	V.S.	váyase	no se vaya
		V.P.	váyanse	no se vayan
		1 p.	vámonos	no nos vayamos
		T.S.	vete	no te vayas
		T.P.	idos	no os vayáis

la bufanda	le foulard	prudente	prudent
la cuchara	la cuiller	África	l'Afrique
las gafas	les lunettes	Argelia	l'Algérie
los negocios	les affaires	Bélgica	la Belgique
el puerto	le port, le col	El Canadá	le Canada
el sitio	l'endroit	Luxemburgo	Luxembourg
el tenedor	la fourchette	Marruecos	le Maroc
antes de	avant de	Suiza	la Suisse

B 2 APPLICATION

1. Tienes que hacer este negocio. Hazlo.
2. Tienes que decirnos la verdad. Dínosla.
3. Tienes que ponerte las gafas. Póntelas.
4. Tienes que salir antes de las tres. Sal antes.
5. Tienes que venir conmigo a África. Ven conmigo.
6. Tienes que irte con él a Haití. Vete con él.
7. No seas tan prudente. Sé más prudente.
8. No te valgas de este tenedor. Valte de esta cuchara.
9. No te detengas aquí. Detente más lejos.
10. No nos vayamos de este sitio. Vámonos de aquí.
11. No me lo digas. Dímelo.
12. Váyase a Bélgica. Váyanse a Luxemburgo.
13. Vete a Suiza. Idos a Marruecos y a Argelia.
14. Vámonos al Canadá. No nos vayamos sin decir adiós.

B 3   REMARQUES

■ En dehors de la 1re personne du pluriel du verbe **ir**, **vamos** au lieu de **vayamos**, les seules irrégularités dans la formation de l'impératif ne concernent que **le tutoiement singulier affirmatif** des verbes suivants :

			ser	*être*	→ **sé**
decir	*dire*	→ **di**	**tener**	*avoir*	→ **ten**
hacer	*faire*	→ **haz**	**venir**	*venir*	→ **ven**
ir	*aller*	→ **ve**	**valerse**	*se servir*	→ **valte**
poner	*mettre*	→ **pon**	**salir**	*sortir*	→ **sal**

L'impératif négatif est rendu par les personnes correspondantes du subjonctif présent.

■ **idos** : maintien exceptionnel du ~**d** final devant ~**os** (p. 307).

■ **conmigo**, *avec moi* ; **contigo**, *avec toi* ; **consigo**, *avec lui (soi)*.

■ **ponerse las gafas**, *mettre ses lunettes*.

■ Les noms de pays sont employés sans article défini sauf quelques exceptions (**El Canadá**, etc.), voir p. 342.

B 4   TRADUCTION

1. Tu dois faire cette affaire. Fais-la.
2. Tu dois nous dire la vérité. Dis-la-nous.
3. Tu dois mettre tes lunettes. Mets-les.
4. Tu dois partir avant trois heures. Pars avant.
5. Tu dois venir avec moi en Afrique. Viens avec moi.
6. Tu dois t'en aller avec lui à Haïti. Va-t'en avec lui.
7. Ne sois pas aussi prudent. Sois plus prudent.
8. Ne te sers pas de cette fourchette. Sers-toi de cette cuiller.
9. Ne t'arrête pas ici. Arrête-toi plus loin.
10. Ne partons pas de cet endroit. Partons d'ici.
11. Ne me le dis pas. Dis-le moi.
12. Partez en Belgique. Partez (V.P.) au Luxembourg.
13. Pars en Suisse. Partez (T.P.) au Maroc et en Algérie.
14. Partons au Canada. Ne partons pas sans dire au revoir.

A. Mettre à la forme affirmative

1. No nos los llevemos.
2. No se acuesten ahora.
3. No se siente aquí.
4. No te decidas.
5. No os quedéis allí

6. No nos vayamos de aquí.
7. No se detengan allí.
8. No se ponga estas gafas.
9. No te vayas allí.
10. No os vayáis ahora.

B. Mettre à la forme négative

1. Duérmase.
2. Muévanlos.
3. Llevémonosla.
4. Métete en tus cosas.
5. Devolvédnosla.

6. Házmelo.
7. Idos.
8. Díselo.
9. Póntelas.
10. Vámonos.

C. Traduire

1. Prenons congé maintenant et partons.
2. Couche-toi et lève-toi plus tôt.
3. Restez ici et asseyez-vous (V.P.).
4. Emportez ce livre et rendez-le moi vite.
5. Mêlez-vous de vos affaires (T.P.).

A. Compléter les questions en mettant le verbe indiqué entre parenthèses au passé simple

1. (ir)   ¿ _____ Ud a Salamanca ayer ?
2. (salir)   ¿ A qué hora _____ Ud ?
3. (tener)   ¿ _____ Ud suerte con el tiempo ?
4. (poder)   ¿ _____ Ud ver todo lo que quería ?
5. (volver) ¿ A qué hora _____ Ud a Madrid ?

B. Répondre affirmativement avec le passé simple

1. Pedimos un poco más de pan. ¿ Y ellos ?
2. Seguimos hablando hasta las dos. ¿ Y ellas ?
3. Vestimos a la última moda. ¿ Y ella ?
4. Nos divertimos mucho en la playa. ¿ Y él ?
5. Una vez más dormimos demasiado. ¿ Y ellos ?

(Voir corrigé p. 377.)

C 3   CORRIGÉ

A.
1. Llevémonoslos.
2. Acuéstense ahora.
3. Siéntese aquí.
4. Decídete.
5. Quedaos allí.
6. Vámonos de aquí.
7. Deténganse allí.
8. Póngase estas gafas.
9. Vete allí.
10. Idos ahora.

B.
1. No se duerma.
2. No los muevan.
3. No nos la llevemos.
4. No te metas en tus cosas.
5. No nos la devolváis.
6. No me lo hagas.
7. No os vayáis.
8. No se lo digas.
9. No te las pongas.
10. No nos vayamos.

C.
1. Despidámonos ahora y vámonos.
2. Acuéstate y levántate más temprano.
3. Quédense aquí y siéntense.
4. Llévese este libro y devuélvamelo pronto.
5. Meteos en vuestras cosas.
6. Decidámonos y detengámonos aquí.
7. Valte de este cuchillo y ten cuidado.

C 4   CIVILISATION : les vins

L'Espagne est le 3e producteur européen de vin derrière la France et l'Italie. Il faut distinguer les vins de table, **el vino de mesa**, produits surtout dans la région de la Manche, **la Mancha**, le **valdepeñas** en particulier, mais aussi près d'**Ávila**, le **cebreros** et de nombreux **vinos de la tierra**, *vins de pays* (le **priorato**, province de **Tarragona**, le **panadés** en Catalogne, le **chacolí** au Pays Basque, etc.) ; les vins d'apéritifs les plus connus sont le **jerez**, le xérès blanc sec ou doux, élaboré dans la province de **Cádiz**, le **manzanilla** qui en est une variante (comme le **montilla**) élaboré à San Lúcar de Barrameda, le **málaga**, vin licoreux, doux, presque noir, le **moriles**, léger, transparent, élaboré dans la région de Cordoue. Il faut aussi citer le **cava**, vin champagnisé de Catalogne (le **codorniú** est le plus connu). Enfin, le **rioja**, grand vin rouge de la province de **La Rioja**, qui rivalise aisément en qualité avec les grands bordeaux français.

D 1 VINOS Y COMIDAS

la cerveza de barril	la cerveza de botella
una caña	un aperitivo
el moscatel	el vermut
el vino de Oporto	el jerez
el málaga	la sangría
un zumo (de naranja)	la horchata
el chocolate	un café solo, cortado, con leche
el té	la infusión
la tila	la manzanilla
el ron	el coñac
el champán	el cava
el anís	el aguardiente
el vino	tinto, rosado, blanco, dulce, seco
el agua	mineral, con gas, sin gas

D 2 DIALOGUE

Cl = el cliente   C = el camarero

Cl — Me han dicho que es uno de los mejores restaurantes de la ciudad.
(El camarero descorcha una botella de vino y mancha al cliente.)

C — Oh, lo siento, señor. Ahora mismo le traigo un paño con agua fría.

Cl — ¡ Qué servicio ! Un poco más y me salta un ojo con el sacacorchos.

C — Aquí tiene.

Cl — Sí. sí, ya vale, pare de frotar, no se moleste más. Ya puede servirnos.

C — Su consomé. ¡ Buen provecho, señores !

Cl — ¡ Ay ! ¡ Cómo pica ! ¿ Qué diablos le han puesto ?

C — El jefe les ruega que le disculpen, se ha equivocado con la pimienta. Pero no se preocupen, les traigo otro.

Ci — ¡ Sí, sí, pero con cuidado !

C — ¿ Me permiten que les llene las copas ?

Cl — NO, gracias. Lo haré yo mismo.

D 3 VINS ET REPAS

la bière pression	*la bière en bouteille*
un demi	*un apéritif*
le muscat	*le vermouth*
le porto	*le xérès*
le malaga	*la sangria*
le jus (d'orange)	*l'orgeat*
le chocolat	*un café noir, crème, au lait*
le thé	*l'infusion*
le tilleul	*la camomille*
le rhum	*le cognac*
le champagne	*le vin mousseux*
l'anis	*l'eau-de-vie*
le vin	*rouge, rosé, blanc, doux, sec*
l'eau	*minérale, gazeuse, non gazeuse*

D 4 TRADUCTION

Cl = le client   C = le serveur

Cl — On m'a dit que c'est un des meilleurs restaurants de la ville.

(Le garçon débouche une bouteille de vin et tache le client.)

C — Oh, je suis désolé, monsieur. Je vous apporte tout de suite une serviette avec de l'eau froide.

Cl — Quel service ! Un peu plus et il me crevait un œil avec le tire-bouchon.

C — Voilà.

Cl — Oui, oui, d'accord, arrêtez de frotter..., ne vous dérangez pas davantage. Maintenant, vous pouvez nous servir.

C — Votre consommé. Bon appétit, messieurs !

Cl — Aïe ! Ça pique ! Qu'est-ce que vous y avez mis ?

C — Le chef vous prie de l'excuser, il s'est trompé avec le poivre. Mais, ne vous inquiétez pas, je vous en apporte d'autre.

Cl — Oui, c'est ça, mais en faisant attention!

C — Vous permettez que je remplisse vos verres ?

Cl — NON, merci. Je vais le faire moi-même.

A 1   PRÉSENTATION

- > *quand* + futur = **cuando** + **presente de subjuntivo**
  > (sauf après **cuándo** interrogatif)

¿ Cuándo vendrá Paco ? — Vendrá cuando pueda.
Quand Paco viendra-t-il ? Il viendra quand il pourra.

> *si* (condition ou hypothèse) = **si**
>   + imparfait de l'indicatif   + **imperfecto de subjuntivo**

Si Paco pudiera, vendría.
Si Paco pouvait, il viendrait.

la carrera	*les études*	**bañarse**	*se baigner*
el empleo	*l'emploi*	**buscar**	*chercher*
la flor	*la fleur*	**llamar por teléfono**	*téléphoner*
el sol	*le soleil*	**llover (ue)**	*pleuvoir*
en cuanto	*dès que*	**regar**	*arroser*
mientras	*tant que*	**terminar**	*terminer*
tan pronto como	*aussitôt que*		

A 2   APPLICATION

1. Termino la carrera y busco un empleo.
2. Cuando termine la carrera, buscaré un empleo.
3. Si terminara la carrera, buscaría un empleo.
4. Sé el español y voy a Argentina.
5. Cuando sepa el español, iré a Argentina.
6. Si supiera el español, iría a Argentina.
7. Hace sol y podemos ir a bañarnos.
8. En cuanto haga sol, podremos ir a bañarnos.
9. Si hiciera sol, podríamos ir a bañarnos.
10. No llueve y tiene Ud que regar las flores.
11. Mientras no llueva, Ud tendrá que regar las flores.
12. Si lloviera, Ud no tendría que regar las flores.
13. La veo y le llamo por teléfono.
14. Tan pronto como la vea, le llamaré por teléfono.
15. Si la viera, le llamaría por teléfono.

A 3 REMARQUES

■ Après **cuando**, *quand*, **mientras**, *tant que*, **en cuanto**, *dès que*, **tan pronto como**, *aussitôt que*, et toutes les expressions de temps, le futur français est remplacé par **le présent du subjonctif en espagnol**. Dans la proposition principale, le verbe reste au futur, comme en français. **Cuándo** interrogatif est suivi du futur de l'indicatif.

■ Après **si**, marquant **une condition ou une hypothèse**, l'imparfait de l'indicatif français est remplacé par **l'imparfait du subjonctif en espagnol**. Dans ce cas la proposition principale comporte un conditionnel exprimé ou sous-entendu :

> **Si tuviera dinero iría al Perú.**
> *Si j'avais de l'argent, j'irais au Pérou.*

■ Attention aux différents sens du mot **carrera** : *course* (sport), *carrière, profession* et *études* :

> **hacer la carrera de derecho**
> *faire des études de droit*

A 4 TRADUCTION

1. Je termine mes études et je cherche un emploi.
2. Quand je terminerai mes études, je chercherai un emploi.
3. Si je terminais mes études, je chercherais un emploi.
4. Je sais l'espagnol et je vais en Argentine.
5. Quand je saurai l'espagnol, j'irai en Argentine.
6. Si je savais l'espagnol, j'irais en Argentine.
7. Il y a du soleil et nous pouvons aller nous baigner.
8. Dès qu'il y aura du soleil, nous pourrons aller nous baigner.
9. S'il y avait du soleil, nous pourrions aller nous baigner.
10. Il ne pleut pas et vous devez arroser les fleurs.
11. Tant qu'il ne pleuvra pas, vous devrez arroser les fleurs.
12. S'il pleuvait, vous n'auriez pas à arroser les fleurs.
13. Je la vois et je vous téléphone.
14. Aussitôt que je la verrai, je vous téléphonerai.
15. Si je la voyais, je vous téléphonerais.

B 1 PRÉSENTATION

aunque + indicatif	*bien que* (fait réel)
aunque + subjonctif	*même si* (supposition)
aunque hace mal tiempo...	*bien qu'il fasse ...*
aunque haga mal tiempo...	*même s'il fait ...*
siempre que + indicatif	*toutes les fois que ...*
siempre que + subjonctif	*pourvu que ...*

el extranjero	*l'étranger*	**pasearse**	*se promener*
la llave	*la clef*	**pintar**	*peindre*
la rebaja	*le rabais*	**viajar**	*voyager*
bonito	*joli*	**acaso**	
al contado	*au comptant*	**a lo mejor**	
casarse	*se marier*	**quizá(s)**	*peut-être*
enfadarse	*se fâcher*	**tal vez**	
pagar	*payer*	**con tal que**	*pourvu que*

B 2 APPLICATION

1. Aunque les digo la verdad, se enfadan.
2. Aunque les diga la verdad, se enfadan.
3. Aunque tenía un pasaporte, no viajaba al extranjero.
4. Aunque tuviera un pasaporte, no viajaría al extranjero.
5. Le hacen una rebaja siempre que paga al contado.
6. Le hacen una rebaja siempre que pague al contado.
7. Salía a pasearse siempre que podía.
8. Saldría a pasearse siempre que pudiera.
9. Esta mesa será bonita con tal que la pintes.
10. Esta mesa sería bonita con tal que la pintaras.
11. ¿ Acaso tienes la llave ?
12. — No, quizá la tenga el portero.
13. Tal vez se case este año.
14. A lo mejor se casará este año.

B 3   REMARQUES

■ **aunque** + **indicatif** se traduit en français par *bien que* + subjonctif.
aunque + **subjonctif** se traduit en français par *même si* + indicatif.
Remarquez que l'emploi de l'indicatif et du subjonctif est dans ce
cas, en espagnol, à l'inverse du français.

■ **siempre que** + **indicatif** se traduit par *chaque fois que, toutes
les fois que* et **siempre que** + **subjonctif** se traduit par *pourvu
que, si toutefois, à condition que* ; **con tal que**, toujours suivi du
subjonctif, a les mêmes sens : *pourvu que, si toutefois, à condition
que*.

■ **taz vez**, **quizá** (**quizás**), **acaso**, *peut-être*, sont généralement
placés après un verbe à l'indicatif. L'aspect de doute peut être ren-
forcé en les plaçant devant un verbe au subjonctif :

    quizá tengas razón, *peut-être as-tu raison*

a lo mejor ne s'emploie qu'avec l'indicatif ou le conditionnel. Dans
une phrase interrogative, **acaso** peut avoir le sens de *par hasard* :

    ¿ **acaso lo sabes ?**, *le sais-tu par hasard ?*

B 4   TRADUCTION

1. Bien que je leur dise la vérité, ils se fâchent.
2. Même si je leur dis la vérité, ils se fâchent.
3. Bien qu'il ait un passeport, il ne voyageait pas à l'étranger.
4. Même s'il avait un passeport, il ne voyagerait pas à l'étranger.
5. On lui fait un rabais chaque fois qu'il paie au comptant.
6. On lui fait un rabais à condition qu'il paie au comptant.
7. Il sortait se promener à chaque fois qu'il le pouvait.
8. Il sortirait se promener pourvu qu'il le puisse.
9. Cette table sera jolie si toutefois tu la peins.
10. Cette table serait jolie à condition que tu la peignes.
11. As-tu la clef par hasard ?
12. — Non, peut-être que le portier l'a (l'aura).
13. Peut-être se mariera-t-il cette année.
14. Il se mariera peut-être cette année.

C 1   ÉNONCÉ

A. Faire une seule phrase en la commençant avec *cuando*

1. Terminaré la carrera. Iré a Bolivia.
2. Lloverá. No iremos a la playa.
3. Hará buen tiempo. Te llamaré por teléfono.
4. Tendré mi pasaporte. Viajaré.

B. Faire une seule phrase en la commençant avec *si*

1. Les diría la verdad. Se enfadarían.
2. Haría sol. Saldría a pasearme.
3. Pagarían al contado. Tendrían una rebaja.
4. Llovería. No iría al campo.

C. Traduire

1. Bien qu'il ne sache pas l'espagnol, il va en Argentine.
2. Même si je ne le savais pas, j'irais aussi.
3. Il partira dès qu'il aura son passeport.
4. Si tu le lui disais, elle ne serait pas contente.
5. Vous devrez arroser tant qu'il ne pleuvra pas.
6. S'il venait, nous irions nous baigner.
7. Aussitôt qu'ils le pourront, ils se marieront.
8. Peut-être sortirons-nous nous promener.
9. Ils nous feront peut-être un rabais.

C 2   RÉCAPITULATION

A. Répondre affirmativement avec l'impératif et les pronoms compléments

1. ¿ Te traigo el correo ?
2. ¿ Os traduzco la carta ?
3. ¿ Le mando a Ud el paquete ?
4. ¿ Les pido a ellos la dirección ?

B. Répondre avec les formes appropriées de l'impératif

1. ¿ Quieres que me vaya ?   — Sí, _____   — No, _____
2. ¿ Quieres que nos vayamos ?   — Sí, _____   — No, _____
3. ¿ Quiere Ud que me vaya ?   — Sí, _____   — No, _____
4. ¿ Quiere Ud que nos vayamos ?   — Sí, _____   — No, _____

(Voir corrigé p. 378.)

C 3   CORRIGÉ

A.

1. Cuando termine la carrera, iré a Bolivia.
2. Cuando llueva, no iremos a la playa.
3. Cuando haga buen tiempo, te llamaré por teléfono.
4. Cuando tenga mi pasaporte, viajaré.

B.

1. Si les dijera la verdad, se enfadarían.
2. Si hiciera sol, saldría a pasearme.
3. Si pagaran al contado, tendrían una rebaja.
4. Si lloviera, no iría al campo.

C.

1. Aunque no sabe el español, va a Argentina.
2. Aunque yo no lo supiera, iría también.
3. Se marchará en cuanto tenga su pasaporte.
4. Si se lo dijeras, ella no estaría contenta.
5. Ud tendrá que regar mientras no llueva.
6. Si él viniera, iríamos a bañarnos.
7. Tan pronto como puedan, se casarán.
8. Quizás (acaso, tal vez) salgamos a pasearnos.
9. Nos harán una rebaja a lo mejor (quizás, acaso, tal vez).

C 4   CIVILISATION : les **tapas**

■ Les Espagnols ont coutume d'aller *faire la tournée des bistrots*, **ir de chateo**, avec des amis avant de rentrer chez eux déjeuner ou dîner. Pour combattre l'effet de l'alcool, ils prennent des **tapas**, **amuse-gueule** qui vont des simples *olives*, **aceitunas**, aux *poissons frits*, **pescadito frito**, **riñones**, *rognons*, **gambas**, **tortilla**, *omelette*, **chorizo**, **jamón serrano**, *jambon de montagne*, etc. Ces **tapas** se commandent en **ración**, en *portion* et s'accompagnent de *bière*, **cerveza** ou d'un **chato**, *petit verre de vin rouge*. Après le dîner, on peut sortir **tomar una copa**, *prendre un verre* : **güisqui**, *whisky*, **cubalibre**, *rhum-Coca*, **gin-tonic**, etc. Cela peut durer et se terminer au petit matin avec un **chocolate con churros**, *chocolat avec des beignets*.

D 1 SALIR POR LA NOCHE

festejar	divertirse
el ocio	distraerse/entretenerse
el baile	estar de fiesta
invitar a una cena	invitar a una copa
el ambiente	animar
el juerguista	irse de juerga
pasarlo bien	pasarlo mal
divertido	aburrido
aguar la fiesta	bromear
el escándalo nocturno	la hora de cierre
ir de copas	salir por la noche
tomar una copa	la cuadrilla
el pub	el bar
la cervecería	la barra
la discoteca	estar borracho

D 2 DIALOGUE

C = Carlos   Q = Quique   S = Sol

S — **Carlos ha encontrado trabajo y quiere invitarnos a tomar una copa.**

Q — **Vaya, me alegro. ¿ A qué hora has quedado ?**

S — **A las doce, con toda la cuadrilla.**

Q — **Perfecto, pero sólo una, el alcohol ya no me sienta bien.** *(En el pub [1])*

S — **Quique, es el sexto gin-tonic que te tomas y tienes una cogorza.**

Q — **Eso no es nada, yo aguanto bien el alcochol.**

S — **¿ No decías que no te sentaba bien ?**

Q — **Sí, pero salir de marcha de vez en cuando no hace daño a nadie. ¿ Dónde está Carlitos ?**

C — **Estoy aquí. Te invito a un cubalibre [2], Quique.**

Q — **Gracias, amigo. Prefiero seguir con los gin-tonic. Tú, tómate otro cubata [2] que esta ronda la pago yo.**

---

1. **pub** : l'usage est de prononcer « **paf** ».
2. **cubalibre, cubata** : mélange de rhum et de Coca-Cola.

D 3 SORTIR LE SOIR

fêter	*s'amuser*
les loisirs	*se distraire*
le bal	*faire la fête*
inviter à dîner	*inviter à prendre un verre*
l'ambiance	*animer*
le noceur	*aller faire la bringue*
s'amuser	*s'ennuyer*
amusant	*ennuyeux*
gâcher l'ambiance	*plaisanter*
le tapage nocturne	*l'heure de fermeture*
aller boire un verre	*sortir la nuit*
prendre un verre	*la bande d'amis*
le pub	*le bistrot*
la brasserie	*le comptoir*
la discothèque, la boîte	*être soûl*

D 4 TRADUCTION

C = Carlos   Q = Quique   S = Sol

S — Carlos a trouvé du travail et il veut nous inviter boire un verre.

Q — Je suis content pour lui. À quelle heure as-tu pris rendez-vous ?

S — À minuit avec toute la bande.

Q — Parfait, mais seulement un verre, l'alcool ne me réussit plus. *(Dans le pub)*

S — Quique, c'est le sixième gin-tonic que tu prends, tu as une de ces cuites !

Q — Ça c'est rien, je supporte bien l'alcool.

S — Tu disais que ça ne te réussissait pas.

Q — Oui, mais faire la bringue de temps en temps, ça ne fait de mal à personne. Où est Carlitos ?

C — Je suis là. Je t'invite à un « cubalibre », Quique.

Q — Merci, l'ami. Je préfère continuer au gin-tonic. Toi, prends un autre « cubata », cette tournée, c'est moi qui la paye.

A 1   PRÉSENTATION

- Passé simple irrégulier : verbes en ~**ducir**

conducir   *conduire*

conduje	*j'ai conduit*
condujiste	
condujo	
condujimos	
condujisteis	
condujeron	

- Imparfaits du subjonctif   I. **condujera**, ..., II. **condujese**, ...

- Comparatifs :   **más ... que**   *plus ... que*
  menos ... que   *moins ... que*
  tan ... como   *aussi ... que*

la fábrica	*l'usine*	**despacio**	*lentement*
los gastos	*frais, dépenses*	**rápidamente**	*rapidement*
el horario	*l'horaire*	**tampoco**	*non plus*
los negocios	*les affaires*	**introducir**	*introduire*
la producción	*la production*	**producir**	*produire*
el texto	*le texte*	**reducir**	*réduire*
próximo	*prochain*	**traducir**	*traduire*

A 2   APPLICATION

1. Conduce el coche. Lo conduje también.
2. Traduzco el texto. Ud lo tradujo también.
3. No reducimos los gastos. No los redujeron tampoco.
4. No reducen el horario. No lo redujimos tampoco.
5. Hizo falta que introdujeran cambios.
6. No conduzca Ud tan rápidamente, por favor.
7. — Ya reduje la velocidad.
8. Conduzco más despacio que antes.
9. — Ayer condujo Ud menos rápidamente que hoy.
10. — Sí, pero hoy conduzco tan prudentemente como ayer.
11. ¿ Qué sabe Ud de la producción de la fábrica ?
12. — Era necesario que la fábrica produjera más y produce más. Es posible que produzca más el año próximo.

A 3 REMARQUES

■ Irrégularités des présents des verbes en **~ducir** (p. 362).
Présent indicatif : **conduzco**, **conduces**, **conduce**, etc.
Présent subjonctif : **conduzca**, **conduzcas**, **conduzca**, etc.
Ces verbes comportent aussi une irrégularité au passé simple,
conduje, et aux deux imparfaits du subjonctifs **condujera** et
condujese.

■ Les comparatifs des adjectifs et des adverbes
Supériorité :	**más** (alto) **que**	=	*plus (grand) que*
Infériorité :	**menos** (alto) **que**	=	*moins (grand) que*
Égalité :	**tan** (bajo) **como**	=	*aussi (petit) que.*

■ Formation des adverbes avec le suffixe **~mente**.
Forme féminine ou unique de l'adjectif + **~mente** :

lento, *lent*	→	**lentamente**, *lentement*
prudente, *prudent*	→	**prudentemente**, *prudemment*

■ Dans une série d'adverbes consécutifs, seul le dernier se termine
par **~mente** :

lenta y prudentemente, *lentement et prudemment*

A 4 TRADUCTION

1. Il conduit la voiture. Je l'ai conduite aussi.
2. Je traduis le texte. Vous l'avez traduit aussi.
3. Nous ne réduisons pas les frais. Ils ne les ont pas réduits non plus.
4. Ils ne réduisent pas l'horaire. Nous ne l'avons pas réduit non plus.
5. Il a fallu qu'ils introduisent des changements.
6. Ne conduisez pas aussi rapidement, s'il vous plaît.
7. — J'ai déjà réduit la vitesse.
8. Je conduis plus lentement qu'auparavant.
9. — Hier vous avez conduit moins rapidement qu'aujourd'hui.
10. — Oui, mais aujourd'hui je conduis aussi prudemment qu'hier.
11. Que savez-vous de la production de l'usine ?
12. — Il était nécessaire que l'usine produise plus et elle produit plus.
Il est possible qu'elle produise plus l'année prochaine.

B 1   PRÉSENTATION

● Verbes en **~uir** : **construir**, *construire*

Présent indicatif	construyo construyes construye construimos construís construyen	Passé simple	construí construiste construyó construimos construisteis construyeron
Présent subjonctif	construya, ...	Imparfaits subjonctif	I. **construyera**, ... II. **construyese**, ...

el país	le pays	constituir	constituer
el precio	le prix	contribuir	contribuer
el ruido	le bruit	destruir	détruire
la seguridad	la sécurité	disminuir	diminer
la sociedad	la société	excluir	exclure
el socio	l'associé	huir	fuir
así	ainsi	incluir	inclure

B 2   APPLICATION

1. El año pasado constituyeron una nueva sociedad.
2. No incluyeron mi nombre en la lista de los socios.
3. Este año constituyen otra sociedad.
4. Ya no me excluyen de la lista de los socios.
5. Conduzca más despacio. Disminuya la velocidad.
6. Hace falta que Ud conduzca más despacio y así contribuya a la seguridad de todos.
7. Construyen tantas casas nuevas como en otros países.
8. Construyeron más casas nuevas que el año pasado.
9. Destruyeron menos casas antiguas que antes.
10. Haría falta que disminuyeran los precios.
11. Huyo de los ruidos de la gran ciudad.
12. — ¡ Ojalá los huya yo también un día !
13. Huyó de los ruidos de la capital.
14. — ¡ Ojalá los huyéramos también un día !

B 3   REMARQUES

▪ Les verbes en **~uir** (type **construir**) intercalent un **y** entre le radical et la terminaison lorsque celle-ci ne commence pas par un **i** accentué.

Cette modification se présente aux présents de l'indicatif et du subjonctif, au passé simple, et aux imparfaits du subjonctif.

▪ Accompagnant un nom, *autant de ... que* se traduit **tanto**, **~a**, **~os**, **~as ... como** : *... tantas casas como ...*, *autant de maisons que ...* ; *autant ... que* se traduit par **tanto ... como**, invariable.

▪ Traduction de *ne ... plus* : **ya no** + verbe (voir p. 209).

      ya no juega, *il ne joue plus*

▪ **Apocope :** perte d'une ou plusieurs lettres à la fin d'un mot ; **grande** devient **gran** devant un nom masculin ou féminin. (Autres apocopes p. 344).

▪ **ojalá + présent du subjonctif** : *pourvu que, plaise à Dieu* : **ojalá venga**, pourvu qu'il vienne ; **ojalá + imparfait du subjonctif** : *si seulement* : **ojalá viniera**, *si seulement il venait*.

B 4   TRADUCTION

1. L'année dernière ils ont constitué une nouvelle société.
2. Ils n'ont pas inclus mon nom sur la liste des associés.
3. Cette année, ils constituent une autre société.
4. Ils ne m'excluent plus de la liste des associés.
5. Conduisez plus lentement. Diminuez la vitesse.
6. Il faut que vous conduisiez plus lentement et qu'ainsi vous contribuiez à la sécurité de tous.
7. Ils construisent autant de maisons nouvelles que dans d'autres pays.
8. Ils ont construit plus de maisons nouvelles que l'année dernière.
9. Ils ont détruit moins de maisons anciennes qu'auparavant.
10. Il faudrait qu'ils diminuent les prix.
11. Je fuis les bruits de la grande ville.
12. — Pourvu que je les fuie aussi un jour. (Plaise au ciel ...).
13. Il a fui les bruits de la capitale.
14. — Si seulement nous les fuyions aussi un jour.

C 1   ÉNONCÉ

A. Mettre au passé simple

1. Traduzco esta novela con el diccionario.
2. Reducimos los gastos de la sociedad.
3. Producen menos que el año anterior.
4. Conduces más despacio que antes.
5. Contribuyen a la construcción de esas casas.
6. Disminuimos los gastos de la fábrica.
7. Constituyo una colección de libros de arte.
8. Lo incluyen todo en el precio.

B. Traduire

1. Je conduis plus lentement qu'auparavant.
2. J'ai déjà conduit plus rapidement (más de prisa).
3. Il fallait que je réduise ma vitesse.
4. Il est nécessaire de contribuer à la sécurité de tous.
5. Nous constituons une nouvelle société.
6. Il faudrait que nous construisions autant de maisons qu'avant.
7. Il faut aussi que nous réduisions nos frais.
8. Cette usine n'a pas produit autant que l'année dernière.
9. Nous n'avons pas réduit les frais non plus.
10. Il a fui la cohue (el barullo) de la grande ville.
11. Si seulement je fuyais aussi tous ces ennuis (dificultades) !

C 2   RÉCAPITULATION

Compléter en mettant le verbe à la forme correcte du subjonctif

1. (poder)   En cuanto lo _____ Francisco, nos ayudará.
2. (poder)   Si lo _____ Francisco, nos ayudaría.
3. (ver)   Tan pronto como los _____, se lo diremos.
4. (ver)   Si los _____, se lo diríamos.
5. (conducir)   Cuando _____ más despacio, te prestaré mi coche.
6. (conducir)   Si _____ más despacio, te prestaría mi coche.
7. (hacer)   Mientras _____ frío, nos quedaremos en casa.
8. (hacer)   Si _____ frío, nos quedaríamos en casa.

(Voir corrigé p. 378.)

C 3   CORRIGÉ

A.

1. Traduje esta novela con el diccionario.
2. Redujimos los gastos de la sociedad.
3. Produjeron menos que el año anterior.
4. Condujiste más despacio que antes.
5. Contribuyeron a la construcción de esas casas.
6. Disminuimos los gastos de la fábrica.
7. Constituí una colección de libros de arte.
8. Lo incluyeron todo en el precio.

B.

1. Conduzco más despacio (lentamente) que antes.
2. Ya conduje más de prisa.
3. Hacía falta que redujera mi velocidad.
4. Es necesario contribuir a la seguridad de todos.
5. Constituimos una nueva sociedad.
6. Haría falta que construyéramos tantas casas como antes.
7. Hace falta también que reduzcamos nuestros gastos.
8. Esta fábrica no produjo tanto como el año pasado.
9. No redujimos los gastos tampoco.
10. Huyó del barullo de la gran ciudad.
11. ¡ Ojalá huyera yo también de todas estas dificultades !

C 4   CIVILISATION : les sports

En Espagne, *le sport*, **el deporte**, le plus populaire est *le foot-ball*, **el fútbol**. Mais on pratique aussi *le handball*, **el balonmano**, *le basket ball*, **el baloncesto**, *le patinage*, **el patinaje**, etc., ou encore un sport fortement enraciné dans la tradition du Nord de l'Espagne : *la pelote basque*, **la pelota vasca**.

1994 fut l'année du tennis, **el tenis**, espagnol : **Sergi Bruguera** gagna la finale de Roland-Garros pour la deuxième année consécutive face à l'Espagnol **Alberto Berasategui**. **Arantxa Sánchez** devint la joueuse numéro un mondiale après avoir gagné le Roland-Garros féminin. **Conchita Martínez** gagna la finale de Wimbledon en Angleterre.

Miguel Induráin cinq fois vainqueur du *Tour de France*, **la Vuelta a Francia**, est devenu le meilleur cycliste mondial. Il obtint la médaille d'or aux Jeux Olympiques d'Atlanta en 1996 et gagna le championnat du monde contre la montre en Colombie.

D 1   LOS DEPORTES

el campo de deportes	el estadio
el polideportivo	el deportista
hacer deporte	deportivo
el competidor	el entrenador
entrenarse	la clasificación
el fútbol	el baloncesto
el balonmano	el tenis
el golf	el atletismo
la gimnasia	el tiro con arco
el boxeo	la equitación
el ciclismo	la natación
el alpinismo	la carrera automovilística
la final	la semifinal
el campeón	el campeonato
la victoria	eliminar
marcar	un torneo

D 2   DIALOGUE

A = Andrés   L = Lucía

L — He decidido apuntarme a un gimnasio.
A — ¿ Quieres perder kilos ?
L — No, ¿ por qué ? ¿ Me estás insinuando que estoy gorda ?
A — ¡ Que va, mujer ! En absoluto.
L — Ah bueno, sin embargo, a ti no te vendría mal.
A — Yo, pero si estoy todo el santo día corriendo de acá para allá.
L — Pues no se nota porque has echado una barriga con tanta cerveza.
A — ¡ Y tú con todos esos pasteles que te comes ! Estaría bien hacer un poco de deporte.
L — ¿ Qué prefieres ? Hay tenis, gimnasia, natación, musculación, boxeo...
A — Ah no, boxeo no, que seguro que del primer derechazo estoy fuera de combate.

D 3   LES SPORTS

le terrain de sport   *le stade*
le complexe sportif   *le sportif*
faire du sport   *sportif*
le concurrent   *l'entraîneur*
s'entraîner   *le classement*
le football   *le basket-ball*
le hand-ball   *le tennis*
le golf   *l'athlétisme*
la gymnastique   *le tir à l'arc*
la boxe   *l'équitation*
le cyclisme   *la natation*
l'alpinisme   *la course automobile*
la finale   *la demi-finale*
le champion   *le championnat*
la victoire   *éliminer*
marquer des points   *le tournoi*

D 4   TRADUCTION

A = Andrés   L = Lucía

L — J'ai décidé de m'inscrire à un club de gym.

A — Tu veux perdre des kilos ?

L — Non, pourquoi ? Tu es en train d'insinuer que je suis grosse ?

A — Mais non, ma vieille ! Pas du tout !

L — Ah bon, en revanche, toi ça ne te ferait pas de mal.

A — Moi ! Mais, je passe toute la journée à courir ici et là.

L — On ne dirait pas, parce que tu as pris du ventre avec toute la bière que tu bois.

A — Et toi avec tous les gâteaux que tu manges ! Ça serait bien de faire un peu de sport.

L — Qu'est-ce que tu préfères ? Il y a du tennis, de la gym, de la natation, de la musculation, de la boxe…

A — Ah non, pas de boxe, c'est sûr qu'à la première droite, je suis hors combat.

A 1   PRÉSENTATION

- Les pronoms relatifs (I)

que, sujet ou complément	*que, qui* (personne, chose)
el hombre que habla	*l'homme qui parle*
la casa que ves	*la maison que tu vois*

el (la, los, las) que, **quien(es)**, sujet ou compl.	*qui* (pers.)
quien más tiene, más quiere	*qui plus a, plus veut avoir*
el señor a quien hablas	*le monsieur à qui tu parles*
el señor con quien hablas	*le monsieur avec qui tu ...*

el disco	*le disque*	**conocer**	*connaître*
la maestra	*l'institutrice*	**encontrar (ue)**	*trouver, rencontrer*
el sobrino	*le neveu*	**esperar**	*attendre*
delante de	*devant*	**jugar**	*jouer*
lejos	*loin*	**llamar**	*appeler*
ayudar	*aider*	**llegar**	*arriver*
callar	*se taire*	**pensar en**	*penser à*

A 2   APPLICATION

1. La semana que viene nos vamos de vacaciones.
2. Ha pagado la factura que no pude pagar.
3. He comprado un disco que vamos a escuchar.
4. Los trabajadores que vienen de lejos llegan tarde.
5. La señora a la que hablaste no es de aquí.
6. Tengo amigos en los que pienso mucho.
7. El chico a quien acompaño es mi sobrino.
8. Hablé con una señora a quien no conozco.
9. Son las personas a quienes ayudamos ayer.
10. Quien no sabe callar, no sabe hablar.
11. Los amigos a quienes llamo salen para Mallorca.
12. Él es quien debe esperarnos delante de la fábrica.
13. Jugaba la maestra con Perico, el cual nos estaba esperando.

A 3 REMARQUES

▓ **que**, *que* ou *qui*, est invariable et peut être indifféremment **sujet ou complément**. Si **que** est **complément indirect**, il est précédé de l'article **el**, **la**, **las**, **los** et d'une préposition :

la casa de la que saldrá, *la maison d'où il sortira.*

▓ **el**, **la**, **las**, **los cual(es)** : *lequel, laquelle, lesquels, lesquelles.*

▓ **quien**, ou **quienes** au pluriel, ne s'emploie que pour les personnes et ne porte jamais l'accent écrit, au contraire du pronom interrogatif. Lorsque **quien** est complément direct, il suit la règle concernant tous les compléments directs désignant des personnes et doit être précédé de la préposition **a** : **el chico a quien ves**, *le garçon que tu vois.*

▓ **quien(es)**, sujet ou complément, peut être remplacé par **el** (**la**, **los**, **las**) **que** : **quien** (ou **el que**) **no sabe callar ...**, *qui ne sait pas se taire ...* ; **la persona a quien** (ou **a la que**) **hablaste ...**, *la personne a qui tu as parlé ...*

▓ Attention : **la señora que mira** peut se traduire par *la dame qui regarde* ou par *la dame qu'il regarde*. Pour éviter toute confusion, on traduit le second cas par **la señora a quien mira**.

A 4 TRADUCTION

1. La semaine prochaine, nous partons en vacances.
2. Il a payé la facture que je n'ai pas pu payer.
3. J'ai acheté un disque que nous allons écouter.
4. Les travailleurs qui viennent de loin arrivent tard.
5. La dame à qui tu as parlé n'est pas d'ici.
6. J'ai des amis auxquels je pense beaucoup.
7. Le garçon que j'accompagne est mon neveu.
8. J'ai parlé avec une dame que je ne connais pas.
9. Ce sont les personnes que nous avons aidées hier.
10. Qui ne sait pas se taire, ne sait pas parler.
11. Les amis que j'appelle partent pour Mallorque.
12. C'est lui qui doit nous attendre devant l'usine.
13. L'institutrice jouait avec Pierrot qui nous attendait.

B 1 PRÉSENTATION

● Les pronoms relatifs (II)

préposition + **que** (choses)	*dont* (compl. de verbe)
la casa de que hablo	*la maison dont je parle*

prép. + **quien(es)** (pers.)	*dont* (compl. de verbe)
el señor de quien hablo	*l'homme dont je parle*

cuyo/a/os/as + nom	*dont* (compl. de nom)
la señora cuya hija ...	*la dame dont la fille ...*
la señora cuyos hijos ...	*la dame dont les fils ...*

el actor	*l'acteur*	el jefe	*le chef*
la ayuda	*l'aide*	la obra	*l'œuvre*
el almacén	*le magasin*	el terreno	*le terrain*
el arroz	*le riz*	el vecino	*le voisin*
el asunto	*l'affaire*	atender a	*s'occuper de*
la avería	*la panne*	importar	*importer* :
la cocina	*la cuisine*	ocurrir	*arriver*
el éxito	*le succès*	quejarse	*se plaindre*

B 2 APPLICATION

1. El almacén de que hablábamos está cerrado.
2. Pienso en el asunto de que nos hablaron anteayer.
3. El terreno que necesito es demasiado caro.
4. Se importa el arroz con que se alimentan.
5. Son los muchachos de quienes se habló tanto.
6. Es el vecino de quien se quejaban.
7. La avería de la cual (de que) se queja ocurrió ayer.
8. Es un amigo cuyo hermano es actor.
9. Este escritor cuyas obras tienen mucho éxito es peruano.
10. Te presento al señor López cuyos hijos estudian aquí.
11. Jorge, cuya casa es muy grande, nos invita a todos.
12. Luis, de cuyos padres hablabas, es mi vecino.
13. Cándido, el jefe por cuya cocina fuimos a Segovia, nos atendió muy bien.
14. Don Felipe, gracias a cuya amabilidad pudimos terminar, es muy simpático.

B 3 REMARQUES

■ *dont*, **complément d'un verbe**, se traduit par un pronom relatif, **que**, **quien(es)** ou **el/la/los/las cuales**, précédé de la préposition régie par le verbe (le plus souvent **de**), s'il y en a une. Attention aux prépositions espagnoles qui ne correspondent pas aux françaises : **alimentarse con**, *se nourrir de* ; **inspirarse en**, *s'inspirer de* ; **contentarse con**, *se contenter de* ; **necesitar** (sans prép.), *avoir besoin de* ; **agradecer** (sans prép.), *remercier de* (p. 348).

■ *dont*, complément d'un nom précédé de l'article défini se traduit par **cuyo/a/os/as** qui précèdent le nom (sans article) et s'accordent en genre et en nombre avec lui : **cuyo hijo**, *dont le fils* ; **cuyas hijas**, *dont les filles*.

■ Lorsqu'ils sont précédés d'une préposition, **cuyo/a/os/as** se traduisent par *duquel*, *de laquelle*, *desquels*, *desquelles* : **el vecino por cuyo hijo ...**, *le voisin par le fils duquel ...*

■ Traduction de *on*, voir p. 348.

B 4 TRADUCTION

1. Le magasin dont nous parlions est fermé.
2. Je pense à l'affaire dont ils nous ont parlé avant-hier.
3. Le terrain dont j'ai besoin est trop cher.
4. On importe le riz dont ils s'alimentent.
5. Ce sont les jeunes gens dont on a tant parlé.
6. C'est le voisin dont ils se plaignaient.
7. La panne dont il se plaint s'est produite hier.
8. C'est un ami dont le frère est acteur.
9. Cet écrivain dont les œuvres ont beaucoup de succès est péruvien.
10. Je te présente monsieur Lopez dont les fils étudient ici.
11. Georges, dont la maison est très grande, nous invite tous.
12. Louis, des parents duquel tu parlais, est mon voisin.
13. Candido, le chef pour la cuisine duquel nous sommes allés à Ségovie, nous a très bien accueillis.
14. Monsieur Philippe, grâce à l'amabilité duquel nous avons pu terminer est très sympathique.

C 1 ÉNONCÉ

A. Former une seule phrase avec *que* ou *quien*

1. He hablado con un chico. No le conozco.
2. Es mi vecino. Te quejas de él.
3. He comprado discos. Vamos a escucharlos.
4. Pagaron la factura. No pudimos pagarla.
5. Conoces a estas personas. Las ayudamos.

B. Réunir les deux phrases avec *cuyo*

1. Ves la casa. Sus ventanas están cerradas.
2. Es mi amigo. Su hermano es actor.
3. Es mi hermana. Su novio está en Guatemala.
4. Te presento a Don Luis. Sus hijos estudian aquí.
5. Es un escritor. Sus libros se venden muy bien.

C. Traduire (*la cousine* = **la prima** ; *meilleur* = **mejor**)

1. Le magasin dont nous parlons est ouvert.
2. Louis, avec qui tu parles, est mon meilleur ami.
3. Nous avons lu ce livre dont on parle tant.
4. C'est le garçon dont les parents vivent en Espagne.
5. La jeune fille que j'accompagne est ma cousine.
6. Charles avec le frère duquel tu parlais est mon voisin.
7. Je pense à l'affaire dont nous avons parlé hier.
8. Ils importent le riz dont ils ont besoin.

C 2 RÉCAPITULATION

Compléter les phrases avec POR ou PARA

1. Tenemos que mandarlas _____ correo aéreo.
2. Están aquí _____ decidir qué se debe hacer.
3. Al llegar, cambiaremos francos _____ pesetas.
4. Cuando paséis _____ Sevilla, venid a vernos.
5. Saldremos _____ Buenos Aires el martes que viene.
6. Creo que se fueron a Santiago _____ dos semanas.
7. Quisiera que lo hicieras _____ mañana _____ la tarde.
8. Este regalo es _____ ti, no _____ tu hermana.
9. Proponen comprarlo _____ unos diez millones de pesos.
10. Esta casa fue destruida _____ un ciclón tropical.

(Voir corrigé p. 378.)

C 3   CORRIGÉ

A.

1. He hablado con un chico que (a quien) no conozco.
2. Es mi vecino de quien (del que) te quejas.
3. He comprado discos que vamos a escuchar.
4. Pagaron la factura que no pudimos pagar.
5. Conoces a estas personas a quienes (a las que) ayudamos.

B.

1. Ves la casa cuyas ventanas están cerradas.
2. Es mi amigo cuyo hermano es actor.
3. Es mi hermana cuyo novio está en Guatemala.
4. Te presento a Don Luis cuyos hijos estudian aquí.
5. Es un escritor cuyos libros se venden muy bien.

C.

1. El almacén de que (del que) hablamos está abierto.
2. Luis, con quien hablas, es mi mejor amigo.
3. Leímos este libro de que (del que) se habla tanto.
4. Es el chico cuyos padres viven en España.
5. La chica que (a quien) acompaño es mi prima.
6. Carlos con cuyo hermano hablabas es mi vecino.
7. Pienso en el asunto de que (del que) hablamos ayer.
8. Importan el arroz que necesitan.

C 4   CIVILISATION : les pièges de la langue

■ L'espagnol est une langue issue du latin comme le français, le portugais, l'italien et le roumain. Le français et l'espagnol ont de nombreux mots qui se ressemblent et qui ont parfois le même sens : *différent*/**diferente**, *grand*/**grande**, etc. Mais souvent aussi, la ressemblance est un piège, **una trampa**, et les sens sont différents.

■ En plus des difficultés grammaticales propres à chaque langue, il y a toute une catégorie de mots qui n'ont pas le sens que leur forme suggère, ce sont de « faux amis », **falsos amigos** : **subir**, signifie *monter* et non pas *subir* ; **el dinero** désigne *l'argent* et non pas *le dîner*, etc. Il faut donc être très prudent et, en cas de doute ou d'ignorance, consulter un dictionnaire et ne pas croire qu'ajouter un **o** ou un **a** fera l'affaire.

D 1 LOS FALSOS AMIGOS

el caramelo	el bombón
la carta	la tarjeta postal
el cigarro (cigarrillo)	el puro
el constipado (la constipación)	el estreñimiento
el gato	el pastel
el paisano	el campesino
la tabla	la mesa
largo	ancho
gustar	probar
quitar	dejar
repasar	planchar
sentir	oler
subir	sufrir
el suceso	el éxito
el fracaso	el estrépito

D 2 DIALOGUE

B = Béatrice   C = Charles   M = María   D = Diego

B — ¡ Qué casa tan bonita tenéis ! La amo mucho.

D — Quieres decir que te gusta mucho, ¿ no ?

B — Eso es, claro, claro.

M — Bueno, para celebrarlo he hecho une tarta de fresa.
¿ Quién la quiere partir ?

B — Ah, ¿ pero ya tenemos que « partir » ?

M — No hombre, no os tenéis que ir, lo que quiero decir es que
hay que cortar el pastel.

B — Ah, perdón. ¡ Mm, qué bien « siente » este pastel !

D — Me parece que tenemos que repasar el español juntos.

B — Ay, ¿ otra vez he metido la pata ?

D — No, sólo que se dice que el pastel « huele » bien.

C — Es verdad. Te lo he repetido mil veces, oler y no sentir.

D — Venga, venga que no importa, vamos a comernos el pastel
que me muero de hambre.

D 3   LES FAUX AMIS

le bonbon	*le chocolat (bouchée)*
la lettre	*la carte postale*
la cigarette	*le cigare*
le rhume	*la constipation*
le chat	*le gâteau*
le compatriote	*le paysan*
la planche	*la table*
long	*large*
aimer, plaire	*goûter*
enlever	*quitter, laisser*
réviser	*repasser*
ressentir	*sentir (odeur)*
monter	*subir*
l'événement	*le succès*
l'échec	*le fracas*

D 4   TRADUCTION

B = Béatrice   C = Charles   M = María   D = Diégo

B — Quelle jolie maison vous avez ! je « l'aime » beaucoup.

D — Tu veux dire qu'elle te plaît beaucoup, n'est-ce pas ?

B — C'est ça, bien sûr.

M — Bon, pour fêter ça j'ai fait une tarte à la fraise. Qui veut la couper ?

B — Ah, mais il faut déjà partir ?

M — Mais non, vous ne devez pas partir, ce que je veux dire c'est qu'il faut couper le gâteau.

B — Ah, pardon. Mm, qu'est-ce qu'il « ressent » bon ce gâteau !

D — Je crois que nous devons réviser l'espagnol ensemble.

B — Oh, j'ai encore fait une gaffe ?

D — Non, c'est seulement qu'on dit que le gâteau « sent » bon.

C — C'est vrai. Je te l'ai déjà répété mille fois, « **oler** » et non « **sentir** ».

D — Allez, allez, ce n'est pas grave, mangeons le gâteau, je meurs de faim.

31. Síento que él se _____ y que tú te _____ .

a) divierte — aburres
b) divierta — aburres
c) divierte — aburras
d) divierta — aburras

32. Me _____ que no _____ tiempo y _____ más.

a) piden — pierdas — trabajes
b) pedirán — pierdes — trabajas
c) pedían — perdiera — trabajara
d) pedían — pierda — trabaje

33. Yo no me _____ que _____ así y que ellos _____ de acuerdo.

a) imagino — fuese — estuviesen
b) imaginé — fuera — estuvieran
c) imaginó — fuera — estuviesen
d) imaginé — sea — estén

34. _____ útil que nos _____ al corriente para que _____ ayudar a ese señor.

a) Era — pusiéramos — pudiéramos
b) Será — pusiéramos — pudiéramos
c) Era — pudiéramos — pudiéramos
d) Fue — pongamos — podamos

35. Me _____ mucha pena que tú no _____ nada.

a) dijo — trajeras
b) dio — trajeses
c) dice — traigas
d) dirá — traigas

(Voir corrigé p. 378.)

36. Nos _____ que nos _____ y no _____ más.

    a) pidió   —   arrepintamos   —   mintamos
    b) pedía   —   arrepentíamos   —   mentíamos
    c) pidió   —   arrepintiéramos   —   mintiéramos
    d) pedirá   —   arrepintiésemos   —   mintiésemos

37. _____ si quieres, pero no _____ demasiado.

    a) Diviértase   —   se divierta
    b) Divertíos   —   os divirtáis
    c) Te diviertes   —   se divertía
    d) Diviértete   —   te diviertas

38. ¿ Qué has dicho ? ¿ En cuanto _____ , vendré o si _____ , vendría ?

    a) podías   —   pudieras
    b) pueda   —   pudiese
    c) pueda   —   podía
    d) puede   —   pueda

39. No está él pero, aunque _____ , lo _____ .

    a) está   —   haríamos
    b) estuviera   —   haríamos
    c) esté   —   hacíamos
    d) estará   —   haríamos

40. Este es el señor _____ sobrino me trad_____ el texto.

    a) del que el   —   ....ujo
    b) cuyo   —   ....ució
    c) de quien el   —   ....ujo
    d) cuyo   —   ....ujo

(Voir corrigé p. 378.)

SOMMAIRE
DU PRÉCIS GRAMMATICAL

PRÉCIS GRAMMATICAL

1 - LA PRONONCIATION DES LETTRES ESPAGNOLES

1. Les voyelles :

- **a**, **o**, et **i** se prononcent comme en français.
- **e** se prononce comme le *é* français dans *café*.
- **u** se prononce comme le mot français *ou*.

Le son nasal français (voyelle + **n** ou **m**) n'existe pas en espagnol. La voyelle précédant le **n** ou le **m** doit être clairement perçue : **in** [i-n], **im** [i-m], etc.

2. Les consonnes :

- **c** devant **a**, **o**, **u**, ou devant une consonne se prononce comme le français [k] dans le mot *cacao*.
- **c** devant **e** et **i** et le **z** devant **a**, **o** et **u** se prononcent en mettant le bout de la langue entre les dents légèrement écartées (son proche du [th] anglais dans *the*).
- **ch** se prononce [tch] comme dans *tchèque*.
- **d** se prononce comme en français sauf le **d final** qui se prononce comme un **z** très affaibli (prononciation madrilène : **Madrid** [madriz]) ou pas du tout.
- **g** devant **a**, **o**, **u**, et devant une consonne se prononce comme en français. Devant **e** et **i**, il a le son du **j** espagnol, **la jota**, (p. 15).
- **h** est toujours muet en espagnol.
- **j**, **la jota** se prononce un peu comme le [ch] allemand (voir p. 15)
- **ll** peut avoir le son mouillé des mots français *lieu* (**l** initial) ou *fille* (entre deux voyelles).
- **ñ** (**n tilde**) se prononce comme le son [gne] français dans *Espagne*. Mais **digno** [dig-no], en deux syllabes.
- **q** est toujours accompagné d'un **u** et se prononce [k].
- **r** est toujours **roulé** (p. 15) ; le **r initial** et **rr** comportent plusieurs vibrations.
- **s** se prononce toujours comme le double **s** français du mot *cassé*.
- **v** se prononce presque **b**, surtout en début de mot.
- **x** se prononce généralement comme en français entre deux voyelles et **s** devant une consonne. Dans les noms propres mexicains, placé entre deux voyelles, il se prononce comme **la jota** : **México** [méjiko].

Les autres consonnes se prononcent comme en français.

2 - LE RÔLE DE L'ACCENT ÉCRIT EN ESPAGNOL

Revoir l'accentuation (p. 13)

- L'accent écrit marque un accent tonique en position anormale : **el lápiz** [l**a**piz], *le crayon* ; **el fútbol** [f**ou**tbol], etc.

- Il distingue des mots de même son mais à la fonction grammaticale différente : **él** (*il, lui*) **el** (l'article *le*) ; **sé** (*je sais*) **se** (pronom *se*) ; **cómo** (*comment*) **como** (*comme*), etc.

- Il évite que deux voyelles se prononcent en une seule syllabe (diphtongue) : **el río** [r**i**o] *le fleuve* ; **un policía** [poliz**i**a] *un policier* ou *un agent*, etc.

- On le trouve encore sur les mots interrogatifs : **¿ Quién ?** [ki**é**-n] *qui ?* **¿ Dónde ?** [d**o**-ndé] *où ?*, etc.

- Lorsqu'il y a **enclise**, c'est-à-dire déplacement du (ou des) pronom(s) après le verbe à l'infinitif, au gérondif et à l'impératif affirmatif, l'accentuation du verbe ne change pas et si cela est devenu nécessaire, il faut écrire l'accent sur la voyelle tonique : **dígame**, *dites-moi* ; **¿ quiere Ud traérmelo ?** *voulez-vous me l'apporter ?*

3 - L'ARTICLE

1. L'article défini :

| masculin | **el** (singulier) | **los** (pluriel) |
| féminin | **la** (singulier) | **las** (pluriel) |

Contractions au masculin singulier :
     a + el = al   de + el = del

lo, employé comme article, transforme un adjectif ou un participe en véritable nom : **lo mismo**, *la même chose* ; **lo contrario**, *le contraire* etc. ou se traduit par *ce que* : **lo cierto** *ce qui est certain* ; etc.

lo + adjectif + **que** se traduit par *comme* ou *combien* : **lo simpático que es**, *comme il est sympathique*.

L'article défini est généralement omis devant les noms de pays et de provinces : **Francia**, *la France*.
Principales exceptions : **el Perú, el Ecuador, la China, el Canadá, el País Vasco**, *le Pays basque* ; etc.

2. L'article indéfini :

| masculin | **un** (singulier) | – (pluriel) |
| féminin | **una** (singulier) | – (pluriel) |

Le pluriel indéfini se présente généralement sans article en espagnol :

¿ tienes libros ? *as-tu des livres ?*

Cependant **unos** (ou **unas**) est utilisé au début d'une phrase (**unos amigos me invitaron**, *des amis m'ont invité*), devant les mots pluriel qui désignent un seul objet (**unas tijeras**, *des ciseaux*) ou les deux objets d'une paire (**unos guantes**, *des gants*) et devant un pluriel qui désigne un groupe restreint (**tengo unos amigos muy simpáticos**, *j'ai des amis très sympathiques*). Il est aussi l'équivalent du français *quelque* dans l'approximation numérique (**vale unos doscientos euros**, *cela vaut quelque 200 euros*).

L'article indéfini est omis devant **otro**, *un autre* ; **medio**, *un demi* ; **cierto**, *un certain* ; etc.

Attention : Les articles **el** et **un** s'emploient aussi devant un nom féminin commençant par **a~** (ou **ha~**) accentué : **el agua**, *l'eau* ; **el hambre**, *la faim* ; **un ave**, *un oiseau*.

3. **L'article partitif** n'est pas utilisé en espagnol : **bebo agua**, *je bois de l'eau* ; **come pan**, *il mange du pain*.

4 - LE MASCULIN ET LE FÉMININ

1. Les noms **masculins** sont généralement terminés par **~o** et les mots **féminins** par **~a**. Le genre des mots terminés par d'autres voyelles ou des consonnes est indiqué par l'article : **la leche**, *le lait* ; **el papel**, *le papier*.
Principales exceptions : **la foto** ; **la radio** ; **la mano**, *la main* ; **el día**, *le jour* ; **el problema** ; **el artista** ; **el turista** ; **el colega** ; **el cura**, *le prêtre* ; **el Sena**, *la Seine* ; **el belga**, *le Belge*.

2. Formation du féminin des adjectifs :

o/a	guapo/guapa	*beau/belle*
e/e	amable/amable	*aimable*
a/a	agrícola/agrícola	*agricole*
í/í	baladí/baladí	*futile*
consonne	capaz/capaz	*capable*

Les adjectifs terminés par une consonne sont invariables sauf pour les nationalités : **español/española** ; **francés/francesa** et ceux terminés par **~dor**, **~tor**, **~sor**, **~ón**, **~án**, **~ín**, (sauf **ruín**, *mesquin*), **~ote**, **~ete** : **trabajadora/trabajadora** (*travailleur/travailleuse*) ; **parlanchín/a** (*bavard/e*) ; **regordete/a** (*grassouillet/te*).

5 - LE PLURIEL

~s   mots terminés par une **voyelle** (**sauf í**) :
> **casa/casas** ; **libro/libros**.

~es   mots terminés par **une consonne, y** ou **i accentué** :
> **el camión/los camiones** ; **la ley/las leyes** (*les lois*) ;
> **el jabalí/los jabalíes** (*les sangliers*) ; **el rubí/los rubíes**

Les mots terminés par ~**s** restent invariables si la dernière syllabe n'est pas accentuée :
> **la crisis/las crisis** (*les crises*)
> **el paraguas/los paraguas** (*les parapluies*)

mais : **el interés/los intereses** (*les intérêts*)

Les mots terminés par ~**z** font leur pluriel en ~**ces** :
> **el lápiz/los lápices** (*les crayons*)

6 - L'APOCOPE

On appelle ainsi la chute de la voyelle ou de la syllabe finale de certains adjectifs placés devant un nom.

1. Perte du ~o final devant un nom masculin singulier :

uno → un ; **bueno → buen** ; **malo → mal** ; **alguno → algún**, *quelque* ; **ninguno → ningún**, *aucun* ; **primero → primer**, *premier* ; **tercero → tercer**, *troisième* ; **postrero → postrer**, *dernier*.

2. grande devient **gran** et **cualquiera** devient **cualquier**, *n'importe quel*, devant un nom masculin ou féminin : **la Gran Vía**, nom d'une grande avenue madrilène ; **cualquier ciudad**, *n'importe quelle ville*.

3. ciento devient **cien** devant un nom ou devant **mil** et **millón** : **cien pesetas** ; **cien mil pesetas** ; mais on dit **ciento** devant un autre chiffre : **ciento cincuenta pesetas**.

4. Santo se réduit à **San** devant le nom d'un saint : **San Juan**, *saint Jean* ; **San Pedro**, *saint Pierre*.

Exceptions : **Santo Domingo**, *saint Dominique* ; **Santo Tomás**, *saint Thomas*; **Santo Toribio**, *saint Turibe*.

5. Autres apocopes : **recientemente** devient **recién** devant un participe passé : **recién nacido**, *nouveau né* ; **tanto** et **cuanto** deviennent **tan** et **cuan** devant un adjectif ou un adverbe.

7 - LES POSSESSIFS

1. Les adjectifs :

avant le nom		après le nom
mi	*mon, ma*	mío
tu	*ton, ta*	tuyo
su	*son, sa, votre* (V.S.)	suyo
nuestro/a	*notre*	nuestro/a
vuestro/a	*votre* (T.P.)	vuestro/a
su	*leur, votre* (V.P.)	suyo

Le pluriel se forme en ajoutant un ~**s** à ces formes :
> **son mis libros**, *ce sont mes livres*
> **son cosas mías**, *ce sont mes affaires*

Après **ser**, le possessif **mío**, **tuyo**, etc. correspond au français *à moi*, *à toi*, etc. :
> **no son tuyos**, *ils ne sont pas à toi*

Lorsque le possessif correspond à **Ud** ou **Uds**, il convient d'ajouter la forme **de Ud** ou **de Uds** pour éviter toute confusion :
> **su casa de Ud**, *votre maison*

2. Les pronoms sont formés par l'adjonction de l'article défini, **el**, **la**, **los**, **las**, aux formes **mío**, **tuyo**, **suyo**, etc.
> **el mío**, *le mien* ; **las tuyas**, *les tiennes*, etc.

8 - LES DÉMONSTRATIFS

1. Les adjectifs :

Il y a trois démonstratifs en espagnol qui correspondent à différents degrés d'éloignement dans l'espace ou le temps :

este	esta	estos	estas
ese	esa	esos	esas
aquel	aquella	aquellos	aquellas

aquí : **este libro**	*ici* : *ce livre-ci*
ahí : **ese libro**	*là* (près) : *ce livre-là*
allí : **aquel libro**	*là* (loin) : *ce livre-là*
en aquella época	*à cette époque-là* (plus éloignée)

2. Les pronoms démonstratifs se distinguent des adjectifs parce qu'ils portent un accent écrit sur la voyelle tonique : **éste**, *celui-ci* ; **ésa**, *celle-là* ; **aquéllos**, *ceux-là* ; etc.

Il existe aussi des pronoms neutres qui ne portent pas d'accent écrit puisqu'il n'y a pas d'adjectifs correspondants :

esto, *ceci* ; **eso**, *cela* ; **aquello**, *cela* (éloigné)

3. Les pronoms démonstratifs français suivis de *de* ou de *qui* ou *que* sont traduits généralement en espagnol par les articles définis correspondants :

el que habla, *celui qui parle*
la que canta, *celle qui chante*
los de ayer, *ceux d'hier*
las que vemos, *celles que nous voyons*

---

9 - COMPARATIFS ET SUPERLATIFS

1. Les comparatifs :

más	(alto)	**que**	*plus*	*(grand)*	*que*
menos	(bajo)	**que**	*moins*	*(petit)*	*que*
tan	(fuerte)	**como**	*aussi*	*(fort)*	*que*

Irrégularités : **mayor**, *plus grand* ; **menor**, *plus petit* ; **mejor**, *meilleur* ; **peor**, *pire* ou *pis*.

● Attention au comparatif d'égalité qui est **tan** (apocope) devant un adjectif ou un adverbe et **tanto/a/os/as** devant un nom :

no soy tan gordo como él, *je ne suis pas aussi gros que lui*
tiene tantos libros como tú, *il a autant de livres que toi*

2. Les superlatifs absolus se forment avec l'adverbe **muy**, *très*, ou avec le suffixe **~ísimo/a** :

muy elegante = **elegantísimo o elegantísima**
muy fácil = **facilísimo**

Irrégularités : **muy rico** = **riquísimo**, *très riche*
muy amable = **amabilísimo**
muy antiguo = **antiquísimo**, *très ancien*, etc.

● Les superlatifs relatifs se forment comme en français avec un article défini suivi de **más** ou **menos** :

la más delgada, *la plus mince* **las más ...**, *les plus ...*
el menos gordo, *le moins gros* **los menos ...**, *les moins ...*

● Attention : le superlatif relatif placé après le nom s'emploie sans article :

el chico más inteligente, *le garçon le plus intelligent*

---

10 - LES PRONOMS PERSONNELS

Nous ne présentons ici qu'une récapitulation. Veuillez vous reporter aux leçons correspondantes pour des explications plus complètes.

Pronoms sing.	1re personne	2e personne	3e personne
sujets :	**yo**	**tú**	**él, ella, Ud**
compl. ind. :	**me**	**te**	**le**
compl. dir. :	**me**	**te**	**le, lo, la**
réfléchis :	**me**	**te**	**se**
après prép. :	**mí**	**ti**	**él, ella, Ud, sí**

Pronoms plur.	1re personne	2e personne	3e personne
sujets :	**nosotros/as**	**vosotros/as**	**ellos/as, Uds**
compl. ind. :	**nos**	**os**	**les**
compl. dir. :	**nos**	**os**	**los, las**
réfléchis :	**nos**	**os**	**se**
après prép. :	**nosotros/as**	**vosotros/as**	**ellos/as, Uds, sí**

- **sí** après préposition est utilisé lorsque le pronom complément désigne la même personne que le sujet :
  Luis habla siempre de sí (mismo).
  Louis parle toujours de lui (même).

  Sinon : **Luis habla siempre de él (Pedro).**
  Louis parle toujours de lui (Paul).

- Avec la préposition **con, mí, ti, sí** deviennent **conmigo**, *avec moi* ; **contigo**, *avec toi*, **consigo**, *avec lui (soi)*.

- Il existe en espagnol un pronom neutre **ello** qui est l'équivalent du français *cela* : *pienso en ello, je pense à cela* ou *j'y pense*.

- Rappel de l'emploi de **deux pronoms consécutifs** :
  a - le pronom indirect précède toujours le pronom direct ;
  b - **le**, *lui* ou *vous* (V.S.), **les**, *leur* ou *vous* (V.P.) se traduisent uniformément par **se** devant un pronom direct de la troisième personne. Une précision peut être donnée en faisant suivre le verbe d'un autre pronom précédé d'une préposition : **se lo digo a él**, *je le lui dis* ; **se lo digo a Ud**, *je vous le dis*.

- **L'enclise** consiste à ajouter le ou les pronoms personnels compléments à la fin du verbe, sans trait d'union. Elle se fait à l'infinitif, voir p. 77, au gérondif, voir p. 167, et à l'impératif affirmatif, p. 307.

---

11 - TRADUCTION DE *EN* ET DE *Y*

Ces deux mots n'existent pas en espagnol. On ne cherche à les traduire par des équivalents que s'ils sont indispensables.
S'ils indiquent un lieu, on utilisera un adverbe de lieu comme **aquí**, *ici*, ou **allí**, *là* : **salgo de aquí**, *j'en sors*.
S'ils remplacent un nom, on les traduira par **de eso**, *de cela*, **de él**, *de lui*, **de ella**, *d'elle*, etc. : **me acuerdo de ellos**, *je m'en souviens*.
Le *en* de *il y en a* se traduit par un pronom complément direct :
  ¿ Hay clientes ? — Los hay. *Y a-t-il des clients ? — Il y en a.*

12 - TRADUCTION DE *ON*

1. On emploie le plus souvent une tournure réfléchie **se + verbe à la 3ᵉ personne (singulier ou pluriel)**.
On l'utilise toujours pour présenter des faits habituels :
    aquí se habla español, *ici on parle espagnol*
Le complément français devient le sujet en espagnol et, s'il est au pluriel, le verbe se met aussi au pluriel :
    se venden manzanas, *on vend des pommes*
Exception : le verbe reste au singulier si le complément représente des personnes déterminées :
    se oía a los jugadores, *on entendait les joueurs*

2. On emploie la **3ᵉ personne du pluriel** lorsque *on* signifie *quelqu'un* ou *les gens* ou encore pour présenter un fait accidentel :
    llaman, *on appelle*

3. **uno, una** s'emploient surtout avec les verbes pronominaux pour éviter la répétition de **se** ou pour atténuer une expression personnelle :
    Los domingos uno se levanta más tarde.
    Le dimanche, on se lève plus tard.

13 - LES PRONOMS RELATIFS

- **que** est invariable et est utilisé pour les personnes, les animaux et les choses, soit comme sujet, soit comme complément, avec le sens de *que* ou de *qui* :
    la persona que habla, *la personne qui parle*
    la casa que ves, *la maison que tu vois*

- **quien** (**quienes** au pluriel) ne s'emploie qu'en parlant des personnes. Il est surtout utilisé comme complément et est alors précédé d'une préposition :
    la señora a quien hablas, *la dame à qui tu parles*

- **Traduction de *dont***

    1. Complément de verbe : de que (choses), **de quien** ou **quienes** (personnes) ou encore **del, de la/los/las que** ou **cual(es)** :
    el actor de quien se habla, *l'acteur dont on parle*
    Attention : quelques verbes peuvent régir une autre préposition que **de** ou ne pas en avoir :
    la casa con la que sueño, *la maison dont je rêve*
    el libro que necesito, *le livre dont j'ai besoin*

    2. Complément d'un nom précédé de l'article défini en français, il se traduit par **cuyo** (**a, os, as**), qui précède ce nom (sans article) et s'accorde avec lui en genre et en nombre :
    el señor cuyos hijos ..., *le monsieur dont les fils ...*
    la ciudad cuyas calles ..., *la ville dont les rues ...*

Si **cuyo** est précédé d'une préposition, il se traduit par *duquel, de laquelle*, etc. :

> **el pueblo en cuyas calles...**
> *le village dans les rues duquel...*

- **Traduction de *où***

1. S'il y a mouvement vers un lieu, il se traduit par **adonde**, **a que** ou **al cual** :

> **la ciudad adonde vamos ahora...**
> *la ville où nous allons maintenant...*

2. S'il n'y a pas mouvement, il se traduit par **donde**, **en donde**, **en que** :

> **este ciudad donde vivimos...**
> *cette ville où nous vivons...*

3. S'il y a une idée de temps, il peut être rendu par **que** ou mieux encore par **en que** : **el día que nació** ou **el día en que nació**
> *le jour où il est né*

---

14 - EMPLOI DES PRÉPOSITIONS

- **a** après un verbe de mouvement et avant un complément de lieu :
  voy a Madrid, *je vais à Madrid*

  a devant le complément direct lorsque celui-ci est un nom ou un pronom qui désigne une personne déterminée :
  ayudo a mis amigos, *j'aide mes amis*

- **de** pour indiquer la provenance : **viene de Málaga**
  la matière et la propriété :
  esta pulsera es de plata, *ce bracelet est en argent*
  es de María, *il est à Marie*

- **en** indique le lieu sans mouvement : **está en Segovia.**

- **por** et **para** :
  par se traduit toujours **por**, **por aquí**, *par ici*.
  pour se traduit **por** lorsqu'il indique une idée de cause :
  lo hago por ti, *je le fais pour (à cause de) toi*
  ou la durée : **salgo por una semana**, *je pars pour une semaine*.
  pour se traduit **para** lorsqu'il indique une idée de destination :
  este libro es para ti, *ce livre est pour toi*

Autres prépositions importantes : **ante**, *devant* ; **bajo**, *sous* ; **con**, *avec* ; **contra**, *contre* ; **desde**, *depuis* ; **durante**, *pendant* ; **entre**, *entre*, *parmi* ; **hacia**, *vers* ; **hasta**, *jusqu'à* ; **sobre**, *sur* ; **según**, *selon* ; **salvo**, *sauf* ; **sin**, *sans* ; **tras**, *derrière*, etc.

Prépositions composées : **delante de**, *devant* ; **detrás de**, *derrière* ; **dentro de**, *dans* ; **fuera de**, *hors de* ; **encima de**, *au-dessus de*, *sur* ; **debajo de**, *au-dessous de*, *sous* ; **lejos de**, *loin de* ; **junto a**, *près de* ; **cerca de**, *près de* ; **antes de**, *avant de* ; **después de**, *après* ; **al lado de**, *à côté de* ; **al cabo de**, *au bout de* ; **en frente de**, *en face de* ; **frente a**, *face à* ; **en caso de**, *en cas de* ; **en (a) casa de**, *chez*.

15 - PRINCIPALES CONJONCTIONS

- **y** (ou **e** devant un mot commençant par **i** ou **hi**) : *et*.

- **o** (ou **u** devant un mot commençant par **o** ou **ho**) : *ou*.

- **sea ... sea**, **ya ... ya**, **ora ... ora**, *soit ... soit ...* ; **pues**, *car, donc, pardi, eh bien !* ; **luego**, *ensuite, donc* ; **ni**, *ni* ; **pero**, *mais* ; **sino**, *mais* ; **si no**, *sinon* ; **que**, *que* ; **como**, *comme* ; **cuando**, *quand* ; **mientras**, *pendant que* ; **si**, *si* ; **ya que**, *puisque* ; **porque**, *parce que* ; **en cuanto**, *dès que* ; **tan pronto como**, *aussitôt que* ; **aunque + subj.**, *même si* ; **aunque + ind.**, *bien que, quoique*.

16 - TRADUCTION DU VERBE *ÊTRE*

A. *être* se traduit par **ser** :

1. Devant un nom, un pronom, un infinitif ou un numéral.

> **Lima es la capital del Perú.** *Lima est la capitale du Pérou.*
> **¿ Quién es ? — Soy yo.** *Qui est-ce ? — C'est moi.*
> **Lo mejor es entrar.** *Le mieux, c'est d'entrer.*

Ainsi, on emploie toujours **ser** pour exprimer :
— la profession : **es ingeniero**, *il est ingénieur* ;
— l'origine : **es de Salamanca**, *il est de Salamanque* ;
— la matière : **este reloj es de oro**, *cette montre est en or* ;
— l'appartenance : **es de mi padre**, *elle est à mon père* ;
— la quantité : **son once**, *ils sont onze* ;
                  son numerosos, *ils sont nombreux.*

2. Devant un adjectif ou un participe passé employé comme adjectif qui expriment une caractéristique essentielle à l'existence du sujet, une définition.

> **Es cubana, joven, morena y guapa.**
> *Elle est cubaine, jeune, brune et jolie.*
> **Esta playa es amplia, muy hermosa y muy blanca.**
> *Cette plage est vaste, très belle et très blanche.*

3. Avec un participe passé, comme auxiliaire pour exprimer une action à la voix passive.

> **El gol fue marcado por mi equipo.**
> *Le but fut marqué par mon équipe.*

B. *être* se traduit par **estar** :

1. Pour exprimer une localisation dans l'espace ou dans le temps.

> **Están en Colombia.** *Ils sont en Colombie.*
> **Estamos a primero de abril.** *Nous sommes le premier avril.*

2. Devant un adjectif ou un participe passé employé comme adjectif pour exprimer un état ou une situation accidentelle, un résultat.

> **El café está demasiado caliente.** *Le café est trop chaud.*
> **Tu vaso está vacío.** *Ton verre est vide.*

3. Devant un participe passé pour exprimer un état ou le résultat d'une action.

> **Ahora la casa está vendida.** *Maintenant la maison est vendue.*
> **Están cerrados.** *Ils sont fermés.*

4. Avec un gérondif pour exprimer l'action qui est en train de s'accomplir (forme progressive).

> **Están aprendiendo.** *Ils sont en train d'apprendre.*
> **Ud está estudiando.** *Vous êtes en train d'étudier.*

C. Certains adjectifs s'emploient toujours avec **ser** ou toujours avec **estar** :

ser : **feliz** (*heureux*), **infeliz** (*malheureux*), **posible** (*possible*), **imposible** (*impossible*), **cierto** (*certain*), **necesario** (*nécessaire*), **obligatorio** (*obligatoire*).

estar : **contento** (*content*), **descontento** (*mécontent*), **enfermo** (*malade*), **solo** (*seul*), **satisfecho** (*satisfait*).

D. L'emploi de **ser** ou de **estar** peut modifier le sens de certains adjectifs ou participes passés :

ser		estar	
bueno	*bon*	**bueno**	*en bonne santé*
malo	*méchant*	**malo**	*malade*
cansado	*fatigant*	**cansado**	*fatigué*
rico	*riche*	**rico**	*délicieux*
listo	*vif d'esprit*	**listo**	*prêt*
delicado	*délicat*	**delicado**	*souffrant*

E. L'emploi de **ser** ou de **estar** nuance le sens de certains adjectifs :

ser		estar	
nervioso	*nerveux*	**nervioso**	*énervé*
nuevo	*neuf (récent)*	**nuevo**	*neuf d'aspect*
mudo	*muet*	**mudo**	*ne rien dire*
verde	*vert*	**verde**	*pas mûr*
loco	*fou*	**loco**	*toqué, cinglé*
atento	*attentionné*	**atento**	*attentif*

F. Expressions diverses :

> **¿ Qué ha sido de él ?** *Qu'est-il advenu de lui ?*
> **Está de vacaciones.** *Il est en vacances.*
> **Está para salir.** *Il est sur le point de sortir.*
> **Está para cantar.** *Il est d'humeur à chanter.*
> **Está por salir.** *Il est tenté de sortir.*

351

17 - LES VERBES ESPAGNOLS

- Le verbe espagnol, régulier ou non, ne peut se terminer à l'infinitif que par ~**ar**, ~**er** ou ~**ir**.

- Ces terminaisons différentes entraînent des conjugaisons différentes.

- Chaque personne d'un verbe conjugué a **une terminaison caractéristique** ; aussi le pronom personnel sujet (*je, tu, il, elle, nous, vous, ils, elles*, en français) devient-il inutile, sauf aux 1re et 3e personnes du singulier de l'imparfait de l'indicatif

> du présent du subjonctif
> des deux imparfaits du subjonctif
> du conditionnel

où les terminaisons sont semblables.

- Le pronom personnel sujet ne sera donc utilisé que pour éviter une confusion entre deux personnes ou pour marquer l'insistance sur la personne qui fait l'action :

> *moi, je ... — lui, il ...*

- Comparée à la conjugaison française, la conjugaison espagnole présente une particularité : l'imparfait du subjonctif a deux formes qui ont la même signification et qui peuvent être utilisées indifféremment.

- Le tableau de conjugaison ci-dessous présente entre les traits verticaux, les temps qui dépendent les uns des autres en espagnol. Cette disposition a été adoptée de la page 272 à la page 283 pour la récapitulation de l'ensemble des verbes espagnols.

Présent → Indicatif	Présent Subjonctif	Futur →	Conditionnel
j'unis	que j'unisse	j'unirai	j'unirais
tu unis	que tu unisses	tu uniras	tu unirais
il unit	qu'il unisse	il unira	il unirait
nous unissons	que nous unissions	nous unirons	nous unirions
vous unissez	que vous unissiez	vous unirez	vous uniriez
ils unissent	qu'ils unissent	ils uniront	ils uniraient

■ Les verbes espagnols (suite)

- Il y a, en espagnol, dans la conjugaison des temps simples, **trois temps-clés** :
  — le **présent de l'indicatif** d'où découle le **présent du subjonctif**, sauf pour six verbes, voir p. 359 ;
  — le **futur de l'indicatif** d'où découle le **conditionnel présent** ;
  — le **passé simple** d'où découle, par l'intermédiaire de la 3e personne du pluriel, **les deux imparfaits du subjonctif**.

  L'imparfait de l'indicatif, sauf pour trois verbes, est **toujours régulier**.

- Les verbes espagnols seront étudiés dans l'ordre suivant :
  — les verbes réguliers
  — les verbes à diphtongue
  — les verbes **sentir** et **pedir**
  — les verbes en ~**acer**, ~**ecer**, ~**ocer** et ~**ucir**
  — les verbes en ~**uir** et ~**iar**
  — les verbes irréguliers indépendants.

- Le verbe français qui est conjugué ici n'est là qu'à titre de référence ou de souvenir éventuellement.

Indicatif imparfait	Présent simple →	Imparfaits du subjonctif 1re forme	2e forme
j'unissais	j'unis	que j'unisse	
tu unissais	tu unis	que tu unisses	
il unissait	il unit	qu'il unît	
nous unissions	nous unîmes	que nous unissions	
vous unissiez	vous unîtes	que vous unissiez	
ils unissaient	ils unirent	qu'ils unissent	

18 - LES VERBES RÉGULIERS

tomar, *prendre*   **comer**, *manger*   **vivir**, *vivre, habiter*

> Un radical qu'on retrouve à toutes les personnes.
> **tom ~ ar**   **com ~ er**   **viv ~ ir**
> Une terminaison qui change à toutes les personnes.

● Présent de l'indicatif

À la première personne du singulier, on ajoute la terminaison ~**o** au radical de tous les verbes réguliers ; aux autres personnes, la terminaison comporte un **a** pour les verbes en ~**ar**, un **e** pour les verbes en ~**er** et un **e** ou un **i** pour les verbes en ~**ir**.

tom ~ ar	com ~ er	viv ~ ir
tom **o**	com **o**	viv **o**
tom **as**	com **es**	viv **es**
tom **a**	com **e**	viv **e**
tom **amos**	com **emos**	viv **imos**
tom **áis**	com **éis**	viv **ís**
tom **an**	com **en**	viv **en**

● Présent du subjonctif

tom ~ ar	com ~ er	viv ~ ir
tom **e**	com **a**	viv **a**
tom **es**	com **as**	viv **as**
tom **e**	com **a**	viv **a**
tom **emos**	com **amos**	viv **amos**
tom **éis**	com **áis**	viv **áis**
tom **en**	com **an**	viv **an**

Si l'infinitif est en ~**ar**, le subjonctif est en ~**e**.
S'il est en ~**er** ou ~**ir**, le subjonctif est en ~**a**.

● Futur de l'indicatif et conditionnel

futur : infinitif + ⎡ ~**é**   condit. : infinitif + ⎡ ~**ía**
                    | ~**ás** | ~**ías**
    tomar ⎧ ~**á**   tomar ⎧ ~**ía**
    comer ⎨ ~**emos**   comer ⎨ ~**íamos**
    vivir ⎩ ~**éis**   vivir ⎩ ~**íais**
          ⎣ ~**án**   ⎣ ~**ían**

- **Imparfait de l'indicatif**

tomar : radical +	**~aba**	**comer** : radical +	**~ía**
	~abas	**vivir**	**~ías**
	~aba		**~ía**
	~ábamos		**~íamos**
	~abais		**~íais**
	~aban		**~ían**

Il n'y a que 3 exceptions : **ser = era**   **ver = veía**   **ir = iba**
(voir tableaux de ces 3 verbes pp. 366 à 371.)

- **Passé simple et imparfaits du subjonctif**

tomé	comí	viví
tomaste	comiste	viviste
tomó	comió	vivió
tomamos	comimos	vivimos
tomasteis	comisteis	vivisteis
tomaron	comieron	vivieron

tomara	tomase	comiera (iese)	viviese (iera)
tomaras	tomases	comieras	vivieses
tomara	tomase	comiera	viviese
tomáramos	tomásemos	comiéramos	viviésemos
tomarais	tomaseis	comierais	vivieseis
tomaran	tomasen	comieran	viviesen

Notez que ce qui différencie essentiellement les passés simples, ce sont les voyelles sous l'accent :

~é	**~a**	**~ó**	**~a**	**~a**	**~a**
~í	**~i**	**~ió**	**~i**	**~i**	**~ie**

Les imparfaits du subjonctif proviennent toujours de la troisième personne du pluriel du passé simple :

~aron → ~ara ou **~ase**   et   **~ieron → ~iera** ou **~iese**

- **Gérondif**

tom ~**ar**	:	tom ~**ando**	*en prenant*
com ~**er**	:	com ~**iendo**	*en mangeant*
viv ~**ir**	:	viv ~**iendo**	*en habitant*

- **Participe passé**

tom ~**ar**	:	tom ~**ado**	*pris*
com ~**er**	:	com ~**ido**	*mangé*
viv ~**ir**	:	viv ~**ido**	*habité*

19 - LES VERBES À DIPHTONGUE

● Une diphtongue est la transformation d'une **voyelle** en **deux voyelles** :

    venir = *je viens*

● En espagnol, deux voyelles peuvent diphtonguer :

    le **o** devient **ue**

    le **e** devient **ie**

● La diphtongaison ne se produit normalement que sous l'influence de l'accent.

● Dans la conjugaison espagnole, ce phénomène ne peut se produire qu'aux trois premières personnes du singulier et à la 3e personne du pluriel des présents de l'indicatif et du subjonctif.

● Ayez en mémoire :

je v**ie**ns	que je v**ie**nne
tu v**ie**ns	que tu v**ie**nnes
il v**ie**nt	qu'il v**ie**nne
nous venons	que nous venions
vous venez	que vous veniez
ils v**ie**nnent	qu'ils v**ie**nnent

● Le même phénomène, aux mêmes endroits, se produit en espagnol.

contar, *compter* :	**ue**	**ue**	**ue**	**o**	**o**	**ue**
perder, *perdre* :	**ie**	**ie**	**ie**	**e**	**e**	**ie**

● Aux autres personnes et aux autres temps, ces verbes ne présentent jamais de diphtongue.

● Voir tableaux récapitulatifs de **empezar** (**ie**) *commencer* et **volver** (**ue**) *revenir*, pages 360 et 361.

● Difficulté : il n'y a pas de moyen, a priori, de savoir si un verbe diphtongue ou non. Aussi, en cas de doute, convient-il de consulter un dictionnaire ou une grammaire.

20 - LES VERBES *SENTIR* ET *PEDIR*

● Ces deux verbes sont les modèles des verbes terminés en ~ **ir** qui ont un **e** en dernière syllabe de radical :

— **e/ir** (ne pas confondre avec un verbe comme, par exemple, **escribir**, *écrire* où le **e** ne se trouve pas en dernière syllabe de radical).

Les verbes **sentir**, *sentir*, regretter et **pedir**, *demander* ont deux types d'irrégularité, la deuxième étant commune aux deux verbes :

●　　　　**sentir** (voir p. 362)　　　　　　**pedir** (voir p. 362)

1° ~ **e** → **ie** aux 3 premières personnes du singulier et la 3ᵉ du pluriel des présents de l'indicatif et du subjonctif.

1° ~ **e** → **i** aux 3 premières personnes du singulier et à la 3ᵉ du pluriel des présents de l'indicatif et du subjonctif.

2° ~ **e** → **i** aux 1ʳᵉ et 2ᵉ personnes du pluriel du subjonctif prés., aux 3ᵉ personnes du singulier et du pluriel du passé simple, et donc aux 2 subjonctifs imparfaits, au gérondif.

Aux autres personnes et aux autres temps, ces verbes sont réguliers.

● Vont se conjuguer sur **sentir** les verbes dont le **e** sera suivi de **nt** ou de **r** : **mentir**, *mentir* ; **preferir**, *préférer*, etc.

● Tous les autres verbes en ~ **ir** qui on un **e** en dernière syllabe de radical se conjuguent sur **pedir**.

● Exception : **servir** dont le **e** est pourtant suivi d'un **r** se conjugue sur **pedir**.

erguir, *se dresser* admet les deux conjugaisons : **yergo** ou **irgo**, mais la deuxième est sans doute plus fréquente.

21 - LES VERBES EN ~ACER, ~ECER, ~OCER, ~UCIR

Ces verbes intercalent un **z** entre la voyelle de la dernière syllabe du radical et le **c** à la 1re personne du singulier du présent de l'indicatif, et donc, à tout le subjonctif présent :

obedecer	**obedezco**	**obedezca**
obéir	**obedeces**	**obedezcas**
	etc.	etc.

En plus, les verbes terminés en **~ducir** ont un passé simple irrégulier terminé en **~duje** et donc des imparfaits du subjonctif irréguliers :

conducir	**conduje**	**condujera**	**condujese**
conduire	**condujiste**	etc.	etc.
(voir p. 362)	**condujo**		
	condujimos		
	condujisteis		
	condujeron		

Exceptions : **cocer**, *cuire* = **cuezo** ; **hacer**, *faire*, qui est un verbe irrégulier indépendant ; **mecer**, *bercer* = **mezo**.

---

22 - LES VERBES EN ~UIR

Ils intercalent un **y** entre le radical et la terminaison lorsque cette dernière ne commence pas par un **i** accentué (voir **construir** p. 274) :

concluir : **concluyo** **concluyes** mais **concluimos**
conclure

Attention à **concluyó ... concluyeron → concluyera**, **concluyese**, **concluyendo**

---

23 - LES VERBES EN ~IAR

Certains verbes, comme **variar**, accentuent le **i** aux 3 personnes du singulier et à la 3e du pluriel des présents de l'indicatif et du subjonctif :

variar :	**varío**	**varías**	**varía**	...	**varían**
varier	**varíe**	**varíes**	**varíe**	...	**varíen**

D'autres, comme **cambiar**, lient le **i** à la voyelle suivante :

cambiar :	**cambio**	**cambias**	**cambia**	...	**cambian**
changer	**cambie**	**cambies**	**cambie**	...	**cambien**

Consultez le dictionnaire.

24 - LES VERBES IRRÉGULIERS INDÉPENDANTS

Ils sont au nombre de **21**. Tous sont des verbes très utilisés et il convient donc de les apprendre très bien (voir tableaux récapitulatifs, pp. 362 à 371).

Comme ils sont indépendants, ils ont tous leurs propres irrégularités, mais les règles fondamentales de la conjugaison restent en général vraies :

— le présent de l'indicatif (1re personne du singulier) donne tout le subjonctif présent. Il y a 6 exceptions : **dar**, **estar**, **haber**, **ir**, **saber**, **ser**.

— le futur donne toujours le conditionnel.

— le passé simple donne toujours les imparfaits du subjonctif.

Seuls 3 de ces 21 verbes ont un imparfait de l'indicatif irrégulier :

ir :	**iba**	**ibas**	etc.
ser :	**era**	**eras**	etc.
ver :	**veía**	**veías**	etc.

Remarque : Nous ne donnons pas le tableau du verbe **asir**, *saisir*, qui est peu utilisé en espagnol moderne et dont la seule irrégularité est au présent de l'indicatif :

asir :	**asgo**	**asga**
	ases	**asgas**
	etc.	etc.

25 - PARTICIPES PASSÉS IRRÉGULIERS

abrir	**abierto**	cubrir	**cubierto**	decir	**dicho**
escribir	**escrito**	hacer	**hecho**	imprimir	**impreso**
morir	**muerto**	poner	**puesto**	resolver	**resuelto**
romper	**roto**	ver	**visto**	volver	**vuelto**
etc.					

26 - GÉRONDIF IRRÉGULIER

À proprement parler, seul le verbe **poder** a un gérondif irrégulier :
  pudiendo

Indicatif présent	→	Subjonctif présent	Indicatif futur	→	Conditionnel présent

tomar *prendre* (verbe régulier en ~**ar**)

tomo	→	tome	tomaré	→	tomaría
tomas		tomes	tomarás		tomarías
toma		tome	tomará		tomaría
tomamos		tomemos	tomaremos		tomaríamos
tomáis		toméis	tomaréis		tomaríais
toman		tomen	tomarán		tomarían

comer *manger* (verbe régulier en ~**er**)

como	→	coma	comeré	→	comería
comes		comas	comerás		comerías
come		coma	comerá		comería
comemos		comamos	comeremos		comeríamos
coméis		comáis	comeréis		comeríais
comen		coman	comerán		comerían

vivir *habiter, vivre* (verbe régulier en ~**ir**)

vivo	→	viva	viviré	→	viviría
vives		vivas	vivirás		vivirías
vive		viva	vivirá		viviría
vivimos		vivamos	viviremos		viviríamos
vivís		viváis	viviréis		viviríais
viven		vivan	vivirán		vivirían

volver *revenir* (verbe à diphtongue **o → ue**)

vuelvo	→	vuelva	volveré	→	volvería
vuelves		vuelvas	volverás		volverías
vuelve		vuelva	volverá		volvería
volvemos		volvamos	volveremos		volveríamos
volvéis		volváis	volveréis		volveríais
vuelven		vuelvan	volverán		volverían

empezar *commencer* (diphtongue **e → ie**)

empiezo	→	empiece	empezaré	→	empezaría
empiezas		empieces	empezarás		empezarías
empieza		empiece	empezará		empezaría
empezamos		empecemos	empezaremos		empezaríamos
empezáis		empecéis	empezaréis		empezaríais
empiezan		empiecen	empezarán		empezarían

Indicatif imparfait	Passé simple →	Subjonctifs imparfaits 1re forme	2e forme

tomar *prendre* ~a~

tomaba	tomé	tomara	tomase
tomabas	tomaste	tomaras	tomases
tomaba	tomó	tomara	tomase
tomábamos	tomamos	tomáramos	tomásemos
tomabais	tomasteis	tomarais	tomaseis
tomaban	tomaron	tomaran	tomasen

comer *manger* ~ie~

comía	comí	comiera	comiese
comías	comiste	comieras	comieses
comía	comió	comiera	comiese
comíamos	comimos	comiéramos	comiésemos
comíais	comisteis	comierais	comieseis
comían	comieron	comieran	comiesen

vivir *habiter, vivre* ~ie~

vivía	viví	viviera	viviese
vivías	viviste	vivieras	vivieses
vivía	vivió	viviera	viviese
vivíamos	vivimos	viviéramos	viviésemos
vivíais	vivisteis	vivierais	vivieseis
vivían	vivieron	vivieran	viviesen

volver *revenir* ~ie~

volvía	volví	volviera	volviese
volvías	volviste	volvieras	volvieses
volvía	volvió	volviera	volviese
volvíamos	volvimos	volviéramos	volviésemos
volvíais	volvisteis	volvierais	volvieseis
volvían	volvieron	volvieran	volviesen

empezar *commencer* ~a~

empezaba	empecé	empezara	empezase
empezabas	empezaste	empezaras	empezases
empezaba	empezó	empezara	empezase
empezábamos	empezamos	empezáramos	empezásemos
empezabais	empezasteis	empezarais	empezaseis
empezaban	empezaron	empezaran	empezasen

Indicatif présent	→	Subjonctif présent	Indicatif futur	→	Conditionnel présent

sentir *sentir, regretter, entendre*

siento	→	sienta	sentiré	→	sentiría
sientes		sientas	sentirás		sentirías
siente		sienta	sentirá		sentiría
sentimos		sintamos	sentiremos		sentiríamos
sentís		sintáis	sentiréis		sentiríais
sienten		sientan	sentirán		sentirían

pedir *demander, exiger*

pido	→	pida	pediré	→	pediría
pides		pidas	pedirás		pedirías
pide		pida	pedirá		pediría
pedimos		pidamos	pediremos		pediríamos
pedís		pidáis	pediréis		pediríais
piden		pidan	pedirán		pedirían

conducir *conduire*

conduzco	→	conduzca	conduciré	→	conduciría
conduces		conduzcas	conducirás		conducirías
conduce		conduzca	conducirá		conduciría
conducimos		conduzcamos	conduciremos		conduciríamos
conducís		conduzcáis	conduciréis		conduciríais
conducen		conduzcan	conducirán		conducirían

construir *construire*

construyo	→	construya	construiré	→	construiría
construyes		construyas	construirás		construirías
construye		construya	construirá		construiría
construimos		construyamos	construiremos		construiríamos
construís		construyáis	construiréis		construiríais
construyen		construyan	construirán		construirían

andar *marcher*

ando	→	ande	andaré	→	andaría
andas		andes	andarás		andarías
anda		ande	andará		andaría
andamos		andemos	andaremos		andaríamos
andáis		andéis	andaréis		andaríais
andan		anden	andarán		andarían

Indicatif imparfait	Passé simple	→	Subjonctifs imparfaits 1re forme	2e forme

sentir *sentir, regretter, entendre* ~ ie ~

sentía	sentí	sintiera	sintiese
sentías	sentiste	sintieras	sintieses
sentía	sintió	sintiera	sintiese
sentíamos	sentimos	sintiéramos	sintiésemos
sentíais	sentisteis	sintierais	sintieseis
sentían	sintieron	sintieran	sintiesen

pedir *demander, exiger* ~ ie ~

pedía	pedí	pidiera	pidiese
pedías	pediste	pidieras	pidieses
pedía	pidió	pidiera	pidiese
pedíamos	pedimos	pidiéramos	pidiésemos
pedíais	pedisteis	pidierais	pidieseis
pedían	pidieron	pidieran	pidiesen

conducir *conduire* ~ e ~

conducía	conduje	condujera	condujese
conducías	condujiste	condujeras	condujeses
conducía	condujo	condujera	condujese
conducíamos	condujimos	condujéramos	condujésemos
conducíais	condujisteis	condujerais	condujeseis
conducían	condujeron	condujeran	condujesen

construir *construire* ~ e ~

construía	construí	construyera	construyese
construías	construiste	construyeras	construyeses
construía	construyó	construyera	construyese
construíamos	construimos	construyéramos	construyésemos
construíais	construisteis	construyerais	construyeseis
construían	construyeron	construyeran	construyesen

andar *marcher* ~ ie ~

andaba	andúve	anduviera	anduviese
andabas	anduviste	anduvieras	anduvieses
andaba	anduvo	anduviera	anduviese
andábamos	anduvimos	anduviéramos	anduviésemos
andabais	anduvisteis	anduvierais	anduvieseis
andaban	anduvieron	anduvieran	anduviesen

Indicatif présent	→	Subjonctif présent	Indicatif futur	→	Conditionnel présent

caber *tenir dans, être contenu*

quepo	→	quepa	cabré	→	cabría
cabes		quepas	cabrás		cabrías
cabe		quepa	cabrá		cabría
cabemos		quepamos	cabremos		cabríamos
cabéis		quepáis	cabréis		cabríais
caben		quepan	cabrán		cabrían

caer *tomber*

caigo	→	caiga	caeré	→	caería
caes		caigas	caerás		caerías
cae		caiga	caerá		caería
caemos		caigamos	caeremos		caeríamos
caéis		caigáis	caeréis		caeríais
caen		caigan	caerán		caerían

dar *donner*

doy		dé	daré	→	daría
das		des	darás		darías
da		dé	dará		daría
damos		demos	daremos		daríamos
dais		deis	daréis		daríais
dan		den	darán		darían

decir *dire*

digo	→	diga	diré	→	diría
dices		digas	dirás		dirías
dice		diga	dirá		diría
decimos		digamos	diremos		diríamos
decís		digáis	diréis		diríais
dicen		digan	dirán		dirían

estar *être, se trouver*

estoy		esté	estaré	→	estaría
estás		estés	estarás		estarías
está		esté	estará		estaría
estamos		estemos	estaremos		estaríamos
estáis		estéis	estaréis		estaríais
están		estén	estarán		estarían

Indicatif imparfait	Passé simple →	Subjonctifs imparfaits 1re forme	2e forme
		~ie~	
cabía	cupe	cupiera	cupiese
cabías	cupiste	cupieras	cupieses
cabía	cupo	cupiera	cupiese
cabíamos	cupimos	cupiéramos	cupiésemos
cabíais	cupisteis	cupierais	cupieseis
cabían	cupieron	cupieran	cupiesen

caer *tomber* ~e~

caía	caí	cayera	cayese
caías	caíste	cayeras	cayeses
caía	cayó	cayera	cayese
caíamos	caímos	cayéramos	cayésemos
caíais	caísteis	cayerais	cayeseis
caían	cayeron	cayeran	cayesen

dar *donner* ~ie~

daba	di	diera	diese
dabas	diste	dieras	dieses
daba	dio	diera	diese
dábamos	dimos	diéramos	diésemos
dabais	disteis	dierais	dieseis
daban	dieron	dieran	diesen

decir *dire* ~e~

decía	dije	dijera	dijese
decías	dijiste	dijeras	dijeses
decía	dijo	dijera	dijese
decíamos	dijimos	dijéramos	dijésemos
decíais	dijisteis	dijerais	dijeseis
decían	dijeron	dijeran	dijesen

estar *être, se trouver* ~ie~

estaba	estuve	estuviera	estuviese
estabas	estuviste	estuvieras	estuvieses
estaba	estuvo	estuviera	estuviese
estábamos	estuvimos	estuviéramos	estuviésemos
estabais	estuvisteis	estuvierais	estuvieseis
estaban	estuvieron	estuvieran	estuviesen

Indicatif présent	→	Subjonctif présent	Indicatif futur	→	Conditionnel présent

haber *avoir* (auxiliaire)

he		haya	habré	→	habría
has		hayas	habrás		habrías
ha		haya	habrá		habría
hemos		hayamos	habremos		habríamos
habéis		hayáis	habréis		habríais
han		hayan	habrán		habrían

hacer *faire*

hago	→	haga	haré	→	haría
haces		hagas	harás		harías
hace		haga	hará		haría
hacemos		hagamos	haremos		haríamos
hacéis		hagáis	haréis		haríais
hacen		hagan	harán		harían

ir *aller*

voy		vaya	iré	→	iría
vas		vayas	irás		irías
va		vaya	irá		iría
vamos		vayamos	iremos		iríamos
vais		vayáis	iréis		iríais
van		vayan	irán		irían

oír *entendre*

oigo	→	oiga	oiré	→	oiría
oyes		oigas	oirás		oirías
oye		oiga	oirá		oiría
oímos		oigamos	oiremos		oiríamos
oís		oigáis	oiréis		oiríais
oyen		oigan	oirán		oirían

poder *pouvoir*

puedo	→	pueda	podré	→	podría
puedes		puedas	podrás		podrías
puede		pueda	podrá		podría
podemos		podamos	podremos		podríamos
podéis		podáis	podréis		podríais
pueden		puedan	podrán		podrían

Indicatif imparfait	Passé simple	→	Subjonctifs imparfaits 1re forme	2e forme

haber *avoir* (auxiliaire) ~ie~

había	hube	hubiera	hubiese
habías	hubiste	hubieras	hubieses
había	hubo	hubiera	hubiese
habíamos	hubimos	hubiéramos	hubiésemos
habíais	hubisteis	hubierais	hubieseis
habían	hubieron	hubieran	hubiesen

hacer *faire* ~ie~

hacía	hice	hiciera	hiciese
hacías	hiciste	hicieras	hicieses
hacía	hizo	hiciera	hiciese
hacíamos	hicimos	hiciéramos	hiciésemos
hacíais	hicisteis	hicierais	hicieseis
hacían	hicieron	hicieran	hiciesen

ir *aller* ~e~

iba	fui	fuera	fuese
ibas	fuiste	fueras	fueses
iba	fue	fuera	fuese
íbamos	fuimos	fuéramos	fuésemos
ibais	fuisteis	fuerais	fueseis
iban	fueron	fueran	fuesen

oír *entendre* ~e~

oía	oí	oyera	oyese
oías	oíste	oyeras	oyeses
oía	oyó	oyera	oyese
oíamos	oímos	oyéramos	oyésemos
oíais	oísteis	oyerais	oyeseis
oían	oyeron	oyeran	oyesen

poder *pouvoir* ~ie~

podía	pude	pudiera	pudiese
podías	pudiste	pudieras	pudieses
podía	pudo	pudiera	pudiese
podíamos	pudimos	pudiéramos	pudiésemos
podíais	pudisteis	pudierais	pudieseis
podían	pudieron	pudieran	pudiesen

Indicatif présent	→	Subjonctif présent	Indicatif futur	→	Conditionnel présent

poner *mettre*

pongo	→	ponga	pondré	→	pondría
pones		pongas	pondrás		pondrías
pone		ponga	pondrá		pondría
ponemos		pongamos	pondremos		pondríamos
ponéis		pongáis	pondréis		pondríais
ponen		pongan	pondrán		pondrían

querer *vouloir, aimer*

quiero	→	quiera	querré	→	querría
quieres		quieras	querrás		querrías
quiere		quiera	querrá		querría
queremos		queramos	querremos		querríamos
queréis		queráis	querréis		querríais
quieren		quieran	querrán		querrían

saber *savoir*

sé	sepa	sabré	→	sabría
sabes	sepas	sabrás		sabrías
sabe	sepa	sabrá		sabría
sabemos	sepamos	sabremos		sabríamos
sabéis	sepáis	sabréis		sabríais
saben	sepan	sabrán		sabrían

salir *sortir*

salgo	→	salga	saldré	→	saldría
sales		salgas	saldrás		saldrías
sale		salga	saldrá		saldría
salimos		salgamos	saldremos		saldríamos
salís		salgáis	saldréis		saldríais
salen		salgan	saldrán		saldrían

ser *être*

soy	sea	seré	→	sería
eres	seas	serás		serías
es	sea	será		sería
somos	seamos	seremos		seríamos
sois	seáis	seréis		seríais
son	sean	serán		serían

Indicatif imparfait	Passé simple →	Subjonctifs imparfaits 1re forme	2e forme

poner *mettre* ~ ie ~

Indicatif imparfait	Passé simple	Subjonctifs imparfaits 1re forme	2e forme
ponía	puse	pusiera	pusiese
ponías	pusiste	pusieras	pusieses
ponía	puso	pusiera	pusiese
poníamos	pusimos	pusiéramos	pusiésemos
poníais	pusisteis	pusierais	pusieseis
ponían	pusieron	pusieran	pusiesen

querer *vouloir, aimer* ~ ie ~

quería	quise	quisiera	quisiese
querías	quisiste	quisieras	quisieses
quería	quiso	quisiera	quisiese
queríamos	quisimos	quisiéramos	quisiésemos
queríais	quisisteis	quisierais	quisieseis
querían	quisieron	quisieran	quisiesen

saber *savoir* ~ ie ~

sabía	supe	supiera	supiese
sabías	supiste	supieras	supieses
sabía	supo	supiera	supiese
sabíamos	supimos	supiéramos	supiésemos
sabíais	supisteis	supierais	supieseis
sabían	supieron	supieran	supiesen

salir *sortir* ~ ie ~

salía	salí	saliera	saliese
salías	saliste	salieras	salieses
salía	salió	saliera	saliese
salíamos	salimos	saliéramos	saliésemos
salíais	salisteis	salierais	salieseis
salían	salieron	salieran	saliesen

ser *être* ~ e ~

era	fui	fuera	fuese
eras	fuiste	fueras	fueses
era	fue	fuera	fuese
éramos	fuimos	fuéramos	fuésemos
erais	fuisteis	fuerais	fueseis
eran	fueron	fueran	fuesen

Indicatif présent	→	Subjonctif présent	Indicatif futur	→	Conditionnel présent

tener *avoir, posséder*

tengo	→	tenga	tendré	→	tendría
tienes		tengas	tendrás		tendrías
tiene		tenga	tendrá		tendría
tenemos		tengamos	tendremos		tendríamos
tenéis		tengáis	tendréis		tendríais
tienen		tengan	tendrán		tendrían

traer *apporter, amener*

traigo	→	traiga	traeré	→	traería
traes		traigas	traerás		traerías
trae		traiga	traerá		traería
traemos		traigamos	traeremos		traeríamos
traéis		traigáis	traeréis		traeríais
traen		traigan	traerán		traerían

valer *valoir*

valgo	→	valga	valdré	→	valdría
vales		valgas	valdrás		valdrías
vale		valga	valdrá		valdría
valemos		valgamos	valdremos		valdríamos
valéis		valgáis	valdréis		valdríais
valen		valgan	valdrán		valdrían

venir *venir*

vengo	→	venga	vendré	→	vendría
vienes		vengas	vendrás		vendrías
viene		venga	vendrá		vendría
venimos		vengamos	vendremos		vendríamos
venís		vengáis	vendréis		vendríais
vienen		vengan	vendrán		vendrían

ver *voir*

veo	→	vea	veré	→	vería
ves		veas	verás		verías
ve		vea	verá		vería
vemos		veamos	veremos		veríamos
veis		veáis	veréis		veríais
ven		vean	verán		verían

Indicatif imparfait	Passé simple →	Subjonctifs imparfaits 1re forme	2e forme

tener *avoir, posséder*   ~ ie ~

tenía	tuve	tuviera	tuviese
tenías	tuviste	tuvieras	tuvieses
tenía	tuvo	tuviera	tuviese
teníamos	tuvimos	tuviéramos	tuviésemos
teníais	tuvisteis	tuvierais	tuvieseis
tenían	tuvieron	tuvieran	tuviesen

traer *apporter, amener*   ~ e ~

traía	traje	trajera	trajese
traías	trajiste	trajeras	trajeses
traía	trajo	trajera	trajese
traíamos	trajimos	trajéramos	trajésemos
traíais	trajisteis	trajerais	trajeseis
traían	trajeron	trajeran	trajesen

valer *valoir*   ~ ie ~

valía	valí	valiera	valiese
valías	valiste	valieras	valieses
valía	valió	valiera	valiese
valíamos	valimos	valiéramos	valiésemos
valíais	valisteis	valierais	valieseis
valían	valieron	valieran	valiesen

venir *venir*   ~ ie ~

venía	vine	viniera	viniese
venías	viniste	vinieras	vinieses
venía	vino	viniera	viniese
veníamos	vinimos	viniéramos	viniésemos
veníais	vinisteis	vinierais	vinieseis
venían	vinieron	vinieran	viniesen

ver *voir*   ~ ie ~

veía	vi	viera	viese
veías	viste	vieras	vieses
veía	vio	viera	viese
veíamos	vimos	viéramos	viésemos
veíais	visteis	vierais	vieseis
veían	vieron	vieran	viesen

28 - L'IMPÉRATIF

- L'impératif espagnol a cinq personnes :

V.S.	**tome Ud**	*prenez*	(vous, vouvoiement singulier)
V.P.	**tomen Uds**	*prenez*	(vous, vouvoiement pluriel)
1 p.	**tomemos**	*prenons*	(première personne du pluriel)
T.S.	**toma**	*prends*	(toi, tutoiement singulier)
T.P.	**tomad**	*prenez*	(toi et toi, tutoiement pluriel)

- À la **forme affirmative**, les personnes du **V.S.**, **V.P.** et **1 p.** sont empruntées au subjonctif présent.

  Les personnes des **T.S.** et **T.P.** ont une autre origine :

  T.S. : c'est la 2ᵉ personne du singulier du présent de l'indicatif moins le **s** : **tomas → toma**.

  T.P. : correspond à l'infinitif moins **r** plus **d** : **tomar → tomad**.

- **L'impératif négatif** est rendu à toutes les personnes par le subjonctif présent. Aussi les **V.S.**, **V.P.** et **1 p.** de la forme affirmative ne changent-ils pas. Pour les **T.S.** et **T.P.**, employez bien les terminaisons des 2ᵉˢ personnes du singulier et du pluriel : **no tomes**, **no toméis**.

  Attention aux impératifs des verbes pronominaux (**vete**, *va-t'en*) et des verbes conjugués avec un ou deux pronoms personnels compléments : **pídelo**, *demande-le* ; **pídeselo**, *demande-le-lui*. À la forme affirmative, le (ou les) pronom(s) se place(nt) après le verbe et ne forme(nt) avec lui qu'un seul mot : c'est **l'enclise**. Cependant, bien que le mot soit ainsi allongé d'une ou deux syllabes, l'accentuation reste la même et l'accent écrit apparaît sur la voyelle qui était déjà accentuée, d'une façon non écrite, lorsque le verbe était employé seul.

  vaya Ud   **váyase Ud**   *allez-vous-en*

- L'enclise du pronom personnel ne se fait pas à la forme négative :

  no se vaya Ud   *ne vous en allez pas*

  Il y a 9 impératifs irréguliers au **T.S.** :

  decir → di ; **hacer → haz** ; **ir → ve** ; **poner → pon** ; **salir → sal** ; **ser → sé** ; **tener → ten** ; **valer → val** ; **venir → ven**.

  Par ailleurs le verbe **ir** est également irrégulier à la 1ʳᵉ personne du pluriel affirmative : **vamos** au lieu de **vayamos**.

prendre		tomar	
prenez	*ne prenez pas*	tome Ud	no tome Ud
prenez	*ne prenez pas*	tomen Uds	no tomen Uds
prenons	*ne prenons pas*	tomemos	no tomemos
prends	*ne prends pas*	toma	no tomes
prenez	*ne prenez pas*	tomad	no toméis

vivir *habiter, vivre*		comer *manger*	
viva Ud	no viva Ud	coma Ud	no coma Ud
vivan Uds	no vivan Uds	coman Uds	no coman Uds
vivamos	no vivamos	comamos	no comamos
vive	no vivas	come	no comas
vivid	no viváis	comed	no comáis

contar *compter, raconter*		unirse *s'unir*	
cuente Ud	no cuente Ud	únase Ud	no se una Ud
cuenten Uds	no cuenten Uds	únanse Uds	no se unan Uds
contemos	no contemos	unámonos	no nos unamos
cuenta	no cuentes	únete	no te unas
contad	no contéis	uníos	no os unáis

sentir *sentir, regretter*		volverse *se tourner*	
sienta Ud	no sienta Ud	vuélvase	no se vuelva Ud
sientan Uds	no sientan Uds	vuélvanse	no se vuelvan
sintamos	no sintamos	volvámonos	no nos volvamos
siente	no sientas	vuélvete	no te vuelvas
sentid	no sintáis	volveos	no os volváis

irse *s'en aller*		pedirlo *le demander*	
váyase Ud	no se vaya Ud	pídalo Ud	no lo pida Ud
váyanse Uds	no se vayan Uds	pídanlo Uds	no lo pidan Uds
vámonos	no nos vayamos	pidámoslo	no lo pidamos
vete	no te vayas	pídelo	no lo pidas
idos	no os vayáis	pedidlo	no lo pidáis

C2 Récaputilation : corrigé des exercices

LEÇON 6, p. 56

A. 1. Estamos en casa. – 2. Ellos están muy cansados. – 3. Somos muchachos – 4. Sois niñas. 5. – Ellas son chicas guapas.

B. 1. es – 2. estamos – 3. es – 4. están – 5. estoy.

LEÇON 7, p. 64

1. ¿ Cómo estáis ? – 2. ¿ Qué tenéis ? – 3. Tenemos tus (o vuestras) llaves. – 4. ¿ Quiénes sois ¿ – 5. Somos tus (o vuestros) vecinos. – 6. ¿ Tenéis vuestras cartas ?

11. ¿ Cómo están Uds ? – 12. ¿ Qué tienen Uds ¿ – 13. Tenemos sus llaves. – 14. ¿ Quiénes son Uds ? – 15. Somos sus vecinos. – 16. ¿ Tienen Uds sus cartas ?

LEÇON 8, p. 72

A. 1. Estamos – 2. Estoy – 3. Tengo – 4. Tenemos – 5. Soy. – 6. Somos

B. 1. veintiún libros – 2. veintiuna sillas – 3. treinta y un libros – 4. treinta y una sillas – 5. cien libros – 6. cien sillas – 7. ciento cinco libros – 8. ciento cinco sillas – 9. quinientos sesenta y siete libros – 10. quinientas sesenta y siete sillas – 11. mil setecientos cincuenta libros – 12. mil setecientas cincuenta sillas – 13. dos mil novecientos noventa libros – 14. dos mil novecientas noventa sillas.

LEÇON 9, p. 80

A. 1. ¿Habláis francés ? – Sí, hablamos francés. – 2. ¿ Qué bebéis ? – Bebemos cerveza. – 3. ¿ Dónde vivís ? – Vivimos en Madrid. – 4. ¿ Qué esperáis ? – Esperamos el autobús. – 5. Qué escribís ? – Escribimos una carta. 6. ¿ Vendéis vuestro coche ? – No, no lo vendemos.

B. 1. Cien mil francos. – 2. Dos millones quinientas mil pesetas. – 3. Un millón de euros. – 4. Ocho millones de euros. – 5. Mil millones de euros.

LEÇON 10, p. 88

1. abran – 2. esperen – 3. venda – 4. tome – 5. lean – 6. escriba – 7. hablen – 8. viva – 9. tema – 10. olvide.

LEÇON 11, p. 98

1. me gusta – 2. nos gusta – 3. te gusta – 4. os gusta – 5. le gustan – 6. le gusta – 7. les gusta – 8. les gustan – 9. le gustan – 7. les gusta.

LEÇON 12, p. 106

A. 1. Tome Ud, no tome Ud. – 2. Abra Ud, no abra Ud. – 3. Coma Ud, no coma Ud. – 4. Espere Ud, no espere Ud.

B. 1. Compra, no compres. – 2. Vende, no vendas. – 3. Permite, no permitas. – 4. Lee, no leas.

C2 Récapitulation : corrigé des exercices

LEÇON 13, p. 114

A. 1. Comprendan Uds, no comprendan Uds. – 2. Cambien Uds, no cambien Uds. – 3. Añadan Uds, no añadan Uds. – 4. Acepten Uds, no acepten Uds.
B. 1. Lienad, no llenéis. – 2. Asistid, no asistáis. – 3. Mirad, no miréis. – 4. Aprended, no aprendáis.

LEÇON 14, p. 122

A. 1. Empezamos. – 2. Queremos. – 3. Entendemos. – 4. Tememos. – 5. Cambiamos. – 6. Solemos. – 7. Pensamos. – 8. Nos sentamos.
B. 1. Puedo. – 2. Me quedo. – 3. Comienzo. – 4. Pierdo. – 5. Como. – 6. Acepto. – 7. Vuelvo. – 8. Me muevo.

LEÇON 15, p. 130

A. 1. No he entendido nada. 2. ¿ Has cambiado dinero ? – 3. José ha cenado demasiado. – 4. Nos hemos sentado aquí. – 5. ¿ Habéis podido encontrar un taxi ? – 6. Han aprendido la lección.
B. 1. Es la una y media. – 2. Son las cuatro y cuarto. – 3. Son las siete menos diez. – 4. Son las doce del día. – 5. Son las doce de la noche. – 6. Son las once en punto.

LEÇON 16, p. 138

A. 1. Hay – 2. Hace – 3. Hay – 4. Hace
B. 1. terminar – 2. termines – 3. abrir – 4. abran – 5. cerrar – 6. cierre – 7. volver – 8. vuelvas

LEÇON 17, p. 146

A. 1. No cuentes… – 2. No escriba Ud… – 3. No volváis… – 4. No traten Uds… – 5. No aceptemos…
B. 1. Lee… – 2. Conceda Ud… – 3. Cambiad… – 4. Vendan Uds… – 5. Llenemos…

LEÇON 18, p. 154

1. es, es – 2. está – 3. son, somos – 4. están – 5. es – 6. es – 7. está – 8. es – 9. es, está – 10. es, es – 11. está, soy – 12. estamos, es. 1. es –

LEÇON 19, p. 162

A. 1. hayan – 2. haya – 3. tengan – 4. haya
B. dicho – 2. hecho – 3. visto – 4. escrito – 5. puesto – 6. abierto

LEÇON 20, p. 170

A. 1. Sí, obedecemos a nuestros… – 2. Sí, reconozco mis… – 3. Sí, conduzco… 4. Sí, me pertenecen… – 5. Sí, me parezco a mi…
B. 1. conozca – 2. fume – 3. permanezca – 4. sea – 5. están

C2 Récapitulation : corrigé des exercices

LEÇON 21, p. 180

A. 1. No creo que sea ... — 2. No me parece que estén ... — 3. No es bueno que él tenga ... — 4. No es necesario que se levanten ... — 5. No es preciso que haya ...

B. 1. ¿ Os acordáis ... ? — 2. ¿ Pensáis ... ? — 3. ¿ Podéis ... ? — 4. ¿ Te quedas ... ? — 5. ¿ Te gustan nuestras ... ?

LEÇON 22, p. 188

A. 1. Te contesto. — 2. Os contesto. — 3. Le escribo (a Ud). — 4. Les escribo (a Uds). — 5. Le hablo (a Ud). — 6. Les hablo (a Uds).

B. 1. La aceptamos. — 2. Los he visto. — 3. La llamamos. — 4. Le conozco. — 5. Las he leído. — 6. Los escuchamos.

LEÇON 23, p. 196

A. 1. Te lo prometo. — 2. Os lo prometemos. — 3. Se lo prometo (a Ud). — 4. Se lo prometemos (a Uds)

B. 1. Se lo presto (a Ud). — 2. Te los enseño. — 3. Se lo aconsejo (a Uds). — 4. Os las llevamos. — 5. Se la comunicamos (a Ud).

LEÇON 24, p. 204

A. 1. No miento nunca. — 2. ¿ Duermes bien ? — 3. Te advierto que no puedo. — 4. Siento molestarte. — 5. ¿ Te refieres a lo de ayer ?

B. 1. sienta — 2. se convierta — 3. os refiráis — 4. os divirtáis — 5. invirtamos — 6. Os muráis

LEÇON 25, p. 212

A. 1. ¿ Sigues ... ? — 2. Repito ... — 3. ¿ Sirves ... ? — 4. Elijo ... — 5. ¿ Pide Ud ... ?

B. 1. sigan — 2. se despidan — 3. os vistáis — 4. impidas — 5. se sirvan

LEÇON 26, p. 220

A. 1. Digo ... — 2. Salgo ... — 3. No veo ... — 4. ¿ A qué hora vienes ... ? — 4. Yo tampoco oigo ...

B. 1. venga — 2. digáis — 3. valga — 4. vean — 5. traigan

LEÇON 27, p. 228

A. 1. Vamos ... — 2. ¿ Sabéis ... ? — 3. Conocemos ... — 4. Nos lo ponemos ... — 5. ¿ Podemos ... ?

B. 1. conoce — 2. sepa — 3. des — 4. es — 5. se caigan

LEÇON 28, p. 236

A. 1. Me sentaba ... — 2. Venían ... — 3. Era ... — 4. Íbamos ... — 5. No sabía lo que queríais ...

B. 1. Estudié ... — 2. Nos cansamos. — 3. Me despedí ... — 4. Nos divertimos. — 5. Debí ... — 6. Volvimos ...

C2 Récapitulation : corrigé des exercices

LEÇON 29, p. 244

1. llegó — 2. cambiaste — 3. pagasteis — 4. preguntaron — 5. entendió — 6. perdiste — 7. decidisteis — 8. prometieron

LEÇON 30, p. 252

A. 1. volveré ... cenaré ... — 2. volveremos ... cenaremos ... — 3. volverás ... cenarás ... — 4. volveréis ... cenaréis ...

B. 1. vendería mi ... compraría ... — 2. venderíamos nuestro ... compraríamos ... — 3. vendería su ... compraría ... — 4. venderían su ... comprarían ...

LEÇON 31, p. 262

1. saldrá — 2. vendremos — 3. podrá — 4. me pondré — 5. sabrá — 6. cabrán — 7. haréis

LEÇON 32, p. 270

1. compres — 2. compraras — 3. lea — 4. leyera — 5. reúnan — 6. reunieran — 7. aceptemos — 8. aceptáramos — 9. volváis — 10. volvierais.

LEÇON 33, p. 278

A. 1. ... no os aburráis ... — 2. ... Uds llamen ... — 3. Os decíamos que comprobarais ... — 4. ... Uds no lo admitieran.

B. 1. tenga — 2. tuviera — 3. hayas — 4. hubieras — 5. esté — 6. estuviera

LEÇON 34, p. 286

A. 1. Ayer vine a explicarme. — 2. Ayer vino a explicarse. — 3. Ayer vinimos a explicarnos.

B. 1. Ayer hice ... — 2. Ayer hizo ... — 3. Ayer hicimos ...

C. 1. Ayer dije ... — 2. Ayer dijo ... — 3. Ayer dijimos ...

LEÇON 35, p. 294

A. 1. digamos — 2. dijéramos — 3. hagan — 4. hicieran.

B. 1. Me puse ... — 2. Hicimos ... pudimos. — 3. No supe ... — 4. No quisieron ... sus ideas. — 5. No pudo oponerse ... — 6. Cupimos ...

LEÇON 36, p. 302

1. Anduvimos ... — 2. Fueron ... — 3. Fueron ... — 4. ... dije ... fue ... — 5. ... dio ... — 6. ... trajo ... — 7. Supimos ... pasó (pasaba) ...

LEÇON 37, p. 310

A. 1. Fue — 2. salió — 3. Tuvo — 4. Pudo — 5. volvió

B. 1. Pidieron — 2. Siguieron — 3. vistió — 4. se divirtió — 5. durmieron

C2 Récapitulation : corrigé des exercices

LEÇON 38, p. 318

A. 1. Tráemelo. — 2. Tradúcenosla. — 3. Mándemelo. — 4. Pídasela (V.S.), pídesela (T.S.).

B. 1. Sí, vete ; no, no te vayas. — 2. Sí, idos ; no, no os vayáis.
3. Sí, váyase ; no, no se vaya. — 4. Sí, váyanse ; no, no se vayan.

LEÇON 39, p. 326

1. pueda — 2. pudiera — 3. veamos — 4. viéramos — 5. conduzcas — 6. condujeras — 7. haga — 8. hiciera

LEÇON 40, p. 334

1. por — 2. para — 3. por — 4. por — 5. para — 6. por — 7. para ... por ... — 8. para ... para ... — 9. por — 10. por

Corrigé des tests de contrôle
10 bis - 20 bis - 30 bis - 40 bis

1 c	2 d	3 a	4 a	5 d	6 c	7 b	8 c
9 d	10 b	11 b	12 d	13 a	14 a	15 c	16 c
17 c	18 a	19 b	20 d	21 b	22 c	23 a	24 d
25 b	26 d	27 a	28 d	29 c	30 b	31 d	32 c
33 b	34 a	35 b	36 c	37 d	38 b	39 b	40 d

LEXIQUE ESPAGNOL/FRANÇAIS

ABRÉVIATIONS

adj.	= adjectif	*inv.*	= invariable
adv.	= adverbe	*loc.*	= locution
art.	= article	*m.*	= nom masculin
compl.	= complément	*num.*	= numéral
conj.	= conjonction	*pers.*	= personnel
déf.	= défini	*pl.*	= pluriel
démons.	= démonstratif	*poss.*	= possessif
excl.	= exclamatif	*prép.*	= préposition
f.	= nom féminin	*pron.*	= pronom
impers.	= impersonnel	*sing.*	= singulier
indéf.	= indéfini	*v.*	= verbe
inf.	= infinitif	*vi*	= verbe intransitif
interj.	= interjection	*vp*	= verbe pronominal
interrog.	= interrogatif	*vtr*	= verbe transitif

A

a, *prép.*, (mouvement) à, en ; (heure) à
abierto (-a), *adj.*, ouvert(e)
abstracto (-a), *adj.*, abstrait(e)
absoluto (en ~), *adv.*, pas du tout
abrir, *vtr*, ouvrir
abril, *m.*, avril
abrigo, *m.*, manteau
abandonar, *vtr*, abandonner, quitter
abonar, *vtr*, verser, payer, régler
abuelo (-a), *m.* et *f.*, grand-père, grand-mère : **los ~s**, les grands-parents
aburrido (-a), *adj.*, ennuyeux, ennuyeuse
aburrirse, *vp*, s'ennuyer
acá, *adv.*, ici ; **~ y allá**, ici et là
acabar, *vt*, achever, terminer ; **~ de**, venir de (passé imméd.) ; **~ con**, venir à bout
acaso, *adv.*, peut-être ; par hasard
accidente, *m.*, accident
acelerar, *vi*, accélérer
aceptar, *vtr*, accepter
acera, *f.*, trottoir
acercarse (a), *vp*, s'approcher (de)
aconsejar, *vtr*, conseiller
acordarse, vi, se souvenir
acostarse, *vp*, se coucher
actor, actriz, *m.*, *f.*, comédien, comédienne ; acteur, actrice
acuarela, *f.*, aquarelle
acuerdo, *m.*, accord ;
  estar de ~, être d'accord
acuse, *m.*, accusé ; **~ de recibo**, accusé de réception
adelantado, (-a) *adj.*, avancé(e) ;
  estar ~, avancer (une montre)

además, *adv.*, en plus, en outre
adiós, *m.*, au revoir
adónde, *adv.*, où ?
admitir, *vtr*, admettre
aduana, *f.*, douane ; **pasar la ~**, passer la douane
aduanero, *m.*, douanier
advertir, *vtr*, faire remarquer
afirmar, *vtr*, affirmer
aéreo (-a), *adj.*, aérien(ne) ; **por vía ~**, par avion
aeropuerto, *m.*, aéroport
África, *f.*, Afrique
agitado (-a), *adj.*, agité(e)
agotado (-a), *adj.*, épuisé(e)
agradable, *adj.*, agréable
agradecer, *vtr*, remercier
agosto, *m.*, août
agua, *f.* eau ; **~ mineral**, eau minérale ; **~ con gas**, eau gazeuse ; **~ sin gas**, eau non gazeuse
aguantar, *vtr*, supporter, endurer
aguante, *m.*, patience, endurance
aguar (la fiesta), gâcher (l'ambiance)
aguardiente, *m.*, eau-de-vie
ahogarse, *vp*, se noyer
ahora, *adv.*, maintenant ; **~ mismo**, tout de suite
ahorro, *m.*, épargne
aire, *m.*, air ; **~ acondicionado**, air conditionné
ajeno (-a), *adj.*, d'autrui; de l'autre, des autres
¡ ala !, *interj.*, allons, allez
alegrarse, *vp*, se réjouir, être content
algo, *pron. indéf.*, quelque chose

algodón, *m.*, coton

alijo, *m.*, contrebande

alimentarse (con), *vp*, s'alimenter (de)

allá, *adv.*, là ; **acá y ~**, ici et là

allí, *adv.*, là

alojarse, *vp*, se loger, descendre (dans un hôtel)

alpinismo, *m.*, alpinisme

alquilar, *vtr*, louer

alto (-a), *adj.*, grand(e)

alumno, *m.*, élève

amable, *adj.*, aimable ; gentil(le)

amar, *vtr*, aimer (sentiments abstraits)

amarillo (-a), *adj.*, jaune ; (feu de circulation) orange

ambiente, *m.*, ambiance

americana, *f.*, veste

americano (-a), *adj.*, américain(ne)

amigo (-a), *m. et f.*, ami, amie

amor, *m.*, amour

ancho (-a), *adj.*, large

¡ anda !, *excl.*, eh bien ; allons ; tiens ; tu parles

andar, *vi*, marcher

andén, *m.*, quai (de gare)

animar, *vtr*, animer

anís, *m.*, anis

anoche, *adv.*, hier soir

anteanoche, *adv.*, avant-hier soir

anteayer, *adv.*, avant-hier

antena, *f.*, antenne ; **~ parabólica**, antenne parabolique

antes, *adv.*, avant ; *loc.*, **~ de**, avant de ; **~ (de) que**, avant que

antiguo (-a), *adj.*, ancien(ne)

antipático (-a), *adj.*, antipathique

anular, *vtr*, annuler

anuncio, *m.*, annonce

añadir, *vtr*, ajouter

año, *m.*, an, année

apagar, *vtr*, éteindre

aparcamiento, *m.*, stationnement

aparato, *m.*, appareil

aparcar, *vtr*, garer

apartado (-a), *adj.*, écarté(e) ; éloigné(e) ; *m.*, **~ de correos**, boîte postale

apellido, *m.*, nom de famille

aperitivo, *m.*, apéritif

apetecer, *vtr*, avoir envie ; **me apetece**, j'ai envie de

apetito, *m.*, appétit

aplastar, *vtr*, écraser

aprender, *vtr*, apprendre

aprendiz, *m.*, apprenti

aprobar, *vtr*, réussir (un examen)

apto (-a), *adj.*, apte

apuntarse, *vp*, s'inscrire

aquí, *adv.*, ici

arancelario (-a), *adj.*, qui concerne les tarifs douaniers ; **derechos ~s**, droits douaniers ; **leyes ~as**, législation douanière

arcén, *m.*, bas-côté

arena, *f.*, sable

armario, *m.*, armoire

armonía, *f.*, harmonie

arreglar, *vtr*, arranger, réparer

arrepentirse, *vp*, se repentir

arriba, *adv.*, en haut, dessus

arrollar, *vtr*, renverser

arroz, *m.*, riz

arte, *m.*, art

artículo, *m.*, article

ascender, *vi*, monter, s'élever

asco, *m.*, dégoût ; **dar ~**, dégoûter

asegurar, *vtr*, assurer, affirmer

así, *adv.*, ainsi, comme ça ; **~ que**, ainsi, de telle sorte que, si bien que

asiento, *m.*, siège

asignatura, *f.*, matière (d'étude)

asistir, *vi*, assister

asunto, *m.*, sujet, thème, affaire

atasco, *m.*, embouteillage

atender, *vtr*, s'occuper (de)

atentamente, *adv.*, attentivement

aterrizaje, *m.*, atterrissage

aterrizar, *vi*, atterrir

atletismo, *m.*, athlétisme

¡ atolondrado !, *excl.*, espèce d'étourdi !

atraer, *vtr*, attirer

atrasado (-a), *adj.*, retardé(e) ; attardé(e) ; **estar ~**, retarder (une montre)

atrasarse, *vp*, retarder (montre)

atreverse (a), *vp*, oser

aula, *f.*, salle de cours

aunque, *conj.*, (+ indicatif) bien que ; (+ subjonctif) même si

auricular, *m.*, combiné (téléphone)

autobús, *m.*, autobus, bus

automovilista, *m. et f.*, automobiliste

autopista, *f.*, autoroute

autovía, *f.*, voie rapide

auxiliar, *m.*, auxiliaire, aide ; **~ de vuelo**, steward

avenida, *f.*, avenue

avería, *f.*, panne

avión, *m.*, avion

aviso, *m.*, appel

ayer, *adv.*, hier ; **~ por la mañana**, hier matin

ayuda, *f.*, aide

ayudar, *vtr*, aider

ayuntamiento, *m.*, mairie

azafata, *f.*, hôtesse (de l'air)

azul, *adj.*, bleu(e) ; **~ claro, marino**, bleu clair, marine

B

bache, *m.*, nid de poule

bacon, *m.*, bacon

badén, *m.*, dos d'âne

bailar, *vtr*, danser

baile, *m.*, bal

bajar, *vtr*, descendre ; baisser

bajo (-a), *adj.*, petit(e) (taille)

balcón, *m.*, balcon

balneario, *m.*, station balnéaire

baloncesto, *m.*, basket-ball

balonmano, *m.*, hand-ball

banco, *m.*, banque

bandeja, *f.*, plateau

bañador, *m.*, maillot de bain

bañarse, *vp*, se baigner

bañista, *m.*, baigneur, baigneuse

baño, *m.*, bain ; salle de bains

bar, *m.*, bar

barato (-a), *adj.*, bon marché ; peu cher/chère

barbaridad, *f.*, barbarie ; **¡ qué ~**, quelle horreur !, c'est incroyable !, mon Dieu !

barca, *f.*, barque

barra, *f.*, comptoir

barriga, *f.*, ventre ; **echar ~**, prendre du ventre

barrio, *m.*, quartier

bastante, *adv.*, assez

bastar (con), *vi*, suffire (de)

bastidores, *m. pl.*, coulisses

beber, *vtr*, boire

bebida, *f.*, boisson

beca, *f.*, bourse (subvention)

becario (-a), *m.* et *f.*, boursier, boursière

beige, *adj.*, beige

Bélgica, *f.*, Belgique

bestia, *f.*, bête ; *(fig.)* brute

biblioteca, *f.*, bibliothèque

bicicleta, *f.*, bicyclette

bien, *adv.* et *m.*, bien

billete, *m.*, billet, ticket ; **sacar un ~**, prendre un ticket

blanco, blanca, *adj.*, blanc, blanche

blusa, *f.*, blouse

boca, *f.*, bouche

bocacalle, *f.*, entrée d'une rue

bochorno, *m.*, chaleur étouffante

boda, *f.*, noce ; **noche de ~s**, nuit de noce

bolígrafo, *m.*, crayon à bille

bolsillo, *m.*, poche

bombón, *m.*, chocolat (bouchée)

bonito (-a), *adj.*, joli(e)

bonobús, *m.*, carte d'abonnement

borracho (-a), *adj.*, soûl(e)

bota, *f.*, botte

botella, *f.*, bouteille

botones, *m.*, chasseur (hôtel)

boxeo, *m.*, boxe

boya, *f.*, balise

bragas, *f. pl.*, culotte (femme), slip

brillar, *vi*, briller

bromear, *vi*, plaisanter

bronceador, *m.*, crème solaire

broncear, *vtr*, bronzer

¡ bruto !, *interj.*, brute !

buceo, *m.*, plongée

buenísimo (-a), *adj.*, très bon(ne) ; **estar ~**, être à croquer

bueno (-a), *adj.*, bon(ne) ; généreux, généreuse ; **(buen** devant un *m.*), **estar ~**, être en bonne santé ; **ser ~**, être bon ; **muy ~as**, salut, bonjour ; **hace ~**, il fait beau

bueno, *interj.*, bon, bien

bufanda, *f.*, écharpe, foulard

burlarse, *vp*, se moquer

bus, *m.*, bus ; **sólo ~**, couloir réservé aux bus

buscar, *vtr*, chercher

butaca, *f.*, fauteuil ; **~ de patio**, fauteuil d'orchestre

buzón, *m.*, boîte aux lettres

C

caber, *vi*, contenir, tenir ; **no cabe duda (alguna)**, il n'y a (aucun) doute ; **no cabe la menor duda**, il n'y a pas le moindre doute ; **cabe pensar que**, il y a lieu de penser que

cable, *m.*, câble

cada, *adj. indéf.*, chaque

cadena, *f.*, chaîne

caer, *vi*, tomber

café, *m.*, café ; **~ solo**, café noir ; **~ con leche**, café au lait ; **~ cortado**, café crème

cafetería, *f.*, café

caída, *f.*, chute

caja, *f.*, caisse

cajero, *m.*, caissier ; **~ automático**, distributeur de billets

calamar, *m.*, calmar, calamar

calambre, *m.*, crampe

calcetín, *m.*, chaussette

calderilla, *f.*, petite monnaie

calidad, *f.*, qualité

callar(se), *vi* et *vp*, se taire

calle, *f.*, rue

callejuela, *f.*, ruelle

¡ calma !, *interj.*, du calme !

calmarse, *vp*, se calmer

calor, *m.*, chaleur ; **tener ~**, avoir chaud

calvo (-a), *adj.*, chauve

calzarse, *vp*, se chausser

calzoncillo, *m.*, caleçon

cama, *f.*, lit ; **~ supletoria**, lit supplémentaire

cámara, *f.*, caméra

camarera, *f.*, femme de chambre

camarero, *m.*, serveur

cambiar, *vtr*, changer

cambio, *m.*, changement ; change ; **tener ~**, avoir de la monnaie

camerino, *m.*, loge (d'artiste)

caminar, *vi*, marcher

camión, *m.*, camion

camisa, *f.*, chemise ; **~ de rayas**, chemise à rayures

camiseta, *f.*, maillot de corps

campanario, *m.*, clocher

campeón, *m.*, champion

campeonato, *m.*, championnat

campesino, *m.*, paysan

campo, *m.*, campagne ; **~ de deportes**, terrain de sport

canal, *m.*, canal, chaîne (de télévision)

cangrejo, *m.*, écrevisse

cansarse, *vp*, se fatiguer

cansado (-da), *adj.*, (avec **estar**), fatigué(e) ; (avec **ser**), fatigant

cantar, *vtr*, chanter

cántaro, *m.*, cruche ; **llover a ~s**, pleuvoir à verse ou des cordes

caña, *f.*, demi de bière

cañería, *f.*, canalisation

capilla, *f.*, chapelle

capitán, *m.*, capitaine ; commandant (de bord)

capítulo, *m.*, chapitre

cara, *f.*, visage ; **¡ qué ~ !**, quel culot !

caramelo, *m.*, bonbon

cariño, *m.*, tendresse ; *interj.*, mon/ma chéri(e), mon amour

carne, *f.*, viande

carné, *m.*, carnet ; **~ de conducir**, permis de conduire

caro, **cara**, *adj.*, cher, chère

carrera, *f.*, course ; carrière, études ; **~ automovilística**, course automobile

carretera, *f.*, route

carril, *m.*, rail ; couloir (de circulation)

carta, *f.*, lettre ; **~ certificada**, lettre recommandée ; **~ urgente**, lettre urgente ; (restaurant) carte

cartelera (estar en), *f.*, (être à) l'affiche

cartera, *f.*, serviette, cartable ; portefeuille

cartero, *m.*, facteur

cartón, *m.*, carton ; cartouche (de cigarettes)

casa, *f.*, maison

casado (-a), *adj.*, marié(e) ; **recién ~s**, nouveaux mariés

casarse, *vp*, se marier

casco, *m.*, casque ; **~ antiguo**, vieille ville, centre historique

casi, *adv.*, presque

caso, *m.*, cas ; **hacer ~**, faire attention

castaño (-a), *adj.*, châtain(e)

castillo, *m.*, château (-fort)

catedral, *f.*, cathédrale

catedrático, *m.*, professeur agrégé

catorce, *num.*, quatorze

cava, *m.*, vin mousseux

cazadora, *f.*, blouson

cebra, *f.*, zèbre ; **paso de ~**, passage pour piétons

celebrar, *vtr*, fêter

celular, *m.*, téléphone portable, portable

cenar, *vi*, dîner

centímetro, *m.*, centimètre

cerca, *adv.*, près ; *loc.*, **~ de**, près de

cerrar, *vtr*, fermer

certificado (-a), *adj.*, recommandé(e) ; **carta ~a**, lettre recommandée

cervecería, *f.*, brasserie

cerveza, *f.*, bière ; **~ de barril**, bière pression ; **~ de botella**, bière en bouteille

chaleco, *m.*, gilet

chantajista, *m.*, maître chanteur

champán, *m.*, champagne

chaqueta, *f.*, veste

cheque, *m.*, chèque ; **~ de viaje**, chèque de voyage

chico, **chica**, *m.* et *f.*, garçon, fille

chiste, *m.*, histoire drôle

chocolate, *m.*, chocolat

chuleta, *f.*, côtelette ; antisèche

churro, *m.*, beignet

ciclismo, *m.*, cyclisme

cielo, *m.*, ciel

ciento (cien), *num.*, cent

cierre, *m.*, fermeture

cierto (-a), *adj.*, certain(e)

cigarrillo, *m.*, cigarette

cigarro, *m.*, cigarette

cinco, *num.*, cinq

cincuenta, *num.*, cinquante

cine, *m.*, cinéma

cinturón, *m.*, ceinture ; **~ de seguridad**, ceinture de sécurité

circulación, *f.*, circulation ; **código de la ~**, code de la route

cita, *f.*, rendez-vous

ciudad, *f.*, ville

claro (-a), *adj.*, clair(e) ; *interj.*, bien sûr, évidemment

claroscuro, *m.*, clair-obscur

clase, *f.*, classe

clasificación, *f.*, classement

claustro, *m.*, cloître

cobrador, *m.*, receveur

cobrar, *vtr*, toucher, encaisser

cobro, *m.*, encaissement, recouvrement ; **llamar a ~ revertido**, appeler en PCV

coche, *m.*, voiture ; wagon ; **~ cama**, wagon-lit ; **~ restaurante**, wagon restaurant

cocina, *f.*, cuisine

código, *m.*, code ; **~ de la circulación**, code de la route ; **~ postal**, code postal

coger, *vtr*, prendre

cola, *f.*, queue ; **hacer ~**, faire la queue

colarse, *vp*, se glisser, se faufiler

colchón, *m.*, matelas ; **~ neumático**, matelas pneumatique

colegio, *m.*, collège

colgar, *vtr*, prendre, accrocher, (téléphone) raccrocher

colocar, *vtr*, placer

color, *m.*, couleur

coma, *f.*, virgule

combate, *m.*, combat

comedor, *m.*, salle à manger

comenzar, *vtr*, commencer

comer, *vtr*, manger

cómo, *interrog.*, comment

compartimento, *m.*, compartiment

competencia, *f.*, concurrence

competidor (-ra), *m.* et *f.*, concurrent(e)

completo (-a), *adj.*, complet, complète

componer, *vtr*, composer

comprar, *vtr*, acheter

comprender, *vtr*, comprendre

comprobar, *vtr*, vérifier

comprometido (-da), *adj.*, engagé(e)

comunicar, *vtr*, communiquer ; **estar comunicando**, être occupé (téléphone)

con, *prép.*, avec

concebible, *adj.*, concevable

concebir, *vtr*, concevoir

conceder, *vtr*, accorder

concha, *f.*, coquillage

concierto, *m.*, concert ; concerto

conducir, *vtr*, conduire

conductor, *m.*, chauffeur

conferencia, *f.*, conférence ; communication (téléphonique)

confianza, *f.*, confiance

confiar, *vi*, avoir confiance

conforme, *adj.*, d'accord

conmigo, *pr. pers.*, avec moi

conocer, *vtr*, connaître

conocimiento, *m.*, connaissance

conseguir, *vtr*, obtenir, réussir

consejo, *m.*, conseil
consentir, *vtr et int.*, consentir
conservar, *vtr*, conserver
conservatorio, *m.*, conservatoire
considerar, *vtr*, considérer
consomé, *m.*, consommé
constipación, *f.*, rhume
constipado, *m.*, rhume
constituir, *vtr*, constituer
construir, *vtr*, construire
contado (al), *loc. adv.*, au comptant
contar, *vtr*, compter, raconter
contento (-a), *adj.*, content(e)
contestador, *m.*, répondeur
contestar, *vtr*, répondre
contigo, *pr. pers.*, avec toi
consigo, *pr. pers.*, avec soi
continuar, *vtr*, continuer
contrabandista, *m.*, contrebandier
contrabando, *m.*, contrebande
contrario (al), *loc. adv.*, au contraire
contentarse (con), *vp*, se contenter (de)
contrato, *m.*, contrat ;
  ~ **fijo**, contrat à durée indéterminée ;
  ~ **temporal**, contrat à durée déterminée
contribuir, *vi*, contribuer
control, *m.*, contrôle
controlador, *m.*, contrôleur
convencer, *vtr*, convaincre
convenir, *vi*, convenir
convento, *m.*, couvent
conversación, *f.*, conversation
convertir, *vtr*, convertir
convincente, *adj.*, convaincant(e)
coñac, *m.*, cognac
copa, *f.*, coupe, verre
corbata, *f.*, cravate
cordero, *m.*, agneau
corregir, *vtr*, corriger
correo, *m.*, courrier ; **Correos**, la Poste ;
  lista de ~s, poste restante ; **oficina de**
  ~s, bureau de Poste ; **apartado de ~s**,
  boîte postale ; **ir a ~s**, aller à la Poste
correr, *vi*, courir ; souffler (vent) ;
  ~ **por**, courir chercher
corriente, *f.*, courant
corriente (al), *loc. adv.*, au courant
cortar, *vtr*, couper
corto (-a), *adj.*, court(e)
cosa, *f.*, chose, affaire
costar, *vtr*, coûter
costumbre, *f.*, habitude
cotizado (-a), *adj.*, coté(e)
cotorra, *f.*, pie
crear, *vtr*, créer
creer, *vtr*, croire
creído (-a), *adj.*, cru(e) ; **ser ~**, être présomptueux
crema, *adj.*, crème
crespo (-a), *adj.*, crépu(e)
Cristo, *m.*, Christ
cruce, *m.*, croisement, carrefour
crucificado (-a), *adj.*, crucifié(e)
cruzar, *vtr*, traverser
cuadrilla, *f.*, bande d'ami(e)s
cuadro, *m.*, tableau
cualquiera, *pron. indéf.*, n'importe qui
cuando, *adv.*, quand

cuánto, *pron. interrog.*, combien
cuanto (en ~), *conj.*, dès que
cuanto antes, *loc. adv.*, dès que possible
cuarenta, *num.*, quarante
cuarto (-a), *num.*, quatrième
cuarto, *m.*, quart ; chambre, pièce ;
  ~ **de estar**, salle de séjour ; ~**de baño**,
  salle de bains
cuatro, *num.*, quatre
cuatrocientos (-as), *num.*, quatre cents
cubalibre, *m.*, rhum-Coca
cubata, *m.*, rhum-Coca
cubierto (-a), *adj.*, couvert(e) ; *m. pl.*, (les) couverts
cubista, *adj.*, cubiste
cuchara, *f.*, cuillère
cucharilla, *f.*, petite cuillère
cuchillo, *m.*, couteau
cuenta, *f.*, note, addition, compte ; **darse**
  ~, se rendre compte ; ~ **corriente**,
  compte courant
cuidado, *m.*, soin, attention ; **tener ~**
  (con), faire attention (à)
culpa, *f.*, faute
cultura, *f.*, culture (de l'esprit)
cumbre, *f.*, sommet
cumpleaños, *m.*, anniversaire
cuñado (-a), *m. et f.*, beau-frère, belle-sœur
currante, *m. fam.*, bosseur
currar, *vi fam.*, travailler, bosser
curso, *m.*, cours
curva, *f.*, virage
cuyo (-a), *adj.*, *relatif*, dont (le, la, les)

D

daltónico (-a), *adj.*, daltonien(ne)
dar, *vtr*, donner ; ~ **un paseo**, faire une
  promenade ; ~ **una vuelta**, faire un
  tour ; ~ **de**, donner à ; ~ **las gracias**,
  remercier ; ~ **pena**, faire de la peine ; ~
  se cuenta, se rendre compte
de, *prép.*, de
deber, *vtr*, devoir (obligation) ; ~ **de**,
  devoir (supposition)
débil, *adj.*, faible
decidir, *vtr*, décider
décimo (-a), *num.*, dixième
decir, *vtr*, dire
declaración, *f.*, déclaration
declarar, *vtr*, déclarer
decomisar, *vtr*, saisir (en douane)
decorado, *m.*, décor
defender, *vtr*, défendre
defraudar, *vtr*, frauder
dejar, *vtr*, laisser, quitter
delante, *adv.*, devant ; *loc. prép.*, ~ **de**,
  devant
delgado (-a), *adj.*, mince
demás (los), *pron. indéf.*, les autres
demasiado, *adv.*, trop
demasiado (-a), *adj.*, trop de
dentro de, *prép.*, dans, à l'intérieur de ;
  ~ **de quince días**, dans quinze jours
deporte, *m.*, sport
deportista, *m. et f.*, sportif, sportive
deportivo (-a), *adj.*, sportif, sportive

derechazo, *m.*, droite (boxe)

derecho (-a), *adj.*, droit(e) ; **a la ~a**, à droite

derecho, *m.*, droit ; **~s arancelarios**, droits douaniers

desaparecer, *vi*, disparaître

desastre, *m.*, désastre

desayuntar, *vtr*, prendre le petit déjeuner

descansar, *vi*, se reposer

descender, *vtr*, descendre

descolgar, *vtr*, décrocher (téléphone)

desconfiado (-a), *adj.*, méfiant(e)

desconocido, *m.*, inconnu

descorchar, *vtr*, déboucher (une bouteille)

describir, *vtr*, décrire

desde, *prép.*, depuis

deseable, *adj.*, souhaitable

desear, *vtr*, désirer, souhaiter

desempleo, *m.*, chômage

despacio, *adv.*, lentement

despedir, *vtr*, renvoyer, congédier

despedirse, *vp*, prendre congé

despegar, *vi*, décoller

despegue, *m.*, décollage

después, *adv.*, après, ensuite

destinatario, *m.*, destinataire

destino, *m.*, destination ; **con ~ a**, à destination de

destrozar, *vtr*, abîmer

destruir, *vtr*, détruire

desviarse, *vp*, prendre une déviation

detenerse, *vp*, s'arrêter

detrás, *adv.*, derrière ; *loc. prép.*, **~ de**, derrière

devolver, *vtr*, rendre, restituer

día, *m.*, jour ; **cada ~ más**, de plus en plus ; **buenos ~s**, bonjour ; **dar los buenos ~s**, souhaiter le bonjour ; **~ festivo**, jour férié ; **~ laborable**, jour ouvrable

¡ diablos !, *interj.*, diable !

dibujo, *m.*, dessin ; **~ al pastel**, pastel

dicho (-a), *adj.*, dit(e)

diciembre, *m.*, décembre

diecinueve, *num.*, dix-neuf

dieciocho, *num.*, dix-huit

dieciséis, *num.*, seize

diecisiete, *num.*, dix-sept

diente, *m.*, dent

diez, *num.*, dix

dificultad, *f.*, difficulté

difusión, *f.*, diffusion

¡ diga !, **¡ dígame !**, *interj.*, allo (dit par celui qui est appelé)

dineral, *m.*, fortune, grosse somme

dinerillo, *m.*, argent de poche

dios, *m.*, dieu ; **¡ por ~ !**, mon Dieu !

dinero, *m.*, argent (monnaie)

dirección, *f.*, adresse

directamente, *adv.*, directement

directo (-ta), *adj.*, direct(e)

disco, *m.*, disque

discoteca, *f.*, discothèque, boîte

disculpar, *vtr*, excuser

discusión, *f.*, discussion

disminuir, *vtr*, diminuer

distancia, *f.*, distance

distraerse, *vp*, se distraire, s'amuser

distrito, *m.*, district ; arrondissement

divertido (-a), *adj.*, amusant(e)

divertirse, *vp*, s'amuser

dividir, *vtr*, diviser

divino (-a), *adj.*, divin(e)

divisa, *f.*, devise (monnaie)

doble, *adj.*, double

doce, *num.*, douze

doctorado, *m.*, doctorat

doctorarse, *vp*, passer son doctorat

documentación, *f.*, documentation ; **~ de un coche**, papiers d'une voiture

documental, *m.*, documentaire

dólar, *m.*, dollar

dolor, *m.*, douleur

domingo, *m.*, dimanche

dónde, *interrog.*, où ?

dormir, *vi*, dormir

dormitorio, *m.*, chambre

dos, *num.*, deux

doscientos (-as), *num.*, deux cents

duda, *f.*, doute ; **sin ~**, sans doute

dudar, *vi*, douter ; **~ entre**, hésiter

dueño, *m.*, maître, propriétaire

durante, *prép.*, pendant

duro, *m.*, douro (pièce de 5 pesetas) ; **no tener ni un ~**, ne pas avoir un sou

E

echar, *vtr*, jeter ; **~ una carrera**, prendre à la course ; **~ barriga**, prendre du ventre

edad, *f.*, âge

edificio, *m.*, immeuble, bâtiment

ejercicio, *m.*, exercice

el, *art. déf.*, de la ; **~ de**, celui de ; **~ que**, celui qui

él, *pron. pers.*, lui, il

elegir, *vtr*, choisir

eliminar, *vtr*, éliminer

ella, *pron. pers.*, elle

ellos / ellas, *pron. pers.*, eux / elles

embarazada, *adj. f.*, enceinte

embarcar, *vi*, embarquer

embargo (sin), *adv.*, cependant, en revanche

embarque, *m.*, embarquement

emisión, *f.*, émission

emitir, *vtr*, émettre

empezar, *vtr*, commencer

empleado (-a), *m. et f.*, employé(e)

empleo, *m.*, emploi

empresa, *f.*, entreprise

empujar, *vtr*, pousser

en, *prép.*, à, en, dans

encantado (-a), *adj.*, enchanté(e)

encantar, *vtr*, enchanter ; **me, le encanta**, j'adore, il adore

encender, *vtr*, allumer

encima, *adv.*, dessus ; en plus

encontrar, *vtr*, trouver ; **~se con**, rencontrer

encuentro, *m.*, rencontre

energía, *f.*, énergie

enero, *m.*, janvier

enfadarse, *vp*, se fâcher

enfermo (-a), *adj.*, malade

enfrente, *adv.*, en face ; *loc. prép.*, ~ **de**, en face de
enriquecerse, *vp*, s'enrichir
enseguida, *adv.*, tout de suite
ensalada, *f.*, salade
enseñanza, *f.*, enseignement
enseñar, *vtr*, montrer
entender, *vtr*, comprendre
enterarse (de), *vp*, s'informer (de), être au courant, savoir
entonces, *adv.*, alors, dans ces conditions
entablar, *vtr*, engager (une conversation)
entero (-a), *adj.*, entier, entière
entrar, *vtr*, entrer
entre, *prép.*, entre, parmi
entregar, *vtr*, remettre
entrenador, *m.*, entraîneur
entrenarse, *vp*, s'entraîner
entretenerse, *vp*, s'amuser
envejecer, *vi*, vieillir
enviar, *vtr*, envoyer
equivocarse, *vp*, se tromper
equipaje, *m.*, bagages
equitación, *f.*, équitation
error, *m.*, erreur
escándalo, *m.*, scandale ; ~ **nocturno**, tapage nocturne
escaparate, *m.*, vitrine
escenario, *m.*, scène (plateau)
escoger, *vtr*, choisir
esconder, *vtr*, cacher
escondidas (a ~), *adv.*, en cachette
escribir, *vtr*, écrire
escuchar, *vtr*, écouter
escuela, *f.*, école
escultura, *f.*, sculpture
esfuerzo, *m.*, effort
eslip, *m.*, slip (homme)
eso, *pr. neutre*, ceci, cela ; ~ **es**, c'est cela, d'accord
español (-a), *adj.*, espagnol(e)
especialidad, *f.*, spécialité
espectáculo, *m.*, spectacle
esperar, *vtr*, attendre
esposo / esposa, *m. et f.*, époux / épouse
esquí, *m.*, ski ; ~ **acuático**, ski nautique
esquiar, *vi*, skier
esquina, *f.*, coin (de rue)
establecerse, *vp*, s'établir
estación, *f.*, saison ; gare ; station
estadio, *m.*, stade
estantería, *f.*, étagère
estar, *v.*, être, se trouver
estatua, *f.*, statue
este, esta, estos, estas, *adj. démons.*, ce, cet, cette, ces
éste, ésta, éstos, éstas, *pron. démons.*, celui-ci, celle-ci, ceux-ci, celles-ci
estético (-a), *adj.*, esthétique
estilo, *m.*, style
esto, *pron. démons.*, ceci, cela, ce
estrechar, *vtr*, serrer
estreñimiento, *m.*, constipation
estreno, *m.*, première (spectacle)
estrépito, *m.*, fracas
estresado (-a), *adj.*, stressé(e)
estudiante, *m.*, étudiant
estudiar, *vtr*, étudier

estudios, *p. pl.*, études
estupendo (-a), *adj.*, stupéfiant(e), *fig.*, parfait, formidable
Europa, *f.*, Europe
evitar, *vtr*, éviter
examinarse, *vp*, passer un examen
excepto, *prép.*, sauf, excepté
excluir, *vtr*, exclure
existir, *vi*, exister
éxito, *m.*, succès
expedir, *vtr*, expédier
explicación, *f.*, explication
explicar, *vtr*, expliquer
exponer, *vtr*, exposer
exportación, *f.*, exportation
exportar, *vtr*, exporter
exposición, *f.*, exposition
extensión, *f.*, extension ; étendue ; poste (téléphonique)
extranjero, *m.*, étranger

F

fábrica, *f.*, usine
fácil, *adj.*, facile ; probable
fácilmente, *adv.*, facilement
facultad, *f.*, faculté
facturación, *f.*, enregistrement (des bagages)
facturar, *vtr*, enregistrer (les bagages)
fajo, *m.*, liasse (de billets)
falda, *f.*, jupe
falta, *f.*, faute, manque ; **hace ~ (que)**, il faut (que)
familia, *f.*, famille
farmacia, *f.*, pharmacie
fastidiar, *vtr*, gâcher
favor, *m.*, faveur ; **por ~**, s'il vous (te) plaît
favorecer, *vtr*, favoriser
febrero, *m.*, février
fechar, *vtr*, dater ; ~ **un billete**, composter un billet
feliz, *adj.*, heureux, heureuse
feo, fea, *adj.*, laid, laide
ferrocarril, *m.*, chemin de fer
festejar, *vtr*, fêter
festival, *m.*, festival
festivo (-a), *adj.*, férié(e) ; de fête ; **día ~**, jour férié
fiar (de), *vi*, avoir confiance (en)
fiesta, *f.*, fête ; **estar de ~**, faire la fête
figura, *f.*, figure
figurante, *m.*, figurant
fijo, fija, *adj.*, fixe ; **contrato ~**, contrat à durée indéterminée
fila, *f.*, file
fin, *m.*, fin ; **por ~**, enfin ; ~ **de semana**, week-end
final, *m.*, fin ; ~ **de la línea** (autobus), terminus
final, *f.*, finale
firma, *f.*, signature
firmar, *vtr*, signer
flor, *f.*, fleur
flotador, *m.*, bouée
folleto, *m.*, brochure
fondo, *m.*, fond ; **al ~**, au fond
fontanero, *m.*, plombier

fortuna, *f.*, fortune
foto, *f.*, photo
fotografía, *f.*, photographie
fotógrafo, *m.*, photographe
fracaso, *m.*, échec
francés, francesa, *adj.*, français, française
Francia, *f.*, France
franco, *m.*, franc
franquear, *vtr*, affranchir
franquicia, *f.*, franchise
fraude, *m.*, fraude
frenar, *vi*, freiner
frenazo, *m.*, coup de frein
fresa, *f.*, fraise
fresco, fresca, *adj.*, frais, fraîche ; **ser ~**, être culotté, gonflé
frío, fría, *adj.*, froid, froide ; **un ~ que pela**, un froid de canard
frontera, *f.*, frontière
fruta, *f.*, fruit
fuera, *adv.*, dehors ; **~ de combate**, hors combat
fuente, *f.*, fontaine
fuerte, *adj.* et *adv.*, fort(e)
fumar, *vtr*, fumer
función, *f.*, représentation (théâtrale)
funcionar, *vi*, fonctionner ; marcher
fútbol, *m.*, foot-ball
futuro, *m.*, avenir ; **en el ~**, à l'avenir

G

gafas, *f. pl.*, lunettes
galería, *f.*, galerie
gallinero, *m.*, poulailler
gamba, *f.*, crevette rose, bouquet
gana, *f.*, envie ; **tener ~s de**, avoir envie de ; **dar la ~**, faire envie
ganar, *vtr*, gagner
gasolina, *f.*, essence
gasolinera, *f.*, poste à essence
gastar, *vtr*, dépenser
gastos, *m. pl.*, frais, dépenses
gato, *m.*, chat
gente, *f.*, gens
gimnasia, *f.*, gymnastique
gimnasio, *m.*, gymnase
girar, *vi*, tourner
giro, *m.*, tour ; **~ postal**, mandat postal ; **~ telegráfico**, mandat télégraphique
golf, *m.*, golf
gordo, gorda, *adj.*, gros, grosse
gracias, *interj.*, merci ; **dar las ~**, remercier
gracioso (-a), *adj.*, drôle
grande, *adj.*, grand(e)
gris, *adj.*, gris(e)
gritar, *vtr*, crier
grosero (-a), *adj.*, grossier, grossière
grupo, *m.*, groupe
guapísimo (-a), *adj.*, très beau, belle
guapo, guapa, *adj.*, beau, belle ; joli, jolie
guante, *m.*, gant
guardia, *m.*, agent (de police)
guía, *f.*, annuaire ; **~ de hoteles**, guide des hôtels ; **~ telefónica**, annuaire téléphonique

guiar, *vtr*, guider
guión, *m.*, scénario
gustar, *vi*, plaire
gusto, *m.*, plaisir, goût ; **mucho ~**, très heureux (formule de politesse) ; **con ~**, avec plaisir ; **dar ~**, faire plaisir

H

haber, *v. aux.*, avoir, être
hablar, *vtr*, parler
habitación, *f.*, pièce ; chambre ; **~ doble, simple**, chambre double, simple
hacer, *vtr*, faire
hacia, *prép.*, vers
harto, harta, *adj.*, rassasié(e) ; **estar ~ de**, en avoir marre de
hasta, *prép.*, jusqu'à, même ; **~ luego**, à plus tard ; **~ mañana**, à demain ; **~ la próxima**, à la prochaine ; **~ pronto**, à bientôt
hambre, *f.*, faim
hay, *forme impers. de* **haber**, il y a ; **~ que** (+ *inf.*), il faut
hecho, hecha, *adj.*, fait(e)
helar, *v. impers.*, geler
helicóptero, *m.*, hélicoptère
herir, *vtr*, blesser
hermanastro (-a), *m.* et *f.*, demi-frère, demi-sœur
hermano (-a), *m.* et *f.*, frère, sœur ; **los ~s**, les frère(s) et sœur(s)
hervir, *vi*, bouillir
hijo, hija, *m.* et *f.*, fils, fille ; **los ~s**, les enfants
historial, *m.*, curriculum vitae
hola, *interj.*, oh ! ; **¡ Hola !**, Salut !
hombre, *m.*, homme ; *interj.*, mon vieux, tiens, quoi, eh bien, vraiment, allons donc
hora, *f.*, heure
horario, *m.*, horaire
horchata, *f.*, orgeat
horno, *m.*, four
hospital, *m.*, hôpital
hostelería, *f.*, hôtellerie
hotel, *m.*, hôtel
hoy, *adv.*, aujourd'hui
huelga, *f.*, grève
huelguista, *m.* et *f.*, gréviste
huevo, *m.*, œuf
huir, *vtr*, fuir

I

ida, *f.*, aller ; **~ y vuelta**, aller et retour
idea, *f.*, idée
idiota, *adj.*, idiot(e) ; bête
iglesia, *f.*, église
ignorar, *vtr*, ignorer
igual, *adj.*, égal ; **me da ~**, cela m'est égal
imagen, *f.*, image
imaginarse, *vp*, s'imaginer
imbécil, *adj.*, imbécile
impedir, *vtr*, empêcher
impermeable, *m.*, imperméable

importación, *f.*, importation

importante, *adj.*, important(e)

importar, *vtr et imp.*, importer ; **no importa**, cela n'a pas d'importance, ce n'est pas grave

imposible, *adj.*, impossible

imprescindible, *adj.*, indispensable

impresionar, *vtr*, impressionner

impreso, *m.*, imprimé, formulaire, bordereau

impuesto, *m.*, impôt, taxe

inalámbrico, *m.*, téléphone sans fil

incienso, *m.*, encens

incluir, *vtr*, inclure

indispensable, *adj.*, indispensable

inevitable, *adj.*, inévitable

información, *f.*, renseignement ; (pour le téléphone) les Renseignements

informática, *f.*, informatique

informativo, *m.*, bulletin d'information

infusión, *f.*, infusion

inmediatamente, *adv.*, immédiatement

inquietarse, *vp*, s'inquiéter

inquieto (-a), *adj.*, inquiet, inquiète

insinuar, *vtr*, insinuer

insistir, *vi*, insister

insoportable, *adj.*, insupportable

insolación, *f.*, insolation

inspirarse (en), *vp*, s'inspirer (de)

insultar, *vtr*, insulter

intención, *f.*, intention

intensidad, *f.*, intensité

intentar, *vtr*, essayer de

interesarse (por), *vp*, s'intéresser (à)

intermitente, *m.*, clignotant

interrogatorio, *m.*, interrogatoire

introducir, *vtr*, introduire

invertir, *vtr*, investir

invierno, *m.*, hiver

invitar, *vtr*, inviter

ir, *vi*, aller ; **~ de compras**, aller faire des courses ; **~ ir (a) por**, aller chercher

Italia, *f.*, Italie

izquierdo (-a), *adj.*, gauche ; **a la ~a**, à gauche

J

jardín, *m.*, jardin (d'agrément)

jefe, *m.*, chef

jerez, *m.*, xérès

jersey, *m.*, pull-over

jodido (-a), *adj. fam.*, foutu(e) en l'air

joven, *adj.*, jeune

joya, *f.*, bijou

jubilación, *f.*, retraite

juego, *m.*, jeu

juerga, *f.*, bringue ; **irse de ~**, faire la bringue

juerguista, *m.*, noceur

jueves, *m.*, jeudi

jugar, *vtr*, jouer

juguete, *m.*, jouet

julio, *m.*, juillet

junio, *m.*, juin

juntos, juntas, *adj.*, ensemble

K

kilo, *m.*, kilo

kilómetro, *m.*, kilomètre

L

la, *art. déf.*, la, le

la, las, *pron. pers. compl.*, le, la ; vous

labio, *m.*, lèvre

labor, *f.*, labeur, travail

laborable, *adj.*, ouvrable ; **día ~**, jour ouvrable

laboral, *adj.*, du travail

lado, *m.*, côté ; **al ~ de**, à côté de

lamentar, *vtr*, regretter

lana, *f.*, laine

lápiz, *m.*, crayon

largo, larga, *adj.*, long, longue

lástima, *f.*, pitié, dommage

lavarse, *vp*, se laver

le, les, *pron. pers. indirect*, lui, vous ; leur, vous

lección, *f.*, leçon

leche, *f.*, lait

leer, *vtr*, lire

lejos, *adv.*, loin

lentamente, *adv.*, lentement

lento, lenta, *adj.*, lent(e)

levantarse, *vp*, se lever

liberar, *vtr*, libérer

libre, *adj.*, libre

libreta, *f.*, livret

libro, *m.*, livre

licenciado, *m.*, lincencié

licenciatura, *f.*, licence

lienzo, *m.*, toile

límite, *m.*, limite

liso, lisa, *adj.*, lisse

lista, *f.*, liste ; **~ de correos**, poste restante

listo, lista, *adj.*, intelligent(e)

litera, *f.*, couchette (dans un train)

llamada, *f.*, appel

llamar, *vtr*, appeler ; **~ a la puerta**, frapper à la porte ; **~ por teléfono**, téléphoner ; **~ a cobro invertido**, appeler en PCV

llave, *f.*, clef (clé)

llegar, *vi*, arriver

llenar, *vtr*, remplir

lleno, llena, *adj.*, plein(e)

llevar, *vtr*, emporter ; **~ retraso**, avoir du retard; être en retard

llover, *v. impers.*, pleuvoir ; **~ a cántaros**, pleuvoir à verse (ou des cordes)

lluvia, *f.*, pluie

lo, los, *pron. pers. compl.*, le, la ; **~ de**, l'affaire de, l'histoire de ; **~ que**, ce qui, ce que

localidad, *f.*, place (à un spectacle)

loco, loca, *adj.*, fou, folle

locomotora, *f.*, locomotive

locutor (-ra), *m. et f.*, présentateur, ~trice

Lola, diminutif de **Dolores** (sans correspondant en français)

387

lucha, *f.,* lutte
luego, *adv.,* ensuite, après ; **hasta ~,** à plus tard, à bientôt
lugar, *m.,* lieu
luna, *f.,* lune
lunes, *m.,* lundi
luz, *f.,* lumière ; **luces de posición,** veilleuses ; **luces de cruce,** codes ; **luces de carretera,** pleins phares

M

maestra, *f.,* institutrice
mal, *m.,* mal
Málaga, *f.,* Malaga (ville espagnole)
málaga, *m.,* malaga (vin)
maldito (-a), *adj.,* maudit(e) ; *fig.,* foutu(e)
maleta, *f.,* valise
maletero, *m.,* coffre (de voiture)
malo, mala, *adj.,* (avec **estar**), malade, (avec **ser**), méchant(e)
malva, *adj.,* mauve
mami, *f. fam.,* maman (chérie)
manchar, *vtr,* tacher
mandar, *vtr,* envoyer ; ordonner
mando, *m.,* commandement ; **~ (a distancia),** télécommande
mano, *f.,* main
manzanilla, *f.,* camomille
mañana, *adv.,* demain ; **pasado ~,** après-demain ; **por la ~,** le matin ; **~ por la ~,** demain matin
marcar, *vtr,* marquer, indiquer ; (téléphone) composer ; **el tono de ~,** la tonalité
mapa, *m.,* carte (géographique) ; **~ de carreteras,** carte routière
máquina, *f.,* machine
mar, *m.,* mer
maravilla, *f.,* merveille
marcharse, *vp,* partir, s'en aller
marea, *f.,* marée
marido, *m.,* mari
marrón, *adj.,* marron
Marruecos, *m.,* Maroc
martes, *m.,* mardi
marzo, *m.,* mars
más, *adv.,* plus ; **~ ... que,** plus ... que ; **~ bien,** plutôt
matasellos, *m.,* tampon
materialista, *adj.,* matérialiste
matrícula, *f.,* inscription (université)
mayo, *m.,* mai
mayor, *adj.,* majeur(e) ; ainé(e)
me, *pron. pers. compl.,* me
mecánico, *m.,* mécanicien
mechero, *m.,* briquet
medalla, *f.,* médaille
media, *f.,* bas
médico, *m.,* médecin
medianoche, *f.,* minuit
medio, media, *adj.,* demi, demie
mediodía, *m.,* midi
medir, *vtr,* mesurer
mejor, *adv.,* mieux ; *adj.,* meilleur ; **a lo ~,** peut-être
memoria, *f.,* mémoire ; **de ~,** par cœur

menester, *m.,* besoin, nécessité ; **es ~ que,** il faut que
menos, *adv.,* moins ; **~ ... que,** moins ... que
mentir, *vi,* mentir
menú, *m.,* menu
menudo (a), *adv.,* souvent
mercado, *m.,* marché
merecer, *vtr,* mériter
merendar, *vi,* goûter, prendre son goûter
merluza, *f.,* colin
mermelada, *f.,* confiture
mes, *m.,* mois
mesa, *f.,* table
meter, *vtr,* mettre (dans) ; **~ la pata,** faire une gaffe ; *vp,* **~se en,** se mêler de
metro, *m.,* mètre ;.métro
mezquita, *f.,* mosquée
mi(s), *adj. poss.,* mon, ma (mes)
mí, *pron. pers. précédé d'une préposition,* moi
microbús, *m.,* minibus
mientras, *conj.,* tant que
miércoles, *m.,* mercredi
mil, *num.,* mil, mille
millón, *m.,* million
mío, mía, *adj. poss.,* mien, mienne ; mon, ma ; **el ~,** le mien
mirada, *f.,* regard
mirar, *vtr,* regarder
mismo, misma, *adj.,* même
mixto, mixta, *adj.,* mixte
modo, *m.,* mode, façon
molestar, *vtr,* déranger, gêner
momento, *m.,* moment, instant ; **de ~,** pour l'instant, en ce moment ; (téléphone) **un ~,** un instant
monedero, *m.,* porte-monnaie
monumento, *m.,* monument
morado, morada, *adj.,* violet(te)
moreno, morena, *adj.,* brun(e)
morir, *vi,* mourir
moscatel, *m.,* muscat
mostaza, *f.,* moutarde
mostrador, *m.,* comptoir
moto, *f.,* moto
moverse, *vp,* s'agiter, remuer
muchacho, muchacha, *m.* et *f.,* jeune homme, jeune fille
muchísimo, *adv.,* beaucoup, énormément
mucho, mucha, *adj.,* beaucoup de
mueble, *m.,* meuble
muerte, *f.,* mort
muerto, muerta, *adj.,* mort(e)
mujer, *f.,* femme ; épouse ; *excl.,* ma vieille
multa, *f.,* contravention, amende
mundo, *m.,* monde ; **~ laboral,** monde du travail
muralla, *f.,* muraille
musculación, *f.,* musculation
museo, *m.,* musée
música, *f.,* musique
muy, *adv.,* très

N

nada, *pron. indéf.,* rien

nadador, *m.*, nageur
nadar, *vi*, nager
nadie, *pron.*, personne
nailón, nilón, *m.*, nylon
naranja, *f.* et *adj. inv.*, orange
natación, *f.*, natation
natilla, *f.*, crème renversée
necesario (-a), *adj.*, nécessaire
necesitar, *vtr*, avoir besoin (de)
negar, *vtr*, nier ; *vp*, **~se a**, refuser de
negocio, *m.*, affaire commerciale
negro, negra, *adj.*, noir, noire
nene, *m.*, bébé
nervio, *m.*, nerf
nervioso (-a), *adj.*, nerveux, nerveuse ; énervé(e)
neumático (-a), *adj.*, pneumatique
nevar, *v. impers.*, neiger
ni, *adv.*, ni, ne ... pas ; **~ hablar**, pas question ; **~ siquiera**, même pas
nieto, nieta, *m.* et *f.*, petit-fils, petite-fille
ninguno (-a), *adj. indéf.*, aucun(e)
niño, niña, *m.* et *f.*, enfant
nivel, *m.*, niveau
no, *adv.*, ne ... pas ; non ; **~ ... más**, ne ... plus ; **~ ... más que**, ne ... que
noche, *f.*, soir, nuit ; **por la ~**, le soir, la nuit ; **mañana por la ~**, demain soir ; **buenas ~s**, bonsoir, bonne nuit ; **~ de bodas**, nuit de noce
nombre, *m.*, nom ; **~ (de pila)**, prénom
nómina, *f.*, feuille de paie
nos, *pron. pers. compl.*, nous
nosotros, nosotras, *pron. pers.*, nous
nota, *f.*, note
notarse, *vp*, se voir, se remarquer
noticia, *f.*, nouvelle
novecientos (-as), *num.*, neuf cents
novela, *f.*, roman
noveno, novena, *num.*, neuvième
noventa, *num.*, quatre-vingt-dix
noviembre, *m.*, novembre
novio, novia, *m.* et *f.*, fiancé(e)
nuera, *f.*, belle-fille
nuestro, nuestra, nuestros, nuestras, *adj. poss.*, notre, nos
nueve, *num.*, neuf
nuevo, nueva, *adj.*, nouveau, nouvelle ; **de ~**, à nouveau, de nouveau
número, *m.*, nombre ; numéro
nunca, *adv.*, jamais

O

o, *conj.*, ou
obedecer, *vi*, obéir
obra, *f.*, œuvre
obrero, *m.*, ouvrier
observar, *vtr*, observer
ochenta, *num.*, quatre-vingts
ocho, *num.*, huit
ochocientos (-as), *num.*, huit cents
ocio, *m.*, loisir
octavo, octava, *num.*, huitième
octubre, *m.*, octobre
ocurrir, *vi*, arriver, se passer
ocupado, ocupada, *adj.*, occupé(e)

oferta, *f.*, offre
oficina, *f.*, bureau ; **~ de información**, bureau d'informations
oficio, *m.*, métier
ofrecer, *vtr*, offrir
¡ oiga !, *interj.*, allo (dit par celui qui appelle)
oír, *vtr*, entendre
ojalá, *interj.*, (+ *subj. présent*), pourvu que, plaise à Dieu ; (+ *subj. imparfait*), si seulement
ojo, *m.*, œil
ola, *f.*, vague
oler (a), *vi*, sentir (le)
olor, *m.*, odeur
olvidar, *vtr*, oublier
once, *num.*, onze
opinar, *vtr*, penser
opinión, *f.*, opinion
oponerse, *vp*, s'opposer
Oporto, *m.*, (ville de) Porto
oportunidad, *f.*, occasion
oposición, *f.*, opposition ; concours (pour occuper un poste public)
opositar, *vi*, passer un concours
ordenar, *vtr*, ordonner
oro, *m.*, or
oscurecerse, *vp*, s'assombrir
os, *pron. pers. compl.*, vous
oscuro, oscura, *adj.*, obscur(e) ; foncé(e)
otoño, *m.*, automne
otro, otra, *adj. indéf.*, autre

P

paciencia, *f.*, patience
padecer, *vtr*, souffrir
padre, *m.*, père ; **los ~s**, les parents (père et mère)
pagar, *vtr*, payer
país, *m.*, pays
paisano, *m.*, compatriote
palabra, *f.*, parole, mot
palacio, *m.*, palais
palco, *m.*, loge (de spectateur)
paleta, *f.*, palette
pan, *m.*, pain
pánico, *m.*, panique
pantalla, *f.*, écran
pantalón, *m.*, pantalon ; **~ corto**, short
paño, *m.*, serviette (torchon)
pañuelo, *m.*, mouchoir
papá, *m.*, papa
papel, *m.*, papier
papi, *m. fam.*, papa (chéri)
paquete, *m.*, paquet
Paquita (diminutif de *Paca*), Françoise
para, *prép.*, pour (indique le but) ; **~ que**, pour que
parachoques, *m.*, pare-chocs
parada, *f.*, arrêt
parado, *m.*, chômeur
para, *vtr*, arrêter ; **~ de**, arrêter de, cesser de
parecer, *v. impers.*, paraître, sembler ; *vp*, **~se a**, ressembler à
pareja, *f.*, couple
paro, *m.*, chômage

parquímetro, *m.*, parcmètre

parte, *f.*, part ; *¿* **de ~ de quién ?**, de la part de qui ? ; **por ~ de**, du côté de

parte, *m.*, constat

particular, *adj.*, particulier, particulière ; **en ~**, en particulier

partido (-a), *adj.*, partie ; match

partir, *vtr*, partager, couper ; **~ la cara**, casser la figure

pasado (-a), *adj.*, passé(e), dernier (-ière) ; **~ mañana**, après-demain ; **~ de moda**, démodé

pasajero, *m.*, passager

pasaporte, *m.*, passeport

pasar, *vi*, passer ; arriver, se produire ; **~lo bien**, s'amuser ; **~lo mal**, s'ennuyer

pasearse, *vp*, se promener

paseo, *m.*, promenade ; **dar un ~**, faire une promenade

paso, *m.*, pas ; passage ; **~ de cebra**, passage pour piétons ; **~ a nivel**, passage à niveau ; **~ subterráneo**, passage souterrain ; *excl.*, **¡ ~ !**, laissez passer ! ; (téléphone) **~s**, unités

pastel, *m.*, gâteau ; pastel

pastilla, *f.*, pastille ; **a toda ~**, à toute allure

paterno (-a), *adj.*, paternel(le)

patio, *m.*, cour ; (théâtre) parterre

peaje, *m.*, péage

peatón, peatona, *m. et f.*, piéton, piétonne

pedir, *vtr*, demander, exiger

Pedro, *prénom* Pierre

pegado (-a), *adj.*, collé(e)

pegar, *vtr*, frapper

película, *f.*, film : **~ del oeste**, western

peligro, *m.*, danger

peligroso (-a), *adj.*, dangereux, dangereuse

pelirrojo (-a), *adj.*, roux, rousse

pelo, *m.*, cheveux

pena, *f.*, peine ; **dar ~**, faire de la peine

pensar (en), *vtr et vi*, penser (à)

peón, *m.*, manœuvre, ouvrier agricole

pequeño, pequeña, *adj.*, petit(e)

perder, *vtr*, perdre ; **~ el tren**, manquer le train ; **~ el tiempo**, perdre son temps

perdón, *m.*, pardon

perdonar, *vtr*, pardonner, (s')excuser

perfectamente, *adv.*, parfaitement

periódico, *m.*, journal

perdiodista, *m. et f.*, journaliste

periodo, *m.*, période

permanecer, *vi*, rester

permiso, *m.*, permission, autorisation

permitir, *vtr*, permettre

pero, *conj.*, mais

perro, *m.*, chien ; **un tiempo de ~s**, un temps de chien

perseguir, *vtr*, poursuivre

perseverar, *vi*, persévérer

persona, *f.*, personne

pertenecer, *vi*, appartenir

Perú (El), *m.*, Pérou

peruano (-a), *adj.*, péruvien(ne)

pesar (a ~ de), *loc. prép.*, malgré

pescado, *m.*, poisson

peseta, *f.*, peseta

pesimista, *adj.*, pessimiste

peso, *m.*, peso (unité monétaire de plusieurs pays)

picar, *vtr*, piquer ; (soleil) taper ; **~ un billete**, composter, valider un billet

pie, *m.*, pied ; **de ~**, debout

piedra, *f.*, pierre

pijama, *m.*, pyjama

pilotaje, *m.*, pilotage

piloto, *m.*, pilote

pimienta, *f.*, poivre

pinceleda, *f.*, coup de pinceau

pintar, *vtr*, peindre

pintor, *m.*, peintre

pintura *f.*, peinture ; **~ al oleo**, peinture à l'huile

piso, *m.*, appartement

pista, *f.*, piste ; **~ para ciclistas**, piste cyclable

plancha, *f.*, plaque ; **a la ~**, grillé(e)

planchar, *vtr*, repasser

plano, *m.*, plan (d'une ville, d'un appartement)

plantilla, *f.*, effectif, personnel

plata, *f.*, argent (métal et couleur)

plato, *m.*, assiette ; (mets) plat ; **primer ~**, entrée ; **segundo ~**, plat principal

playa, *f.*, plage

playero, *m.*, plagiste

plaza, *f.*, place ; **~ mayor**, grand-place ; **~ de toros**, arènes

plazo, *m.*, délai ; **a ~s**, à crédit

pobre, *adj.*, pauvre

poco, poca, *adj.*, peu de *(inv.)* ; *adv.*, peu

poder, *vtr*, pouvoir ; **~ con**, venir à bout, pouvoir

policía, *f.*, police ; *m.*, policier ; **~ urbano**, agent

polideportivo, *m.*, complexe sportif

poner, *vtr*, mettre, (film) donner, passer ; *vp*, se mettre ; (téléphone) prendre une communication ; **~ + adj.**, devenir + *adj.*

porque, *conj.*, parce que

por qué, *conj. interrog.*, pourquoi

posible, *adj.*, possible ; **hacer lo ~**, faire son possible

portero (-a), *m. et f.*, concierge, portier

postal, *adj.*, postal(e) ; **código ~**, code postal ; **distrito ~**, arrondissement ; **tarjeta ~**, carte postale. • *f.*, carte postale

postre, *m.*, dessert ; **de ~**, comme dessert, pour le dessert

precio, *m.*, prix

precioso (-a), *adj.*, beau, belle ; ravissant(e)

preciso (-a), *adj.*, précise ; nécessaire ; **es ~ que**, il faut que

preferible, *adj.*, préférable

preferir, *vtr*, préférer

prefijo, *m.*, préfixe ; (téléphone) indicatif

preguntar, *vtr*, demander, interroger ; **~ por alguien**, demander quelqu'un

preocuparse, *vp*, s'inquiéter

preparar, *vtr*, préparer

presentador, *m.*, présentateur

presentar, *vtr*, présenter

prestar, *vtr*, prêter ; **~ servicio**, rendre service

pretexto, *m.*, prétexte
primavera, *f.*, printemps
primero (-ra), *num.*, premier, première ; *adv.*, premièrement
primo, **prima**, *m.* et *f.*, cousin, cousine ; **los ~s**, les cousins
prisa, *f.*, presse, hâte ; **darse ~**, se presser ; **de ~**, vite, en hâte ; **tener ~**, être pressé
probar, *vtr*, goûter, essayer, prouver
problema, *m.*, problème
producción, *f.*, production
producir, *vtr*, produire
profesor, *m.*, professeur
programa, *m.*, programme
prohibir, *vtr*, interdire
prometer, *vtr*, promettre
pronto, *adv.*, vite, rapidement ; **tan ~ como**, aussitôt que
propina, *f.*, pourboire
proponer, *vtr*, proposer
propósito, *m.*, propos ; **a ~**, à propos
proseguir, *vtr*, poursuivre, continuer
protagonista, *m.*, héros
provecho, *m.*, profit ; **¡ buen ~ !**, bon appétit !
próximo (-a), *adj.*, prochain(e)
proyección, *f.*, projection
proyectar, *vtr*, projeter
proyecto, *m.*, projet
prudente, *adj.*, prudent(e)
prudentemente, *adv.*, prudemment
pub [paf], *m.*, pub
publicidad, *f.*, publicité
pueblo, *m.*, village
puerta, *f.*, porte ; **llamar a la ~**, frapper
puerto, *m.*, port ; col (montagne)
pues, *conj.*, (en début de phrase) eh bien
puesto (-a), *adj.*, mis(e)
puesto, *m.*, poste, place
punto, *m.*, point ; **estar a ~ de**, être sur le point de ; **en ~**, précis, précises (pour indiquer l'heure exacte)
puro, *m.*, cigare
púrpura, *adj.*, pourpre

Q

que, *pron. relatif*, qui, que
qué, *interrog.*, que ?, quoi ?
quedar, *vtr* et *vi*, rester ; **~ con**, garder, conserver ; **~ a**, avoir rendez-vous à (telle heure)
quedarse, *vp*, rester
quejarse, *vp*, se plaindre
quemadura, *f.*, brûlure, coup de soleil
querer, *vtr*, vouloir ; aimer
queso, *m.*, fromage
quien(es), *pron. relatif*, qui (ne peut représenter que des personnes)
quién(es), *interrog.*, qui ?
quince, *num.*, quinze
quinientos (-as), *num.*, cinq cents
quinto (-ta), *num.*, cinquième
quitar, *vtr*, ôter
quitasol, *m.*, parasol
quizá(s), *adv.*, peut-être

R

radar, *m.*, radar
ralo, **rala**, *adj.*, clairsemé(e)
rápidamente, *adv.*, rapidement
rápido, **rápida**, *adj.*, rapide
rastro, *m.*, trace, empreinte ; (à Madrid) le marché aux puces
razón, *f.*, raison
raya, *f.*, raie, rayure
realidad, *f.*, réalité
rebaja, *f.*, rabais
recepción, *f.*, réception
recepcionista, *m.* et *f.*, réceptionniste
recibir, *vtr*, recevoir
recibo, *m.*, réception ; **acuse de ~**, accusé de réception
recogida, *f.*, levée (du courrier)
recomendación, *f.*, recommandation
recomendar, *vtr*, recommander
reconocer, *vtr*, reconnaître
recordar, *vtr*, se rappeler
recorrido, *m.*, parcours, trajet
recto, **recta**, *adj.*, droit(e) ; **todo ~**, tout droit
recuerdo, *m.*, souvenir
red, *f.*, réseau
redactar, *vtr*, rédiger
reducir, *vtr*, réduire
referencia, *f.*, référence
referirse, *vp*, se référer
regalar, *vtr*, offrir
regalo, *m.*, cadeau
regar, *vtr*, arroser
registrar, *vtr*, fouiller
reír, *vi*, rire ; **~se de**, se moquer de
relámpago, *m.*, éclair
rellenar, *vtr*, remplir (un formulaire)
reloj, *m.*, montre
remitente, *m.*, expéditeur
RENFE (Red Nacional de Ferrocarriles Españoles), *f.*, Réseau national des chemins de fer espagnols
reparto, *m.*, distribution (du courrier, d'un spectacle)
repasar, *vtr*, réviser
repetir, *vtr*, répéter
representación, *f.*, représentation
representar, *vtr*, représenter
reserva, *f.*, réservation
reservar, *vtr*, réserver
resfriado (-a), *adj.*, enrhumé(e)
respirar, *vtr*, respirer
responder, *vtr*, répondre
respuesta, *f.*, réponse
restaurante, *m.*, restaurant
resto, *m.*, reste
retablo, *m.*, retable
retirar, *vtr*, retirer ; *vp*, se retirer ; (téléphone) **¡ no se retire !**, ne quittez pas !
retiro, *m.*, retraite
retraso, *m.*, retard ; **llevar ~**, avoir du retard, être en retard
retumbar, *v. impers.*, gronder (le tonnerre)
reunión, *f.*, réunion

391

reunir, *vtr.*, réunir ; **~se**, se réunir, rejoindre

revisor, *m.*, contrôleur

revista, *f.*, revue

rey, *m.*, roi

rico, rica, *adj.*, riche

río, *m.*, fleuve, rivière

rioja, *m.*, vin de Rioja, rioja

risa, *f.*, rire ; **una película de ~**, un film comique

rizado, rizada, *adj.*, frisé(e)

roca, *f.*, rocher

rodaje, *m.*, tournage (film)

rodar, *vtr.*, tourner (un film), filmer

rogar (que + subj.), *vi*, prier (de + *inf.*)

rojo, roja, *adj.*, rouge

romper, *vtr.*, casser

ron, *m.*, rhum

ronda, *f.*, tournée

ropa, *f.*, vêtements

rosa, *f.*, rose

roto, rota, *adj.*, cassé(e)

rubio, rubia, *adj.*, blond(e)

ruido, *m.*, bruit

S

sábado, *m.*, samedi

saber, *vtr.*, savoir

sacacorchos, *m.*, tire-bouchon

sacar, *vtr.*, sortir, extraire ; **~ un billete**, prendre un billet

sal, *f.*, sel

salario, *m.*, salaire

salida, *f.*, sortie ; départ

salir, *vi*, sortir, partir ; **~ en la tele**, passer à la télé

salón, *m.*, salon

saltar, *vtr.*, sauter ; **~ un ojo**, crever un œil

saludar, *vtr.*, saluer

saludo, *m.*, salut

sandalia, *f.*, sandale

sangría, *f.*, sangria

santo, santa, *adj.*, saint(e)

satélite, *m.*, satellite

se, *pron. pers. réfléchi*, se

secreto, *m.*, secret

sed, *f.*, soif

seda, *f.*, soie

seguida (en), *adv.*, tout de suite

seguir, *vtr.*, continuer ; **~ + gérondif**, continuer à + *inf.*

según, *prép.*, selon, d'après

segundo, segunda, *num.*, deuxième ; second, seconde

seguridad, *f.*, sécurité

seguro, segura, *adj.*, sûr, sûre ; *adv.*, sûrement

seguro, *m.*, assurance

seis, *num.*, six

seiscientos, seiscientas, *num.*, six cents

sello, *m.*, timbre (poste)

semáforo, *m.*, feux tricolores ; **saltarse un ~**, griller un feu ; **~ en rojo, en verde, en amarillo**, feu rouge, vert, orange

semana, *f.*, semaine

semifinal, *f.*, demi-finale

sensacional, *adj.*, formidable

sentar, *vi*, réussir, aller bien

sentarse, *vp*, s'asseoir

sentir, *vtr.*, sentir ; regretter ; entendre

señal, *f.*, signe, signal ; **~es de tráfico**, panneaux de signalisation

señas, *f. pl.*, adresse

señor, señora, *m.* et *f.*, monsieur, madame

señorita, *f.*, mademoiselle

septiembre, *m.*, septembre

séptimo, septima, *num.*, septième

ser, *v.*, être ; **~ de**, être, appartenir ; être en (matière) ; **a no ~ que**, à moins que

serie, *f.*, série ; (télé) feuilleton

servicio, *m.*, service ; **~ prestado**, service rendu ; **~s**, toilettes

servilleta, *f.*, serviette (de table)

servir, *vtr.*, servir

sesenta, *num.*, soixante

sesión, *f.*, séance (de cinéma)

setecientos, setecientas, *num.*, sept cents

setenta, *num.*, soixante-dix

sexto, sexta, *num.*, sixième

sí, *adv.*, oui

siempre, *adv.*, toujours ; **~ que** : (+ *indicatif*) toutes les fois que, (+ *subjonctif*) pourvu que

siete, *num.*, sept

siglo, *m.*, siècle

siguiente, *m.*, suivant

silla, *f.*, chaise

simbolizar, *vtr.*, symboliser

simpático (-a), *adj.*, sympathique

sin, *prép.*, sans ; **~ que**, sans que

sinagoga, *f.*, synagogue

sinfonía, *f.*, symphonie

sino (que), *conj.*, mais (que)

siquiera (ni ~), *adv.*, même pas

sitio, *m.*, endroit, place

situarse, *vp*, se situer

slip, *m.*, slip (homme)

sobre, *m.*, enveloppe

sobrino, sobrina, *m.* et *f.*, neveu, nièce ; **los ~os**, les neveu(x) et nièce(s)

sociedad, *f.*, société

socio, *m.*, associé

sol, *m.*, soleil

soler, *vi*, avoir l'habitude de

solo, sola, *adj.*, seul, seule

sólo, *adv.*, seulement

solución, *f.*, solution

sombrero, *m.*, chapeau

sonar, *vi*, sonner

sonrisa, *f.*, sourire

soñar (con), *vi*, rêver (de)

sordo, sorda, *adj.*, sourd, sourde

sopa, *f.*, soupe

sorprendente, *adj.*, surprenant(e)

sorprender, *vtr.*, surprendre

sorpresa, *f.*, surprise

su(s), *adj. poss.*, son, sa (ses) ; leur (leurs)

subir, *vtr.*, monter ; **~ por**, monter chercher

subsidio, *m.*, allocation ; **~ de paro**, allocation chômage

subterráneo (-a), *adj.*, souterrain(e)

suegro, suegra, *m.* et *f.*, beau-père, belle-mère

sueldo, *m.*, salaire
suelto (tener), avoir de la monnaie
suerte, *f.*, chance
Suiza, *f.*, Suisse
suizo, suiza, *adj.*, suisse
suponer, *vtr*, supposer
supuesto, *adj.*, supposé(e) ; **por ~**, bien entendu, évidemment
suspender, *vi*, échouer, être collé à un examen
suspense, *m.*, suspense

T

tabla, *f.*, planche
taco, *m.*, carnet (de tickets)
tacón, *m.*, talon (de chaussure)
tal, *adj. indéf.*, tel, telle ; **¿ qué ~ ?**, comment ça va ? ; **con ~ que**, pourvu que ; **~ vez**, peut-être
también, *adv.*, aussi
tampoco, *adv.*, non plus
tan, *adv.*, si, tellement ; **~ ... como**, aussi ... que ; **~ ... que**, si (tellement) ... que
tanto, tanta, *adj.*, tant de ; **tanto ... como**, autant de ... que ; *adv.*, tant tellement
taquilla, *f.*, guichet
tarde, *f.*, après-midi ; **por la ~**, l'après-midi ; **buenas ~s**, bonjour (après déjeuner jusqu'à la tombée de la nuit) ; *adv.*, tard
tarjeta, *f.*, carte ; **~ postal**, carte postale
tarta, *f.*, tarte
taxi, *m.*, taxi
taza, *f.*, tasse
tazón, *m.*, bol
te, *pron. pers. compl.*, te
té, *m.*, thé
teatro, *m.*, théâtre
técnico, *m.*, technicien
tela, *f.*, tissu
telediario, *m.*, journal télévisé
telefonear, *vi*, téléphoner
telefónico (-a), *adj.*, téléphonique ; **cabina, línea ~a**, cabine, ligne téléphonique ; **guía ~a**, annuaire téléphonique ; **llamada ~a**, appel téléphonique, coup de téléphone
telefonista, *m. et f.*, standardiste
teléfono, *m.*, téléphone ; **llamar por ~**, téléphoner, appeler ; **número de ~**, numéro de téléphone
telegrama, *m.*, télégramme
telespectador, *m.*, téléspectateur
televisión, *f.*, télévision
televisivo (-a), *adj.*, télévisé(e)
televisor, *m.*, téléviseur
temer, *vtr*, craindre
temporada, *f.*, saison ; **~alta, baja**, haute, basse saison ; **fuera de ~**, hors saison
temporal, *adj.*, temporaire ; **contrato ~**, contrat à durée déterminée
temprano, *adv.*, tôt
tenazas, *f. pl.*, tenailles
tenedor, *m.*, fourchette

tener, *vtr*, avoir, posséder ; **~ que** (+ *inf.*), devoir (+ *inf.*)
tenis, *m.*, tennis
tercero, tercera, *num.*, troisième ; **el tercer día**, le troisième jour
Teresa, *prénom* Thérèse
terminar, *vtr*, terminer
terreno, *m.*, terrain
tesis, *f.*, thèse
tienda, *f.*, boutique, magasin
tila, *f.*, tilleul
tirar, *vtr*, jeter, renverser
tiro, *m.*, tir ; **~ con arco**, tir à l'arc
texto, *m.*, texte
ti, *pron. pers. précédé d'une préposition*, toi
tiempo, *m.*, temps
tinto, tinta, *adj.*, rouge ; **vino ~**, vin rouge
tío, tía, *m. et f.*, oncle, tante
todavía, *adv.*, encore
todo, toda, *adj. indéf.*, tout, toute
tomar, *vtr*, prendre
tontería, *f.*, bêtise
tonto, tonta, *adj.*, bête
torcer, *vi*, tourner
tormenta, *f.*, orage
torneo, *m.*, tournoi
toro, *m.*, taureau
tortilla, *f.*, omelette
tortuga, *f.*, tortue
tostada, *f.*, tartine grillée, toast
trabajador, *m.*, travailleur
trabajar, *vtr*, travailler
trabajo, *m.*, travail ; **agobiado de ~**, débordé de travail
traducción, *f.*, traduction
traducir, *vtr*, traduire
traer, *vtr*, apporter
tragar, *vtr*, avaler ; **~ agua**, boire la tasse
"trailer", *m.*, bande-annonce
traje, *m.*, costume
tráfico, *m.*, circulation
traje, *m.*, costume
tranquilidad, *f.*, tranquillité
tranquilo (-a), *adj.*, tranquille, calme
transbordo, *m.*, changement (d'un train, d'un avion à un autre)
transferencia, *f.*, virement
transporte, *m.*, transport
tratar (de), *vi*, essayer de
trece, *num.*, treize
treinta, *num.*, trente
tremendo (-a), *adj.*, terrible
tren, *m.*, train ; rame (de métro)
tres, *num.*, trois
trescientos, trescientas, *num.*, trois cents
tribunal, *m.*, tribunal ; jury (d'examen)
tripulación, *f.*, équipage
triste, *adj.*, triste
triunfar, *vi*, triompher, gagner, réussir
trueno, *m.*, tonnerre
tu(s), *adj. poss.*, ton, ta (tes)
tú, *pron. pers.*, toi, tu
tumbona, *f.*, transat, chaise longue
turismo, *m.*, tourisme
turista, *m. et f.*, touriste

U

Ud, Uds, *pron. pers.*, vous (V.S.) et (V.P.)
¡ **uf** !, *interj.*, ouf !
último, última, *adj.*, dernier, dernière
un, una, *art. indéf.*, un, une
único, unica, *adj.*, unique ; **lo ~**, la seule chose
unir, *vtr*, unir
universidad, *f.*, université
uno, una, *num.*, un, une
unos, unas, *adj. indéf.*, quelques, des, environ
urgente, *adj.*, urgent(e)
usted, *pron. pers.*, vous (vouvoiement singulier)
ustedes, *pron. pers.*, vous (vouvoiement pluriel)
usuario, *m.*, usager
útil, *adj.*, utile
utilizar, *vtr*, utiliser
¡ **uy** !, *excl.*, aïe ! ; oh là là !

V

vacaciones, *f. pl.*, vacances
vagón, *m.*, wagon, voiture
valer, *vtr*, valoir ; ¡ **vale** !, d'accord ! ; *vp*, **~se de**, se servir de
valor, *m.*, courage
vaquero, *m.*, jean (pantalon)
varios, varias, *adj. indéf.*, plusieurs
vaso, *m.*, verre
¡ **vaya** !, *interj.*, allons, allons donc quoi, quand même, zut, etc.
vecino, vecina, *m. et f.*, voisin(e)
veinte, *num.*, vingt
veintinueve, *num.*, vingt-neuf
veintiuno (veintiún), *num.*, vingt et un
velero, *m.*, voilier
velocidad, *f.*, vitesse
vender, *vtr*, vendre
venir, *vi*, venir ; **~ bien, mal**, convenir, ne pas convenir
venta, *f.*, vente
ventaja, *f.*, avantage
ventana, *f.*, fenêtre
ventanilla, *f.*, guichet ; fenêtre (d'un véhicule) ; hublot
ver, *vtr*, voir ; **~ la televisión**, regarder la télévision ; **a ~**, voyons
verano, *m.*, été
veras (de), *adv.*, vraiment
verdad, *f.*, vérité ; ¿ **~ ?**, n'est-ce pas ? ; **es ~**, c'est vrai
verdadero (-a), *adj.*, vrai(e)
verde, *adj.*, vert(e)
vergüenza, *f.*, honte
vermut, *m.*, vermouth
vestíbulo, *m.*, vestibule

vestido, *m.*, robe
vestirse, *vp*, s'habiller
vez, *f.*, fois ; **una ~ más**, une fois de plus ; **tal ~**, peut-être ; **de ~ en cuando**, de temps en temps
vía, *f.*, voie ; **por ~ aérea**, par avion
viajar, *vi*, voyager
viaje, *m.*, voyage
viajero, *m.*, voyageur
victoria, *f.*, victoire
vida, *f.*, vie
viejecita, *f.*, dame âgée
viejo, vieja, *adj.*, vieux, vieille
viento, *m.*, vent
viernes, *m.*, vendredi
vigente, *adj.*, en vigueur
vigilado, vigilada, *adj.*, surveillé(e)
vigilante, *m.*, surveillant
vino, *m.*, vin ; **~ dulce, seco**, vin doux, sec ; **~ blanco, rosado, tinto**, vin blanc, rosé, rouge
violencia, *f.*, violence
violeta, *adj.*, violet(te)
visado, *m.*, visa
vista, *f.*, vue ; **con ~s a**, avec vue sur ; **hasta la ~**, à bientôt
visto, vista, *adj.*, vu, vue
vivir, *vi*, habiter, vivre
volar, *vi*, voler (avion)
volumen, *m.*, volume
volver, *vi*, revenir, rentrer ; **~ a (+ inf.)**, re + inf. (répétition de l'action) ; *vp*, se retourner ; **~se + adj.**, devenir + adj.
vosotros (-as), *pron. pers.*, vous
vuelo, *m.*, vol (avion)
vuelta, *f.*, tour, promenade ; retour ; **dar una ~**, faire un tour ; monnaie (à rendre)
vuesto, vuestra, vuestros, vuestras, *adj. poss.*, votre, vos

Y

y, *conj.*, et
ya, *adv.*, déjà ; oui, parfaitement, bien ; **~ no, ne ... plus** ; **~ no ... más**, ne ... plus
yerno, *m.*, gendre
yo, *pron. pers.*, moi, je
yogur, *m.*, yaourth

Z

zaguán, *m.*, entrée, vestibule
zambullirse, *vp*, plonger
zapatilla, *f.*, pantoufle
zapato, *m.*, chaussure
zapping, *m.*, zapping ; **hacer ~**, zapper
zumo, *m.*, jus (de fruit)

LEXIQUE FRANÇAIS/ESPAGNOL

ABRÉVIATIONS

adj.	= adjectif	*inv.*	= invariable
adv.	= adverbe	*loc.*	= locution
art.	= article	*m.*	= nom masculin
compl.	= complément	*num.*	= numéral
conj.	= conjonction	*pers.*	= personnel
déf.	= défini	*pl.*	= pluriel
démons.	= démonstratif	*poss.*	= possessif
excl.	= exclamatif	*prép.*	= préposition
f.	= nom féminin	*pron.*	= pronom
impers.	= impersonnel	*sing.*	= singulier
indéf.	= indéfini	*v.*	= verbe
inf.	= infinitif	*vi*	= verbe intransitif
interj.	= interjection	*vp*	= verbe pronominal
interrog.	= interrogatif	*vtr*	= verbe transitif

A

acteur (-trice), *m.* et *f.*, actor, actriz
adresse, *f.*, dirección, señas
affaire, *f.*, *(problème)* asunto, cuestión ; *(com.)* negocio ; *(occasion)* ganga ; **l'~ de …**, lo de …
aérien (-ienne), *adj.*, aéreo (-a)
aéroport, *m.*, aeropuerto
affiche, *f.*, cartel ; **être à l'~**, estar en cartelera
affirmer, *vtr*, afirmar
affranchir, *vtr*, franquear
agent, *m.*, policía urbano, guardia, agente
agité(e), *adj.*, agitado (-a)
agiter, *vtr*, agitar ; *vp*, agitarse, moverse
agneau, *m.*, cordero
agréable, *adj.*, agradable
aide, *f.*, ayuda
aider, *vtr*, ayudar
aimable, *adj.*, amable
aimer, *vtr*, *(amour, affection)* querer ; *(plaire)* gustarle a uno ; amar *(sentiments abstraits)*
aîné(e), *adj.*, mayor
ainsi, *adv.*, así
air, *m.*, aire ; **~ conditionné**, aire acondicionado
ajouter, *vtr*, añadir
alimenter, *vtr*, alimentar ; *vp*, **s'~ de**, alimentarse con
aller, *vtr* et *vi*, ir ; **~ chercher**, ir (a) por ; **~ en**, ir de ; **s'en ~**, irse
aller, *m.*, ida ; **~ et retour**, ida y vuelta
allô, *interj.*, Dígame *(celui qui reçoit l'appel)* ; Oiga *(celui qui appelle)*

allocation, *f.*, subsidio ; **~ chômage**, subsidio de paro
allumer, *vtr*, encender
allure, *f.*, paso ; aspecto ; **à toute ~**, a toda pastilla
alors, *adv.*, entonces
alpinisme, *m.*, alpinismo
ambiance, *f.*, ambiente
amende, *f.*, multa
amener, *vtr*, llevar, traer
américain(e), *adj.*, americano (-a)
ami(e), *m.* et *f.*, amigo, amiga
amour, *m.*, amor
amusant(e), *adj.*, divertido (-a)
amuser, *vtr*, divertir ; *vp*, divertirse, entretenerse, distraerse ; **s'~ de quelqu'un**, burlarse de alguien
ancien (-ienne), *adj.*, antiguo, antigua
animer, *vtr*, animar
anis, *m.*, anís
année, *f.*, año
anniversaire, *m.*, cumpleaños
annonce, *f.*, anuncio
annuler, *vtr*, anular
antenne, *f.*, antena ; **~ parabolique**, antena parabólica
antipathique, *adj.*, antipático (-a)
antisèche, *f.*, chuleta
apéritif, *m.*, aperitivo
appartement, *m.*, piso
appareil, *m.*, aparato
appartenir, *vtr*, pertenecer
appel, *m.*, llamada ; aviso
appeler, *vtr*, llamar ; **~ en PCV**, llamar a cobro revertido ; *vp*, llamarse

appétit, *m.*, apetito ; **bon ~**, buen provecho
apporter, *vtr*, traer, llevar
apprendre, *vtr*, aprender ; ~ *(une nouvelle)*, enterarse de
apprenti, *m.*, aprendiz
approcher, *vtr*, acercar, aproximar ; *vp*, **s'~ de**, acercarse a, aproximarse a
après, *adv.* et *prép.*, después, luego
après-demain, *adv.*, pasado mañana ; ~ **soir**, pasado mañana por la noche
après-midi, *m.*, tarde ; **l'~**, por la tarde ; **demain ~**, mañana por la tarde
apte, *adj.*, apto, apta
aquarelle, *f.*, acuarela
arène, *f.*, plaza de toros
argent, *m.*, dinero, (Amér.) plata ; *(métal et couleur)* plata ; ~ **de poche**, dinerillo
armoire, *f.*, armario
arranger, *vtr*, arreglar
arrêt, *m.*, parada
arrêter (s'), *vp*, detenerse, pararse
arriver, *vi*, llegar *(dans un lieu)* ; ocurrir *(se produire)*
arrondissement, *m.*, distrito
arroser, *vtr*, regar
art, *m.*, arte
article, *m.*, artículo
asseoir (s'), *vp*, sentarse
assez, *adv.*, bastante ; ~ **de pain**, bastante pan
assiette, *f.*, plato
assister, *vtr*, asistir
associé(e), *adj.* et *sing.*, socio, socia
assombrir (s'), *vp*, oscurecerse
assurance, *f.*, seguro
assurer, *vtr*, asegurar
athlétisme, *m.*, atletismo
attendre, *vtr*, esperar
attention, *f.*, atención ; *excl.*, ¡ cuidado ! **faire ~ à**, tener cuidado con ; hacer caso
atterrir, *vtr*, aterrizar
atterrissage, *m.*, aterrizaje
attirer, *vtr*, atraer
aucun(e), *adj.*, ningún, ninguna ; *pron.*, ninguno, ninguna
aujourd'hui, *adv.*, hoy
auparavant, *adv.*, antes
au revoir, *m.*, adiós
aussi, *adv.*, también ; ~ **(grand) que**, tan (alto) como
aussitôt que, tan pronto como
autant, *adv.* **(tant, tellement)** tanto ; **en dire ~**, decir lo mismo ; *(comparatif)* ~ **que**, tanto como ; ~ **de … que**, tanto, tanta, tantos, tantas … como
autobus, *m.*, autobús
automobiliste, *m.* et *f.*, automovilista
autorisation, *f.*, permiso
autoroute, *f.*, autopista
autre, *adj.* et *pron.*, otro, otra ; **les affaires des ~s**, las cosas ajenas ; **les ~**, los demás
avancer, *vtr (montre)* adelantarse, estar adelantado
avant, *prép.*, antes ; ~ **que**, antes (de) que

avantage, *m.*, ventaja
avant-hier, *adv.*, anteayer
avec, *prép.*, con
avenir, *m.*, futuro, porvenir ; **à l'~**, en el futuro
avenue, *f.*, avenida
avertir, *vtr*, avisar, advertir
avion, *m.*, avión ; **par ~** *(courrier)*, por vía aérea
avoir, *vtr*, tener ; *v. aux.*, haber ; ~ **envie de**, tener ganas de ; ~ **raison**, tener razón

B

bacon, *m.*, bacon
bagages, *m. pl.*, equipaje
baigner (se), *vp*, bañarse
baigneur, baigneuse, *m.* et *f.*, bañista
bain, *m.*, baño
bal, *m.*, baile
balcon, *m.*, balcón
balise, *f.*, boya
bande (d'amis), *f.*, cuadrilla
bande-annonce, *f.*, "trailer"
banque, *f.*, banco
bar, *m.*, bar
barque, *f.*, barca
bas-côté, *m.*, arcén
basket-ball, *m.*, baloncesto
bâtiment, *m.*, edificio
bas, *m.*, media
beau, belle, *adj.*, hermoso, hermosa ; guapo, guapa *(personne)* ; bello, bella *(visuellement)* ; precioso, preciosa ; **il fait ~**, hace bueno
beaucoup, *adv.*, mucho, muchísimo ; ~ **de**, mucho (-a), muchos (-as)
beau-frère, *m.*, cuñado
beau-père, *m.*, suegro
bébé, *m.*, nene
beige, *adj.*, beige
beignet, *m.*, churro
belle, *adj.*, *voir* **beau**
belle-fille, *f.*, nuera
belle-mère, *f.*, suegra
belle-sœur, *f.*, cuñada
besoin, *m.*, necesidad ; **avoir ~ de**, necesitar *(sans prép.)*
bête, *adj.*, tonto (-a) ; idiota
bête, *f.*, bestia
bêtise, *f.*, tontería
bibliothèque, *f.*, biblioteca
bicyclette, *f.*, bicicleta
bien, *adv.*, bien ; *excl.*, ~ **sûr !**, ¡ claro ! ; **eh bien**, pues ; *m.*, bien
bien que, *conj.*, aunque (+ *ind.*)
bientôt, *adv.*, pronto, luego ; **à ~ !**, ¡ hasta pronto !, ¡ hasta luego !, ¡ hasta la vista !
bière, *f.*, cerveza ; ~ **en bouteille**, cerveza de botella ; ~ **pression**, cerveza de barril
bijou, *m.*, joya
billet, *m.*, billete
blanc, blanche, *adj.*, blanco, blanca

blesser, *vtr*, herir

bleu(e), *adj.*, azul ; ~ **clair**, **marine**, azul claro, marino

blond(e), *adj.*, rubio, rubia

blouse, *f.*, blusa

blouson, *m.*, cazadora

boire, *vtr*, beber

boisson, *f.*, bebida

boîte, *f.*, caja ; ~ **aux lettres**, buzón ; ~ **postale**, apartado de correos ; ~ **de nuit**, discoteca

bol, *m.*, tazón

bon(ne), *adj.*, bueno, buena ; *adv.*, bueno

bonbon, *m.*, caramelo

bonjour, *m.*, buenos días *(jusqu'au déjeuner)* ; buenas tardes *(après le déjeuner)* ; muy buenas ; **souhaiter le** ~, dar los buenos días

bonsoir, *m.*, buenas noches

bordereau, *m.*, impreso

bosser, *vtr (fam.)*, currar

bosseur, *m. (fam.)*, currante

botte, *f.*, bota

bouche, *f.*, boca

bouée, *f.*, flotador

bouquet, *m.*, gamba ; *(de fleurs)* ramo, ramillete

bourse, *f.*, *(subvention)* beca

boursier, **boursière**, *m. et f.*, becario, becaria

bouteille, *f.*, botella

boutique, *f.*, tienda

boxe, *f.*, boxeo

brasserie, *f.*, cervecería

brave, *adj.*, valiente ; bravo, brava ; bueno, buena *(gentil)*

briller, *vi*, brillar

bringue, *f.*, juerga ; **faire la** ~, irse de juerga

brochure, *f.*, folleto

bronzer, *vtr*, broncear

bruit, *m.*, ruido

brûlure, *f.*, quemadura

brun(e), *adj.*, moreno, morena

brute !, *interj.*, ¡ bruto !, ¡ bestia !

bulletin, *m.*, boletín ; ~ **d'information**, informativo

bureau, *m.*, oficina ; ~ **d'information**, oficina de información ; ~ **de Poste**, oficina de Correos

bus, *m.*, autobús

C

câble, *m.*, cable

cachette (en ~), *adv.*, a escondidas

cadeau, *m.*, regalo

café, *m.*, café ; *(lieu)* café, cafetería ; ~ **au lait**, café con leche ; ~ **crème**, cortado ; ~ **noir**, café solo

caisse, *f.*, caja

calamar, **calmar**, *m.*, calamar

calme, *adj.*, tranquilo, tranquila

calme (du) !, *interj.*, ¡ calma !

calmer (se), *vp*, calmarse

caméra, *f.*, cámara

camion, *m.*, camión

camomille, *f.*, manzanilla

campagne, *f.*, campo

canal, *m.*, canal

canalisation, *f.*, cañería

carnet, *m.*, *(de tickets)* taco

carrefour, *m.*, cruce

carte, *f.*, tarjeta ; ~ **postale**, tarjeta postal ; *(géo.)* mapa ; ~ **routière**, mapa de carreteras ; *(restaurant)* menú, carta ; ~ **d'abonnement** *(autobus)*, bonobús

cartouche, *f.*, *(cigarettes)* cartón

cassé(e), *adj.*, roto, rota

casser, *vtr*, romper

cathédrale, *f.*, catedral

ce, cet, cette, ces, *adj. démons.*, **(ici)** este, esta, estos, estas ; **(là)** ese, esa, esos, esas ; **(plus loin)** aquel, aquella, aquellos, aquellas

ce, *pron.*, ~ **que** *(ou* **qui)**, lo que

ceci, *pron.*, esto

ceinture, *f.*, cinturón ; ~ **de sécurité**, cinturón de seguridad

cela, *pron.*, eso, *(plus loin)* aquello ; **tout** ~, todo esto ; **c'est** ~, eso es

celle-ci, *pron. démons.*, ésta

celle-là, *pron. démons.*, ésa, aquélla

celui, celle(s), ceux, *pron. démons.*, el, la, los, las ; ~ **de**, el (la, los, las) de ; ~ **qui**, el (la, los, las) que

celui-ci, *pron. démons.*, este

celui-là, *pron. démons.*, ése, aquél

cent, *num.*, ciento, cien *(devant un nom,* mil *et* millón*)*

centimètre, *m.*, centímetro

cependant, *adv.*, sin embargo

certain(e), *adj.*, cierto, cierta

ces, *adj. démons.*, *voir* **ce**

cet, cette, *adj. démons.*, *voir* **ce**

ceux-ci, *pron. démons.*, éstos

ceux-là, *pron. démons.*, ésos, aquéllos

chaîne, *f.*, cadena

chaise, *f.*, silla ; ~ **longue**, tumbona

chaleur, *f.*, calor ; ~ **étouffante**, bochorno

chambre, *f.*, cuarto, dormitorio ; habitación *(d'hôtel)*

champagne, *m.*, champán

champion, *m.*, campeón

championnat, *m.*, campeonato

chance, *f.*, suerte

changement, *m.*, cambio *(d'un train à un autre)*

changer, *vtr*, cambiar

chanter, *vtr et vi*, cantar

chapeau, *m.*, sombrero

chapelle, *f.*, capilla

chapitre, *m.*, capítulo

chaque, *adj.*, cada ; **mille pesetas** ~, mil pesetas cada uno o una

chasseur (d'hôtel), *m.*, botones

chat, chatte, *m. et f.*, gato, gata

châtain(e), *adj.*, castaño, castaña

château, *m.*, castillo

chaud(e), *adj.*, caliente ; **avoir** ~, tener calor

chauffeur, *m.*, conductor
chausser (se), *vp*, calzarse
chaussette, *f.*, calcetín
chaussure, *f.*, zapato
chauve, *adj.*, calvo, calva
chef, *m.*, jefe
chemin, *m.*, camino ; **~ de fer**, ferrocarril
chemise, *f.*, camisa
chèque, *m.*, cheque ; **~ de voyage**, cheque de viaje
cher, chère, *adj.*, caro, cara ; **peu ~**, barato
chercher, *vtr*, buscar ; **aller ~**, ir (a) por
chéri(e), *interj.*, cariño
cheveux, *m. pl.*, pelo
chez, *prép.*, **sortir de ~ soi**, salir de casa
chien(ne), *m. et f.*, perro, perra ; **un temps de ~**, un tiempo de perros
chocolat, *m.*, chocolate ; bombón *(bouchée)*
choisir, *vtr*, escoger, elegir
chômage, *m.*, paro, desempleo
chômeur, *m.*, parado
chose, *f.*, cosa ; **quelque ~**, algo ; **la seule ~**, lo único
Christ, *n.*, Cristo
chute, *f.*, caída
ciel, *m.*, cielo
cigare, *m.*, puro
cigarette, *f.*, cigarrillo, cigarro
cinéma, *m.*, cine
cinq, *num.*, cinco
cinq cents, *num.*, quinientos, quinientas
cinquante, *num.*, cincuenta
cinquième, *adj.*, et s., quinto, quinta
circulation, *f.*, tráfico
clair(e), *adj.*, claro, clara
clair-obscur, *m.*, claroscuro
clairsemé(e), *adj.*, ralo, rala
classe, *f.*, clase
classement, *m.*, clasificación
clef, *f.*, llave
clignotant, *m.*, intermitente
clocher, *m.*, campanario
cloître, *m.*, claustro
code, *m.*, código ; **~ de la route**, código de la circulación ; **~ postal**, código postal
cœur, *m.*, corazón ; **par ~**, de memoria
coffre, *m.*, maletero *(d'une voiture)*
cognac, *m.*, coñac
coin (de rue), *m.*, esquina
col, *m.*, cuello ; **~ de montagne**, puerto
colin, *m.*, merluza
collège, *m.*, colegio
combat, *m.*, combate
combien, *adv.*, cuánto, cuánta ; cuán *(devant un adj.)* ; **~ coûte ceci ?**, ¿ cuánto cuesta esto ? ; **ça fait ~ ?**, ¿ cuánto es ? ; **~ de temps ?**, ¿ cuánto tiempo ?
combiné *(téléphone)*, *m.*, auricular
comédien(ne), *m. et f.*, actor, actriz
comique, *adj.*, cómico, comica ; **un film ~**, una película de risa
commandant, *m.*, *(avion)* capitán

commander, *vtr*, mandar ; *(com.)* pedir
comme, *prép.*, como
commencer, *vtr*, empezar, comenzar
comment, *adv.*, cómo ; **~ ça va ?**, ¿ qué tal ?, ¿ cómo le va ?
communication, *f.*, comunicación ; **téléphone)** conferencia ; **prendre une ~ (téléphonique)**, ponerse
communiquer, *vtr*, comunicar
compartiment, *m.*, compartimiento
compatriote, *m. et f.*, compatriota ; paisano, paisana
complet, complète, *adj.*, completo (-a)
complexe (sportif), *m.*, polideportivo
composer, *vtr*, componer ; **~ un numéro de téléphone**, marcar
composter, *vtr*, fechar
comprendre, *vtr*, entender, comprender
comptant, *adv.*, **au ~**, al contado
compte, *m.*, cuenta ; **~ courant**, cuenta corriente ; **se rendre ~**, darse cuenta
compter, *vtr*, contar
comptoir, *m.*, mostrador, barra
concert, *m.*, concierto
concerto, *m.*, concierto
concevable, *adj.*, concebible
concevoir, *vtr*, concebir
concierge, *m. et f.*, portero
concours, *m.*, oposición *(pour occuper un poste public)* ; **passer un ~**, opositar
concurrence, *f.*, competencia
concurrent, *m.*, competidor
condition, *f.*, condición ; **à ~ que**, siempre que (+ *subj.*), con tal que (+ *subj.*)
conduire, *vtr*, conducir
conférence, *f.*, conferencia
confiance, *f.*, confianza ; **avoir ~(en)**, fiar (de)
confiture, *f.*, mermelada
congé, *m.*, vacaciones ; despedida *(avis de congé)* ; **prendre ~**, despedirse
connaissance, *f.*, conocimiento
connaître, *vtr*, conocer
conseil, *m.*, consejo
conseiller, *vtr*, aconsejar
consentir, *vtr*, consentir
conservatoire, *m.*, conservatorio
conserver, *vtr*, conservar
considérer, *vtr*, considerar
consommé, *m.*, consomé
constat, *m.*, parte
constipation, *f.*, estreñimiento
constituer, *vtr*, constituir
construire, *vtr*, construir
contenir, *vi*, contener, caber
content(e), *adj.*, contento (-a) ; **être ~**, estar contento ; alegrarse
contenter, *vtr*, contentar ; *vp*, **se ~ de**, contentarse con
continuer, *vtr et vi*, continuar, seguir ; **~ à** (ou **de**) + *inf.*, seguir + *gérondif*
contraire, *m.*, contrario ; **au ~**, al contrario
contrat, *m.*, contrato ; **~ à durée déterminée, indéterminée**, contrato temporal, fijo
contravention, *f.*, multa

contrebande, *f.*, contrabando ; **marchandise de ~**, alijo
contrebandier, *m.*, contrabandista
contribuer, *vtr*, contribuir
contrôle, *m.*, control
contrôleur, *m.*, revisor, controlador
convaincant(e), *adj.*, convincente
convaincre, *vtr*, convencer
convenir, *vtr et vi*, convenir ; venir bien ; **ne pas ~**, venir mal
conversation, *f.*, conversación
convertir, *vtr*, convertir ; *vp*, convertirse
coquillage, *m.*, concha
corriger, *vtr*, corregir
costume, *m.*, traje
coté(e), *adj.*, cotizado, cotizada
côté, *m.*, lado ; **du ~ de**, por parte de ; **à ~ de**, al lado de
coton, *m.*, algodón
coucher (se), *vp*, acostarse
couchette, *f.*, litera *(dans un train)*
couleur, *f.*, color
coulisses, *f. pl.*, bastidores
couloir, *m.*, *(circulation)* carril
coup, *m.*, golpe ; **~ de frein**, frenazo ; **~ de pinceau**, pincelada ; **~ de soleil**, quemadura
couper, *vtr*, cortar ; partir
couple, *m.*, pareja
cour, *f.*, *(maison)* patio
courage, *m.*, valor
courant (-e), *adj.*, corriente ; *m.*, corriente ; **être au ~**, estar al corriente
courrier, *m.*, correo
cours, *m.*, curso
course, *f.*, carrera ; compras *(achats)* ; **aller faire les ~s**, ir de compras ; **~ automobile**, carrera automovilística
court(e), *adj.*, corto, corta
cousin(e), *m. et f.*, primo, prima
couteau, *m.*, cuchillo *(de cuisine)* ; navaja *(de poche, à cran d'arrêt)*
coûter, *vtr*, costar
coutume, *f.*, costumbre
couvent, *m.*, convento
couvert(e), *adj.*, cubierto (-a) ; *m. pl.*, cubiertos
craindre, *vtr*, temer
crampe, *f.*, calambre
cravate, *f.*, corbata
crayon, *m.*, lápiz
crayon à bille, *m.*, bolígrafo
crédit, *m.*, crédito ; **à ~**, a plazos
créer, *vtr*, crear
crème, *f.*, *(cosmétique)* crema ; *(entremets)* **~ renversée**, natilla ; **~ solaire**, bronceador
crème, *adj.*, crema
crépu(e), *adj.*, crespo, crespa
crever (un œil), *vtr*, saltar (un ojo)
crevette, *f.*, *(grise)* camarón, quisquilla ; *(rose)* gamba
crier, *vtr et vi*, gritar
croire, *vtr*, creer
croisement, *m.*, cruce

crucifié(e), *adj.*, crucificado, crucificada
cubiste, *adj.*, cubista
cuiller, *f.*, cuchara
cuisine, *f.*, cocina
culture, *f.*, *(esprit)* cultura
curriculum (vitae), *m.*, historial
cyclisme, *m.*, ciclismo

D

danger, *m.*, peligro
dangereux, dangereuse, *adj.*, peligroso, peligrosa
dans, *prép.*, en ; *(à l'intérieur de)* dentro de, en
danser, *vtr et vi*, bailar, danzar
davantage, *adv.*, más
de, *prép.*, de
déboucher, *vtr*, *(une bouteille)* descorchar
debout, *adv.*, de pie
décider, *vtr*, decidir
déclaration, *f.*, declaración
déclarer, *vtr*, declarar
décollage, *m.*, despegue
décoller, *vi*, despegar
décor, *m.*, decorado
décrire, *vtr*, describir
décrocher, *vtr*, descolgar *(téléphone)*
défendre, *vtr*, defender ; prohibir
dégoûter, *vtr*, dar asco
dehors, *adv.*, fuera, afuera
déjà, *adv.*, ya
déjeuner, *vi*, comer, almorzar
déjeuner, *m.*, comida, almuerzo
délai, *m.*, plazo
demain, *adv.*, mañana
demander, *vtr*, pedir ; preguntar *(interroger)* ; **~ quelqu'un** (*ou* **des nouvelles de quelqu'un**), preguntar por alguien
demi(e), *adj.*, medio, media
demi (de bière), *m.*, caña
demi-finale, *f.*, semifinal
demi-frère, *m.*, hermanastro
demi-sœur, *f.*, hermanastra
démodé(e), *adj.*, pasado, pasada de moda
dent, *f.*, diente
départ, *m.*, salida
dépasser, *vtr*, *(circulation)* adelantar
dépense, *f.*, gasto
dépenser, *vtr*, gastar
depuis, *prép. et adv.*, desde
déranger, *vtr*, molestar
dernier, dernière, *adj.*, último, última
derrière, *adv. et prép.*, detrás ; détrás de
des, *art.*, de los, de las ; • *L'article partitif français ne se traduit pas :* **manger des pommes**, comer manzanas
dès, *prép.*, desde ; *conj.*, **~ que**, en cuanto, tan pronto como ; **~ que possible**, cuanto antes
désastre, *m.*, desastre
déviation, *f.*, desvío ; **prendre une ~**, desviarse

devise, *f.,* divisa

devoir, *vtr,* tener que + *inf.,* deber + *inf.* : *(obligation)* ; haber de + *inf.* : *(projet, intention)* ; deber de + *inf.* : *(supposition)*

diable !, *excl.,* ¡ diablos !

dieu, *m.,* dios ; **Mon ~ !,** ¡ Por Dios !

difficulté, *f.,* dificultad

diffusion, *f.,* difusión

diminuer, *vtr,* disminuir

dîner, *vi,* cenar ; *m.,* cena

dire, *vtr,* decir

directement, *adv.,* directamente

discothèque, *f.,* discoteca

discussion, *f.,* discusión

disparaître, *vi,* desaparecer

disque, *m.,* disco

distance, *f.,* distancia

distraire, *vtr,* distraer ; *vp,* distraerse

distributeur (de billets), *m.,* cajero automático

distribution, *f.,* reparto *(du courrier, des rôles dans un spectacle)*

dit(e), *p.p.,* dicho, dicha

divertir, *vtr,* divertir, distraer ; *vp,* divertirse, distraerse

divin(e), *adj.,* divino, divina

diviser, *vtr,* dividir

dix, *num.,* diez

dix-huit, *num.,* dieciocho

dixième, *adj.* et *s.,* décimo, décima

dix-neuf, *num.,* diecinueve

dix-sept, *num.,* diecisiete

doctorat, *m.,* doctorado

documentaire, *m.,* documental

dollar, *m.,* dólar

donner, *vtr* et *vi,* dar ; **~ à manger,** dar de (comer)

dont, *pron.,* cuyo, cuya, cuyos, cuyas ; *(prép.* +) que, quien, quienes, el/la cual, los/las cuales

dormir, *vi,* dormir

dos, *m.,* espalda ; **~ d'âne,** badén

douane, *f.,* aduana ; **passer la ~,** pasar la aduana

douanier, *m.,* aduanero ; *adj.,* arancelario (-a) ; **droits ~s,** derechos arancelarios ; **législation ~ière,** leyes arancelarias

double, *adj.,* doble

doubler, *vtr, (circulation)* adelantar

douleur, *f.,* dolor

douro, *m.,* duro *(pièce de 5 pesetas)*

doute, *f.,* duda ; **il n'y a pas de ~,** no cabe duda ; **il n'y a aucun ~,** no cabe duda alguna ; **il n'y a pas le moindre ~,** no cabe la menor duda ; **sans ~,** sin duda

douter, *vtr,* dudar

douze, *num.,* doce

droit(e), *adj.,* derecho, derecha ; **à ~e,** a la derecha ; **tout ~,** todo recto

droit, *m.,* derecho ; **~s douaniers,** derechos arancelarios

droite, *f., (boxe)* derechazo

drôle, *adj.,* gracioso, graciosa

durée, *f.,* duración ; **contrat à ~ déterminée, indéterminée,** contrato temporal, fijo

E

eau, *f.,* agua ; **~ minérale,** agua mineral ; **~ gazeuse, non gazeuse,** agua con gas, sin gas

eau-de-vie, *f.,* aguardiente

écharpe, *f.,* bufanda

échec, *m.,* fracaso

échouer, *vi, (à un examen)* suspender

éclair, *m.,* relámpago

école, *f.,* escuela

écouter, *vtr,* escuchar

écran, *m.,* pantalla

écraser, *vtr,* aplastar

écrevisse, *f.,* cangrejo

écrire, *vtr* et *vi,* escribir

écrit(e), *adj.* et *p.p.,* escrito, escrita

effectif, *adj.,* plantilla

effort, *m.,* esfuerzo

égal(e), *adj.,* igual ; **cela lui est ~,** le da igual

église, *f.,* iglesia

élève, *m.* et *f.,* alumno, alumna

élever (s'), *vp,* ascender

elle, *pron.,* ella ; **avec ~,** con ella ; *(réfléchi)* consigo ; **~-même,** ella misma

elles, *pron.,* ellas

éliminer, *vtr,* eliminar

embarquement, *m.,* embarque

embarquer, *vi,* embarcar

embouteillage, *m.,* atasco

émettre, *vtr,* emitir

empêcher, *vtr,* impedir

emploi, *m.,* empleo

employé(e), *m.* et *f.,* empleado, empleada

émission, *f.,* emisión, programa

empêcher, *vtr,* impedir

en, *prép.,* en ; **aller ~,** ir de

encaisser, *vtr,* cobrar

enceinte, *adj. f.,* embarazada

encens, *m.,* incienso

enchanter, *vtr,* encantar

encore, *adv.,* todavía, aún

endroit, *m.,* sitio, lugar

endurer, *vtr,* aguantar

énergie, *f.,* energía

énervé(e), *adj.,* nervioso, nerviosa

enfant, *m.* et *f.,* niño, niña

enfin, *adv.,* por fin

engagé(e), *adj.,* comprometido (-a)

engager, *vtr, (une conversation)* entablar

enlever, *vtr,* quitar *(ôter)*

ennuyer, *vtr,* aburrir *(lasser)* ; molestar *(déranger)* ; *vp,* aburrirse

ennuyeux, ennuyeuse, *adj.,* aburrido (-a)

énormément, *adv.,* muchísimo

enregistrer, *vtr, (bagages)* facturar

enrhumé(e), *adj.,* resfriado (-a)

enrichir (s'), *vp,* enriquecerse

enseignement, *m.,* enseñanza

ensemble, *adv.*, juntos, juntas
ensuite, *adv.*, después, luego
entendre, *vtr*, oir, escuchar
entendu(e), *adj.*, oído, oída ; **bien ~**, por supuesto
entier, entière, *adj.*, entero, entera
entraîner (s'), *vp*, entrenarse
entraîneur, *m.*, entrenador
étranger, étrangère, *adj. et s.*, extranjero, extranjera
entre, *prép.*, entre
entrée, *f.*, entrada ; zaguán *(vestibule)* ; *(d'une rue)* bocacalle ; *(restaurant)* primer plato
entrer, *vi*, entrar
enveloppe, *f.*, sobre
envie, *f.*, envidia ; **avoir ~ de**, tener ganas de, apetecer ; **faire ~**, dar la gana
envoyer, *vtr*, enviar, mandar
épargne, *f.*, ahorro
époux, épouse, *m. et f.*, esposo, esposa
épuisé(e), *adj.*, agotado, agotada
équipage, *m.*, tripulación
équitation, *f.*, equitación
erreur, *f.*, error
escale, *f.*, escala
espagnol(e), *adj.*, español, española ; *m. et f.*, español, española
essayer, *vtr*, probar ; **~ de**, tratar de, intentar
essence, *f.*, gasolina
esthétique, *adj.*, estético, estética
et, *conj.*, y
établir, *vtr*, establecer ; *vp*, establecerse
étage, *f.*, piso
étagère, *f.*, estantería
éteindre, *vtr*, apagar
étourdi !, *excl.*, ¡ atolondrado !
être, *vi*, ser ; estar ; *v. aux.*, haber ; **n'est-ce pas ?**, ¿ verdad ?
étude, *f.*, estudio ; *f. pl.*, estudios, carrera ; **faire des ~s de droit**, hacer la carrera de derecho
étudiant(e), *m. et f.*, estudiante
étudier, *vtr*, estudiar
Europe, *f.*, Europa
événement, *m.*, suceso
éviter, *vtr*, evitar
examen, *m.*, examen ; **passer un ~**, examinarse
excepté, *prép.*, salvo
exclure, *vtr*, excluir
excuser, *vtr*, disculpar
excuser (s'), *vp*, dispensar
exercice, *m.*, ejercicio
exister, *vi*, existir
expédier, *vtr*, expedir
expéditeur, *m.*, remitente
explication, *f.*, explicación
expliquer, *vtr*, explicar
exportation, *f.*, exportación
exporter, *vtr*, exportar
exposer, *vtr*, exponer
exposition, *f.*, exposición

F

face (en), *loc. adv.* et *prép.*, enfrente ; **en ~ de**, enfrente de
fâcher (se), *vp*, enfadarse
facilement, *adv.*, fácilmente
façon, *f.*, modo
facteur, *m.*, cartero
faculté, *f.*, facultad
faible, *adj.*, débil
faim, *f.*, hambre
faire, *vtr*, hacer ; **~ attention à**, tener cuidado con ; **~ un tour**, dar una vuelta
fait(e), *p.p.*, hecho, hecha
falloir, *v. impers.*, **il faut + inf.**, hay que + *inf.* ; hace falta + *inf.* ; es necesario (o menester, o necesario) + *inf.* ; **il faut que + subj.**, hace falta que + *subj.*, es necesario (o menester, o preciso) que + *subj.*
famille, *f.*, familia
fatigué(e), *adj.*, cansado, cansada
fatiguer, *vtr*, cansar ; *vp*, cansarse
faufiler (se), *vp*, colarse
faute, *f.*, falta ; culpa
fauteuil, *m.*, butaca ; **~ d'orchestre**, butaca de patio
favoriser, *vtr*, favorecer
femme, *f.*, mujer ; **~ de chambre**, camarera
fenêtre, *f.*, ventana ; *(d'un véhicule)* ventanilla
férié(e), *adj.*, festivo, festiva, **jour ~**, día festivo
fermé(e), *adj.*, cerrado, cerrada
fermer, *vtr*, cerrar
fermeture, *f.*, cierre
festival, *m.*, festival
fête, *f.*, fiesta ; **faire la ~**, estar de fiesta
fêter, *vtr*, celebrar, festejar
feu, *m.*, fuego ; **~x tricolores**, semáforo ; **~ griller un ~**, saltarse un semáforo ; **~ rouge, vert, orange**, semáforo en rojo, en verde, en amarillo
feuille, *f.*, hoja ; **~ de paie**, nómina
feuilleton, *m.*, *(télévision)* telenovela, culebrón
fiancé(e), *m. et f.*, novio, novia
figurant, *m.*, figurante
figure, *f.*, figura
file, *f.*, fila
fille, *f.*, chica ; hija
film, *m.*, película
filmer, *vtr*, rodar
fils, *m.*, hijo
fin, *f.*, final
finale, *f.*, final
fleur, *f.*, flor
fleuve, *m.*, río
fois, *f.*, vez *(pl.* veces*)* ; **une ~ de plus**, una vez más ; **toutes les ~ que, chaque ~ que**, siempre que + *ind.*
foncé(e), *adj.*, *(couleur)* oscuro, oscura
fonctionner, *vi*, funcionar
fond, *m.*, fondo ; **au ~**, al fondo
fontaine, *f.*, fuente
foot-ball, *m.*, fútbol

formidable, *adj.*, formidable, sensacional
formulaire, *m.*, impreso
fort(e), *adj.*, fuerte
fortune, *f.*, fortuna, dineral
fou, folle, *adj.*, loco, loca
fouiller, *vtr*, registrar
foulard, *m.*, bufanda
four, *m.*, horno
fourchette, *f.*, tenedor
fracas, *m.*, estrépito
frais, fraîche, *adj.*, fresco, fresca
frais, *m. pl.*, gastos *(dépenses)*
fraise, *f.*, fresa
franc, *m.*, franco
français(e), *adj.*, francés, francesa
franchise, *f.*, franquicia
frapper, *vtr*, pegar ; ~ **à la porte**, llamar a la puerta
fraude, *f.*, fraude
frauder, *vtr*, defraudar
freiner, *vi*, frenar
frère, *m.*, hermano
frisé(e), *adj.*, rizado, rizada
froid(e), *adj.*, frío, fría ; **il fait** ~, hace frío
fromage, *m.*, queso
frontière, *f.*, frontera
fruit, *m.*, fruta
fuir, *vtr et vi*, huir
fumer, *vtr et vi*, fumar
futur(e), *adj.*, futuro, futura

G

gâcher, *vtr*, *fastidiar* ; ~ **l'ambiance**, aguar la fiesta
gaffe, *f.*, metedura de pata ; **faire une** ~, meter la pata
gagner, *vtr*, ganar
galerie, *f.*, galería
gant, *m.*, guante
garçon, *m.*, chico
gardien(ne), *m. et f.*, portero, portera *(concierge)* ; ~ **(de nuit)**, vigilante (de noche) ; ~ **de la paix**, guardia ; *(musée, jardin, etc.)* guarda ; ~ **de but**, guardametas
gare, *f.*, estación
garer, *vtr*, aparcar
gâteau, *m.*, pastel
gauche, *f.*, izquierda ; **à** ~, a la izquierda
geler, *vtr et v. impers.*, helar
gendre, *m.*, yerno
gêner, *vtr*, molestar
gens, *m. pl.*, gente
gentil(le), *adj.*, amable
gilet, *m.*, chaleco
golf, *m.*, golf
gonflé(e), *adj.*, (**être** ~), (ser) fresco, fresca
goûter, *vtr*, probar ; *(prendre une collation dans l'après-midi)* merendar
grand(e), *adj.*, grande, gran *(devant un sing.)* ; alto, alta *(personne)*
grands-parents, *m. pl.*, abuelos
grand-père, *m.*, abuelo

grave, *adj.*, grave ; **ce n'est pas** ~, no importa
grève, *f.*, huelga
gréviste, *m. et f.*, huelguista
grillé(e), *adj.*, a la plancha
gris, grise, *adj.*, gris
gronder, *v. impers.*, retumbar *(le tonnerre)*
gros, grosse, *adj.*, gordo, gorda
grossier, grossière, *adj.*, grosero (-a)
groupe, *m.*, grupo
guichet, *m.*, taquilla, ventanilla
guide, *m.*, guía ; ~ **des hôtels**, guía de hoteles
guider, *vtr*, guiar
gymnase, *m.*, gimnasio
gymnastique, *f.*, gimnasia

H

habiller, *vtr*, vestir ; *vp*, vestirse
habitude, *f.*, costumbre ; **avoir l'** ~ **de**, tener la costumbre de, soler
hall, *m.*, vestíbulo
hand-ball, *m.*, balonmano
harmonie, *f.*, armonía
hasard, *m.*, casualidad ; **par** ~ **...** ?, ¿acaso ... ?
hâte, *f.*, prisa ; **à la** ~, **en** ~, de prisa
haut (en), *adv.*, arriba
hélicoptère, *m.*, helicóptero
héros, *m.*, protagonista
hésiter (entre), *vi*, dudar
heure, *f.*, hora
heureux, heureuse, *adj.*, feliz *(pl.* felices*)* ; *(formule de politesse)* **très** ~, mucho gusto
hier, *adv.*, ayer ; ~ **soir**, anoche ; ~ **matin**, ayer por la mañana
histoire, *f.*, historia ; ~ **drôle**, chiste
homme, *m.*, hombre
honte, *f.*, vergüenza
hôpital, *m.*, hospital
horaire, *m.*, horario
horreur, *f.*, horror ; **quelle** ~ !, ¡ qué barbaridad !
hors, *adv.*, fuera ; ~ **combat**, fuera de combate
hôtel, *m.*, hotel ; **descendre dans un** ~, alojarse en un hotel
hôtellerie, *f.*, hostelería
hôtesse, *f.*, recepcionista ; ~ **de l'air**, azafata
hublot, *m.*, ventanilla
huit, *num.*, ocho
huit cents, *num.*, ochocientos (-as)
huitième, *adj. et s.*, octavo, octava

I

ici, *adv.*, aquí ; ~ **et là**, acá y allá
idée, *f.*, idea
idiot(e), *adj.*, idiota
ignorer, *vtr*, ignorar
il, *pron.*, él

ils, *pron.*, ellos
image, *f.*, imagen
imaginer, *vtr*, imaginar ; *vp*, imaginarse
imbécile, *adj.*, imbécil
immédiatement, *adv.*, ahora mismo, inmediatamente
immeuble, *m.*, edificio
imperméable, *m.*, impermeable
important(e), *adj.*, importante
importation, *f.*, importación
importer, *vtr et vi*, importar
impossible, *adj.*, imposible
impressionner, *vtr*, impresionar
imprimé, *m.*, impreso, formulario
inclure, *vtr*, incluir
inconnu(e), *adj. et s.*, desconocido (-a)
indicatif, *m.*, *(téléphone)* prefijo
indiquer, *vtr*, *(l'heure sur une montre)* marcar
indispensable, *adj.*, indispensable, imprescindible
inévitable, *adj.*, inevitable
informatique, *f.*, informática
informer, *vtr et vi*, informar ; *vp*, informarse, enterarse
infusion, *f.*, infusión
inquiet, inquiète, *adj.*, inquieto, inquieta ; preocupado, preocupada
inquiéter, *vtr*, inquietar ; *vp*, inquietarse ; **s'~ de**, preocuparse por
inscription, *f.*, *(université)* matrícula
inscrire (s'), *vp*, apuntarse
insinuer, *vtr*, insinuar
insister, *vi*, insistir
insolation, *f.*, insolación
inspirer, *vtr*, inspirar ; *vp*, **s'~ de**, inspirarse en
instant, *m.*, instante ; **un ~** *(au téléphone)*, ¡ un momento ! ; **pour l'~**, de momento
instituteur, institutrice, *m. et f.*, maestro, maestra
insulter, *vtr*, insultar
insupportable, *adj.*, insoportable
intelligent(e), *adj.*, listo, lista ; inteligente
intensité, *f.*, intensidad
intention, *f.*, intención
interdire, *vtr*, prohibir
intéresser, *vtr*, interesar ; *vp*, **s'~ à**, interesarse por
intérieur, *m.*, interior ; **à l'~ de**, dentro de
interrogatoire, *m.*, interrogatorio
introduire, *vtr*, introducir
investir, *vtr*, invertir *(de l'argent)*
inviter, *vtr*, invitar ; convidar *(à un repas)* ; *(fig.)* incitar, invitar

J

jamais, *adv.*, nunca
japonais, *m.*, japonés
jardin, *m.*, jardín *(d'agrément)*
jaune, *adj.*, amarillo, amarilla
je, *pron.*, yo

jean, *m.*, vaquero
jeter, *vtr*, tirar
jeu, *m.*, juego
jeune, *adj. et s.*, joven
joli(e), *adj.*, bonito, bonita
jouer, *vtr*, jugar
jouet, *m.*, juguete
jour, *m.*, día ; **~ férié**, día festivo ; **~ ouvrable**, día laborable
journal, *m.*, periódico ; **~ télévisé**, telediario
journaliste, *m. et f.*, periodista
jupe, *f.*, falda
jury (d'examen), *m.*, tribunal
jus (de fruit), *m.*, zumo
jusque, *prép.*, hasta

K

kilo, *m.*, kilo
kilomètre, *m.*, kilómetro

L

l', *art. ou pron.*, *voir* **le**
la, *art. déf.*, la
la, *pron.*, la
là, *adv.*, allí, allá ; **ici et ~**, acá y allá
là-bas, *adv.*, allí, allá
laid(e), *adj.*, feo, fea
laine, *f.*, lana
laisser, *vtr*, dejar
lait, *m.*, leche
large, *adj.*, ancho, ancha
laver, *vtr*, lavar ; *vp*, lavarse
le, *art. déf.*, el
le, *pron.*, le *(personne)*, lo *(chose)*
leçon, *f.*, lección
lent(e), *adj.*, lento, lenta
lentement, *adv.*, lentamente, despacio
lequel, laquelle, lesquels, lesquelles, *pron.*, el / la cual, los / las cuales ; quien, quienes ; que ; el / la / los / las que ; *pron. inter.*, cuál, cuáles
lettre, *f.*, carta ; **~ recommandée, urgente**, carta certificada, urgente
leur, *adj. poss.*, su
leurs, *adj. poss.*, sus
levée, *f.*, recogida *(du courrier)*
lever, *vtr*, levantar ; *vp*, levantarse
lèvre, *f.*, labio
liasse (de billets), *f.*, fajo
libérer, *vtr*, liberar
libre, *adj.*, libre
licence, *f.*, licenciatura
licencié, *m.*, licenciado
lieu, *m.*, lugar ; **avoir ~**, ocurrir, tener lugar ; **il y a ~ de penser que**, cabe pensar que
limite, *f.*, límite
lire, *vtr et vi*, leer
lisse, *adj.*, liso, lisa
lit, *m.*, cama ; **~ supplémentaire**, cama supletoria ; **wagon-~**, coche cama

livre, *m.*, libro
livret, *m.*, libreta
locomotive, *f.*, locomotora
loge, *f.*, *(artiste)* camerino ; *(spectateur)* palco
loin, *adv.*, lejos
loisirs, *m.*, ocio
long, longue, *adj.*, largo, larga
louer, *vtr*, alquilar
lui, *pron.*, le ; *(avant un autre pron.)* se ; *(avec prép.)* él ; **avec lui**, con él, *(réfléchi)* consigo ; **~-même**, él mismo, *(avec prép.)* sí mismo
lumière, *f.*, luz
lune, *f.*, luna
lunettes, *f. pl.*, gafas
lutte, *f.*, lucha

M

ma, *adj. poss.*, mi
machine, *f.*, máquina
madame, *f.*, señora
mademoiselle, *f.*, señorita
magasin, *m.*, almacén, tienda
maillot (de corps), *m.*, camiseta ; **maillot de bain**, bañador
main, *f.*, mano
maintenant, *adv.*, ahora
mairie, *f.*, ayuntamiento
mais, *conj.*, pero ; *(après négation)* síno
maison, *f.*, casa
maître chanteur, *m.*, chantajista
majeur(e), *adj.*, mayor
mal, *m.*, mal
malade, *adj.*, enfermo (-a) ; malo, mala ; **être ~**, estar malo (o enfermo) • *m. et f.*, enfermo, enferma
malaga, *m.*, málaga
malgré, *prép.*, a pesar de
maman, *f.*, mamá, *(fam.)* mami
mandat, *m.*, giro ; **~ postal, télégraphique**, giro postal, telegráfico
manger, *vtr*, comer
manœuvre, *m.*, peón
manteau, *m.*, abrigo
marché, *m.*, mercado ; **~ aux puces**, rastro
marcher, *vi*, andar, caminar ; funcionar
marée, *f.*, marea
mari, *m.*, marido
marié(e), *adj. et m. et f.*, casado (-a) ; **nouveaux ~s**, recién casados
marier (se), *vp*, casarse
marre (en avoir ~ de), (estar) harto de
marron, *adj.*, marrón
match, *m.*, partido
matérialiste, *adj.*, materialista
matière (d'étude), *f.*, asignatura
matin, *m.* mañana ; **le ~**, por la mañana ; **demain ~**, mañana por la mañana
maudite, *adj.*, maldito, maldita
mauvais(e), *adj.*, malo, mala
me, m', *pron.*, me
mécanicien, *m.*, mecánico

médaille, *f.*, medalla
médecin, *m.*, médico
méfiant(e), *adj.*, desconfiado (-a)
meilleur(e), *adj. et adv.*, mejor
mêler, *vtr*, mezclar ; *vp*, **se ~ de**, meterse en
même, *adj.*, mismo (-a) ; *pron.*, el mismo, la misma ; *adv.*, incluso, hasta ; **pas ~**, ni siquiera ; **~ si**, aunque + *subj.*
mémoire, *f.*, memoria
mentir, *vi*, mentir
menu, *m.*, menú
mer, *f.*, mar
merci, *m.*, gracias ; **dire ~**, dar las gracias
mériter, *vtr*, merecer
merveille, *f.*, maravilla
mes, *adj. poss.*, mis
mesurer, *vtr*, medir
métier, *m.*, oficio
mètre, *m.*, metro
métro, *m.*, metro
mettre, *vtr*, poner ; *vp*, ponerse
meuble, *m.*, mueble
midi, *m.*, las doce del día, mediodía
mieux, *adj. et adv.*, mejor
mille, *num.*, mil
milliard, *m.*, mil millones
million, *m.*, milón
mince, *adj.*, delgado, delgada
minibus, *m.*, microbús
minuit, *m.*, las doce de la noche, medianoche
mis(e), *adj. et p.p.*, puesto, puesta
mixte, *adj.*, mixto, mixta
mode, *m.*, modo ; **~ de vie**, modo de vivir
moi, *pron.*, yo ; *(ind.)* me ; *(après prép.)* mí
moins, *prép. et adv.*, menos ; **a ~ que**, a menos que, a no ser que ; **au ~**, al menos ; **de ~ en ~**, cada vez menos ; **~ (grand) que**, menos (alto) que
mon, *adj. poss.*, mi
monde, *m.*, mundo ; **le ~ du travail**, el mundo laboral
monnaie, *f.*, moneda ; **avoir la ~**, tener suelto *(ou* cambio) ; **rendre la ~**, dar la vuelta ; **petite ~**, calderilla
monsieur, *m.*, señor
monter, *vtr*, subir ; **~ à bord**, subir a bordo ; montar *(une machine)* ; *vi*, montar *(à cheval, à bicyclette)* ; *vp*, **se ~ à**, ascender a, llegar a
montre, *f.*, reloj
monter, *vtr*, enseñar
monument, *m.*, monumento
moquer (se), *vp*, burlarse, reírse
mort, *f.*, muerte
mort(e), *adj.*, muerto (-a)
mosquée, *f.*, mezquita
mot, *m.*, palabra
moto, *f.*, moto
mouchoir, *m.*, pañuelo
mourir, *vi*, morir
moutarde, *f.*, mostaza
muraille, *f.*, muraille

musculation, *f.*, musculación
musée, *m.*, museo
musique, *f.*, música

N

nager, *vi*, nadar
nageur, *m.*, nadador
natation, *f.*, natación
ne, n', *adv.*, **ne ... pas**, no ... ; **ne ... plus**, ya no ..., no ... ya ; **ne ... que**, no ... más que, sólo ...
neiger, *vi*, nevar
nerf, *m.*, nervio
nerveux, nerveuse, *adj.*, nervioso, nerviosa
neuf, neuve, *adj.*, nuevo, nueva
neuf, *num.*, nueve
neuf cents, *num.*, novecientos (-as)
neuve, *adj.*, *voir* **neuf**
neuvième, *adj.* et *s.*, noveno (-a)
neveu, *m.*, sobrino
nid, *m.*, nido ; **~ de poule**, bache
nièce, *f.*, sobrina
niveau, *m.*, nivel
noce, *f.*, boda ; **nuit de ~**, noche de bodas
noceur, *m.*, juerguista
noir(e), *adj.*, negro, negra
nom, *m.*, nombre
nombre, *m.*, número
non, *adv.* et *m.*, no ; **~ plus**, tampoco
note, *f.*, nota ; cuenta *(facture)*
notre, *adj. poss.*, nuestro (-a)
nous, *pron. (sujet)*, nosotros (-as) ; *(objet direct et ind.)* nos
nouvelle, *f.*, noticia
noyer (se), *vp*, ahogarse
nuit, *f.*, noche ; **la ~**, por la noche ; **~ de noce**, noche de bodas
numéro, *m.*, número
nylon, *m.*, nailón, nilón

O

obéir, *vtr* et *vi*, obedecer
observer, *vtr*, observar
obtenir, *vtr*, conseguir, obtener
occasion, *f.*, oportunidad
occupé(e), *adj.*, ocupado (-a)
occuper, *vtr*, ocupar ; **être ~** *(téléphone)*, estar comunicando ; *vp*, **s' ~ de**, ocuparse de ; atender a *(un client, etc.)*
odeur, *f.*, olor
œil, *m.*, ojo
œuf, *m.*, huevo
œuvre, *f.*, obra
offre, *f.*, oferta
offrir, *vtr*, ofrecer ; regalar *(faire un cadeau)*
omelette, *f.*, tortilla
on, *pron. Ce pronom est traduit par différentes tournures en espagnol, voir* **Précis grammatical n° 12**

oncle, *m.*, tío
onze, *num.*, once
opinion, *f.*, opinión
opposer, *vtr*, oponer ; *vp.*, oponerse
or, *m.*, oro
orage, *m.*, tormenta
orange, *f.*, naranja
orange, *adj.*, naranja ; *(feu de signalisation)* amarillo
ordonner, *vtr*, ordenar
orgeat, *m.*, horchata
oser, *vtr*, et *vi*, atreverse
ôter, *vtr*, quitar
ou, *conj.*, o
où, *adv.* et *pron.*, donde, adonde *(s'il y a mouvement)* ; **d'~**, dedonde
ouf !, *interj.*, ¡ uf !
oui, *adv.* et *m.*, sí
outre, *prép.*, **en ~**, además
ouvert(e), *adj.* et *p.p.*, abierto (-a)
ouvrable, *adj.*, laborable ; **jour ~**, día laborable
ouvrier, *m.*, obrero
ouvrir, *vtr*, abrir

P

pain, *m.*, pan
palais, *m.*, palacio
palette, *f.*, paleta
panique, *f.*, pánico
panne, *f.*, avería
panneau, *m.*, *(circulation)* señal ; **~x de signalisation**, señales de tráfico
pantalon, *m.*, pantalón
pantoufle, *f.*, zapatilla
papa, *m.*, papá, *(fam.)* papi
papier, *m.*, papel ; **~s d'une voiture**, documentación de un coche
paquet, *m.*, paquete
paraître, *vi*, aparecer, salir ; parecer ; **elle paraît malade**, parece enferma
parasol, *m.*, quitasol
parce que, *conj.*, porque
parce que !, ¡ porque sí !
parcmètre, *m.*, parquímetro
pardon, *m.*, perdón
pare-chocs, *m.*, parachoques
pareil(le), *adj.*, igual ; **c'est ~**, es igual
parent(e), *m.* et *f.*, pariente ; **les ~s** *(père et mère)*, los padres
parfait(e), *adj.* perfecto (-a) ; *(fig. et excl.)* estupendo
parfaitement, *adv.*, perfectamente
parler, *vi*, hablar
parole, *f.*, palabra
part, *f.*, parte ; **de la ~ de qui ?**, ¿ de parte de quién ?
partager, *vtr*, partir
parterre, *m.*, *(théâtre)* patio
parti, *m.*, partido
particulier, particulière, *adj.*, particular ; **en ~**, en particular
partir, *vi*, salir, marcharse, irse

405

pas, *adv.*, **ne … pas**, no … ; ~ **question !**, ¡ ni hablar !

passage, *m.*, paso ; ~ **à niveau**, paso a nivel ; ~ **piétons**, paso de cebra ; ~ **souterrain**, paso subterráneo

passager, *m.*, pasajero

passeport, *m.*, pasaporte

passer, *vi*, pasar ; ~ **un examen**, examinarse ; ~ **un concours**, opositar ; ~ **son doctorat**, doctorarse ; ~ **à la télé**, salir en la tele

pastel, *m.*, dibujo al pastel

paternel(le), *adj.*, paterno (-a)

patience, *f.*, paciencia, aguante

pauvre, *adj.* et *s.*, pobre

payer, *vtr*, pagar

pays, *m.*, país

paysan(ne), *m.* et *f.*, campesino (-a)

péage, *m.*, peaje

peindre, *vtr*, pintar

peine, *f.*, pena ; **faire de la** ~, dar pena

peintre, *m.*, pintor

peinture, *f.*, pintura ; ~ **à l'huile**, pintura al óleo

pendant, *prép.*, durante

penser, *vtr* et *vi*, pensar, opinar

perdre, *vtr*, perder

période, *f.*, periodo

permettre, *vtr*, permitir ; ~ **de faire**, permitir hacer

permis, *m.*, permiso ; ~ **de conduire**, carné de conducir

permission, *f.*, permiso

persévérer, *vi*, perseverar

personne, *pron.*, nadie ; *f.*, persona

personnel, *m.*, plantilla

péruvien(ne), *adj.*, peruano (-a)

peso, *m.*, peso

pessimiste, *adj.*, pesimista

petit(e), *adj.*, pequeño, pequeña ; *(taille)* bajo, baja ; *m.* et *f.*, niño, niña ; chico, chica

petit-fils, *m.* nieto

petite-fille, *f.*, nieta

petits-enfants, *m. pl.*, nietos

peu, *adv.*, poco ; *pron.*, poco, poca, pocos, pocas

peut-être, *adv.*, quizá, quizás, tal vez, a lo mejor, acaso

pharmacie, *f.*, farmacia

photo, *f.*, foto

photographe, *m.*, fotógrafo

photographie, *f.*, fotografía

pie, *f.*, cotorra

pièce, *f.*, cuarto, habitación ; ~ **de monnaie**, moneda

pierre, *f.*, piedra

piéton(ne), *m.* et *f.*, peatón, peatona

pilotage, *m.*, pilotaje

pilote, *m.*, piloto

pinceau, *m.*, pincel ; **coup de** ~, pincelada

piste, *f.*, pista ; ~ **cyclable**, pista para ciclistas

place, *f.*, plaza ; **grand-**~, plaza mayor : *(poste)*, puesto ; *(endroit)*, sitio ; *(à un spectacle)*, localidad

placer, *vtr*, colocar

plage, *f.*, playa

plagiste, *m.*, playero

plaindre (se), *vp*, quejarse

plaire, *vtr* et *vi*, gustar, agradar ; **s'il vous plaît**, por favor

plaisanter, *vi*, bromear

plaisir, *m.*, gusto, placer ; **avec grand** ~, con mucho gusto ; **faire** ~, dar gusto

plan, *m.*, plano *(d'une ville)* ; plan *(projet)*

planche, *f.*, tabla

plat, *m.*, plato ; ~ **principal**, segundo plato

plateau, *m.*, bandeja

plein(e), *adj.*, lleno, llena

pleuvoir, *v. impers.*, llover ; ~ **à verse**, **des cordes**, llover a cántaros

plombier, *m.*, fontanero

plongée, *f.*, buceo

plonger, *vi*, zambullirse

pluie, *f.*, lluvia

plus, *adj.*, *conj.* et *m.*, más ; ~ **(grand) que**, más (alto) que ; **de** ~ **en** ~, cada día (o vez) más ; **en** ~ **(de)**, además (de), encima

plusieurs, *adj.* et *pron.*, varios, varias

plutôt, *adv.*, más bien

poche, *f.*, bolsillo

point, *m.*, punto ; **être sur le** ~ **de**, estar a punto de

poisson, *m.*, pescado

poivre, *m.*, pimienta

police, *f.*, policía

port, *m.*, puerto

porte, *f.*, puerta

porte-documents, *m.*, cartera

portefeuille, *m.*, cartera

porte-monnaie, *m.*, monedero

porter, *vtr*, llevar

portier, *m.*, portero

porto, *m.*, vino de Oporto

possible, *adv.*, posible ; *m.*, **faire (tout) son** ~, hacer (todo) lo posible

postal(e), *adj.*, postal ; **boîte** ~**e**, apartado de Correos ; **carte** ~**e**, tarjeta postal, postal

poste, *m.*, puesto ; *(téléphone)* extensión ; ~ **à essence**, gasolinera ; *f.*, Correos ; ~ **restante**, lista de correos ; **bureau de** ~, oficina de Correos ; **aller à la** ~, ir a Correos

poulailler, *m.*, gallinero

pour, *prép.*, para *(destination, direction, comparaison, date)* ; por *(cause, durée, prix, en faveur de, à la place de)*

pourboire, *m.*, propina

pourpre, *adj.*, púrpura

pourquoi, *adv.*, por qué *(cause)* ; para qué *(but)*

poursuivre, *vtr*, perseguir ; proseguir *(continuer)*

pourvu que, siempre que + *subj.* ; con tal que + *subj.* ; ojalá + *subj. présent*

pousser, *vtr*, empujar

pouvoir, *vtr*, poder ; **il se peut que**, puede que ; **on n'y peut rien !**, ¡ qué le vamos a hacer ! ; *m.*, poder

précis(e), *adj.*, preciso (-a) ; **en punto** *(heure)*
préférable, *adj.*, preferible
préférer, *vtr*, preferir
premier, première, *adj.* et *s.*, primero, primera ; *(primer devant un m.)*
première, *f.*, *(spectacle)* estreno
premièrement, *adv.*, primero
prendre, *vtr*, tomar, coger
préparer, *vtr*, preparar ; *vp*, prepararse
près, *adv.* et *prép.*, cerca (de)
présentateur, *m.*, presentador, locutor
présenter, *vtr*, presentar
présomptueux, présomptueuse, *adj.*, creído, creída
presque, *adv.*, casi
pressé (être), *v.*, tener prisa
presser (se), *vp*, darse prisa
prêter, *vtr*, prestar
prétexte, *m.*, prétexte
prévenir, *vtr*, avisar
prier, *vtr* et *vi*, rogar *(demander)* ; rezar *(religion)*
printemps, *m.*, primavera
prix, *m.*, precio
probable, *adj.*, probable ; **il est ~ que**, es fácil que
problème, *m.*, problema
prochain(e), *adj.*, próximo, próxima
production, *f.*, producción
produire, *vtr*, producir
professeur, *m.*, profesor ; **~ agrégé**, catedrático
programme, *m.*, programa
projection, *f.*, proyección
projet, *m.*, proyecto
projeter, *vtr*, proyectar
promenade, *f.*, paseo
promener (se), *vp*, pasearse
promettre, *vtr* et *vi*, prometer
proposer, *vtr*, proponer
propriétaire, *m.*, dueño
propos, *m.*, propósito ; **à ~**, a propósito
prudemment, *adv.*, prudentemente
prudent(e), *adj.*, prudente
pub, *m.*, pub *(prononcé paf)*
publicité, *f.*, publicidad
pull-over, *m.*, jersey
pyjama, *m.*, pijama

Q

quai (de gare), *m.*, andén
qualité, *f.*, calidad
quand, *conj.*, cuando ; *adv.*, cuándo
quarante, *num.*, cuarenta
quart, *m.*, cuarto ; **~ d'heure**, cuarto de hora
quartier, *m.*, barrio
quatorze, *adj.*, catorce
quatre, *num.*, cuatro
quatre cents, *num.*, cuatrocientos (-as)
quatre-vingts, *num.*, ochenta
quatre-vingt-dix, *num.*, noventa
quatrième, *adj.* et *s.*, cuarto (-a)

que, *pron.*, que *(voir* **Précis grammatical n° 13***)* ;
 • *pron. int.*, qué
 • *conj.*, que ; **aussi ... ~**, tan ... como ; **autant ~**, tanto como ; **autant de ... ~**, tanto, tanta, tantos, tantas ... como ; **ne ... ~**, no ... más que, sólo
 • *adv. (excl.)*, qué, cómo ; **~ de**, cuanto, cuanta, cuantos, cuantas
quelque, *adj.*, (suivi du *sing.*), algún, alguna ; (suivi du *pl.*), algunos, algunas ; **~ chose**, algo ; **~ chose d'autre**, otra cosa ; **mille francs et ~**, mil francos y pico
 • *adv.*, unos, unas *(environ, à peu près)* ; **~ peu**, un poco, algo
queue, *f.*, cola ; **faire la ~**, hacer cola
qui, *pron.*, quien *(pl.* quienes), que, el / la / los que, el / la cual, los / las cuales ; **ce ~**, lo que
 • *pron. inter.*, quién, quiénes
quinze, *num.*, quince
quitter, *vtr*, dejar, abandonar ; *(téléphone)* **ne quittez pas !**, ¡ no se retire !
quoi, *pron.*, qué ; **il n'y a pas de ~**, no hay de qué

R

rabais, *m.*, rebaja
raccrocher, *vtr*, colgar ; **ne raccrochez pas !**, ¡ no cuelgue !
raconter, *vtr*, contar
radar, *m.*, radar
rail, *m.*, carril
rame (de métro), *f.*, tren
rapide, *adj.*, rápido (-a)
rapidement, *adv.*, rápidamente
rappeler, *vtr*, recordar ; volver a llamar *(retéléphoner)*
 • *vp*, recordar, acordarse de
rater, *vtr* et *vi*, fallar ; *(train, etc.)* perder
ravissant(e), *adj.*, precioso (-a)
rayure, *f.*, raya ; **chemise à ~s**, camisa de rayas
réalité, *f.*, realidad
réception, *f.*, recepción ; **accusé de ~**, accuse de recibo
réceptionniste, *m.* et *f.*, recepcionista
receveur, *m.*, cobrador
recevoir, *vtr*, recibir
recommandé(e), *adj.*, certificado (-a) ; **lettre ~e**, carta certificada
recommander, *vtr*, recomendar ; **~ une lettre**, certificar una carta
recommencer, *vtr* et *vi*, recomenzar ; volver a empezar ; repetir
reconnaître, *vtr*, reconocer
reçu, *m.*, recibo
rédiger, *vtr*, redactar
réduire, *vtr*, reducir
référence, *f.*, referencia
référer (se), *vp*, referirse
refuser, *vt* et *vi*, negarse (a)
regard, *m.*, mirada

regarder, *vtr*, mirar ; ~ **la télévision**, ver la televisión

régler, *vtr*, pagar *(payer)* ; ~ **la note**, abonar la nota

regretter, *vtr*, sentir, lamentar

rejoindre, *vtr*, reunirse con ; alcanzar *(rattraper)*

rejouer, *vtr*, volver a jugar

réjouir (se), *vp*, alegrarse

remarquer, *vtr*, notar ; ~ **que**, señalar que ; **faire** ~ **que**, advertir (o señalar) que ; • *vp*, notarse

remercier, *vtr*, agradecer, dar las gracias

remettre, *vtr*, entregar

remplir, *vtr*, llenar ; ~ **un formulaire**, rellenar un impreso

remuer, *vtr*, mover

rencontrer, *vtr*, encontrar ; encontrarse con

rendez-vous, *m.*, cita

rendre, *vtr*, devolver

renseignement, *m.*, información ; **les** ~**s** *(téléphoniques)*, Información

renseigner, *vtr*, informar ; *vp*, informarse

rentrer, *vi*, volver, regresar ; entrar *(argent, etc.)*

renverser, *vtr*, arrollar

renvoyer, *vtr*, devolver *(colis, etc)* ; despedir *(employé, etc.)*

réparer, *vtr*, arreglar

repasser, *vtr*, planchar ; examinarse de nuevo ; pasar de nuevo

repentir (se), *vp*, arrepentirse

répéter, *vtr*, repetir

répondeur, *m.*, contestador

répondre, *vi*, contestar, responder

reposer (se), *vp*, descansar

représentation, *f.*, representación ; *(théâtre)* función

représenter, *vtr*, representar

réseau, *m.*, red

réservation, *f.*, reserva

réserver, *vtr*, reservar

respirer, *vtr*, respirar

ressembler à, *vtr*, parecerse a

ressentir, *vtr*, sentir

restant(e), *adj.*, restante ; **Poste** ~**e**, lista de Correos

restaurant, *m.*, restaurante

reste, *m.*, resto

rester, *vi*, quedarse ; permanecer

restituer, *vtr*, restituir, devolver

retable, *m.*, retablo

retard, *m.*, retraso ; **avoir du** ~, llevar retraso

retarder, *vi*, *(montre)* atrasarse, estar atrasado

retour, *m.*, vuelta ; **aller et** ~, ida y vuelta

retourner, *vi*, volver ; *vp*, volverse

retraite, *f.*, jubilación, retiro

retrouver, *vtr*, volver a encontrar

réunion, *f.*, reunión

réunir, *vtr*, reunir, unir ; *vp*, reunirse

réussir, *vtr*, lograr, conseguir ; • *vi*, tener éxito ; aprobar *(à un examen)* ; sentar *(convenir, aller bien)*

revanche (en), *adv.*, sin embargo

revenir, *vi*, volver

rêver, *vi*, soñar ; *vt*, ~ **de**, soñar con

réviser, *vtr*, revisar, repasar

revoir, *vtr*, volver a ver, ver de nuevo ; **au** ~, adiós

revue, *f.*, revista

rhum, *m.*, ron

rhum-Coca, *m.*, cubalibre, cubata

rhume, *m.*, resfriado, catarro, constipación, constipado

riche, *adj. et s.*, rico, rica

rien, *pron.*, nada

rire, *vi*, réir, reírse ; *m.*, risa

rivière, *m.*, río

riz, *m.*, arroz

robe, *f.*, vestido

rocher, *m.*, roca

roi, *m.*, rey

roman, *m.*, novela

rose, *adj.*, rosa

rouge, *adj.*, rojo, roja

route, *f.*, carretera

roux, rousse, *adj.*, pelirrojo, pelirroja

rue, *f.*, calle

ruelle, *f.*, callejuela

S

sa, *adj. poss.*, su

sable, *m.*, arena

saint(e), *adj.*, santo, santa

saisir, *vtr*, *(comprendre)* darse cuenta ; *(en douane)* decomisar

saison, *f.*, estación ; temporada ; **basse, haute** ~, baja, alta temporada ; **hors** ~, fuera de temporada

salle, *f.*, sala ; ~ **de bains**, cuarto de baño ; ~ **à manger**, comedor ; ~ **de séjour**, cuarto de estar

salade, *f.*, ensalada

salaire, *m.*, sueldo, salario

salon, *m.*, salón

salut, *m.*, saludo ; ~ !, ¡ hola !

sandale, *f.*, sandalia

sangria, *f.*, sangría

sans, *prép.*, sin ; ~ **que**, sin que

santé (être en bonne), *f.*, estar bueno (-a), tener buena salud

satellite, *m.*, satélite

sauf, *prép.*, salvo

savoir, *vtr*, saber

scénario, *m.*, guión

scène (plateau), *f.*, escenario

sculpture, *f.*, escultura

se, s', *pron.*, se

séance, *f.*, sesión

second(e), *adj. et s.*, segundo (-a)

secret, *m.*, secreto

sécurité, *f.*, seguridad

seize, *num.*, dieciséis

sel, *m.*, sal

selon, *prép.*, según

sembler, *v. impers.*, parecer

sentir, *vtr*, sentir ; oler *(une odeur)*

sept, *num.*, siete
sept cents, *num.*, setecientos (-as)
septième, *adj. et s.*, séptimo (-a)
serrer, *vtr*, apretar ; estrechar (la mano)
serveur, *m.*, camarero
service, *m.*, servicio ; ~s rendus, servicios prestados
serviette, *f.*, cartera *(porte-documents)* ; ~ de toilette, toalla ; ~ de table, servilleta ; *(torchon)*, paño
servir, *vtr*, servir
ses, *adj. poss.*, sus
seul(e), *adj.*, solo, sola ; la ~e chose, lo único
seulement, *adv.*, sólo, solamente
short, *m.*, pantalón corto
si, *conj.*, si ; ~ seulement, ojalá ; *adv.*, tan *(tellement, aussi)* ; *m. inv.*, sí
siècle, *m.*, siglo
siège, *m.*, asiento
signature, *f.*, firma
signer, *vtr*, firmar
situer (se), *vp*, situarse
six, *num.*, seis
six cents, *num.*, seiscientos (-as)
sixième, *adj. et s.*, sexto (-a)
ski, *m.*, esquí ; ~ nautique, esquí acuático
skier, *vi*, esquiar
slip, *m.*, calzoncillo
société, *f.*, sociedad
sœur, *f.*, hermana
soie, *f.*, seda
soif, *f.*, sed
soir, *m.*, noche ; le ~, por la noche ; demain ~, mañana por la noche
soixante, *num.*, sesenta
soixante-dix, *num.*, setenta
soleil, *m.*, sol
solution, *f.*, solución
sommet, *m.*, cumbre
son, *adj. poss.*, su
sonner, *vi*, sonar
somme, *f.*, cantidad ; une grosse ~, un dineral
sortir, *vi*, salir ; ~ dans la rue, salir a la calle ; ~ de, salir de *(maison, cadre, etc.)* ; • *vtr*, sacar *(produit, modèle, etc.)* ; ~ de, sacar de *(retirer de)*
souffler (le vent), *v. impers.*, correr (el viento)
souffrir, *vtr*, padecer
souhaitable, *adj.*, deseable
souhaiter, *vtr*, desear
soûl(e), *adj.*, borracho (-a)
soupe, *f.*, sopa
sourd(e), *adj. et s.*, sordo (-a)
sourire, *m.*, sonrisa
souterrain(ne), *adj.*, subterráneo (-a)
souvenir, *m.*, recuerdo
souvenir (se), *vp*, acordarse de ; recordar
souvent, *adv.*, a menudo
spécialité, *f.*, especialidad
spectacle, *m.*, espectáculo
sport, *m.*, deporte
sportif, sportive, *adj.*, deportivo, deportiva ; *m. et f.*, deportista

stade, *m.*, estadio
standardiste, *m. et f.*, telefonista
station, *f.*, ~ de métro, estación ; ~ balnéaire, balneario
stationnement, *m.*, aparcamiento
statue, *f.*, estatua
steward, *m.*, auxiliar de vuelvo
stressé(e), *adj.*, estresado (-a)
style, *m.*, estilo
subir, *vtr*, sufrir, soportar
succès, *m.*, éxito
suffire, *vi*, bastar ; il suffit que, basta con que
suivant, *m.*, siguiente
suisse, *adj.*, suizo, suiza
suivre, *vtr*, seguir
sujet, *m.*, sujeto ; tema ; asunto
supporter, *vtr*, aguantar
supposer, *vtr*, suponer
sûr(e), *adj.*, seguro, segura
sûrement, *adv.*, seguramente ; ~ que, seguro que
surprenant(e), *adj.*, sorprendente
suspendre, *vtr*, sorprender
surprise, *f.*, sorpresa
surveillant, *m.*, vigilante
surveillé(e), *adj.*, vigilado (-a)
suspense, *m.*, suspense
symboliser, *vtr*, simbolizar
sympathique, *adj.*, simpático (-a)
symphonie, *f.*, sinfonía
synagogue, *f.*, sinagoga

T

ta, *adj. poss.*, tu
table, *f.*, mesa
tableau, *m.*, cuadro
tacher, *vtr*, manchar
taire, *vtr*, callar ; *vi et vp*, callarse
talon, *m.*, *(de chaussure)* tacón
tampon, *m.*, matasellos
tant, *adv.*, tanto ; ~ de, tanto, tanta, tantos, tantas ; ~ mieux !, ¡ tanto mejor !, ¡ mejor así ! ; ~ pis !, ¡ tanto peor !, ¡ qué le vamos a hacer ! ; ~ ... que, tanto ... como ; ~ que, mientras ; ~ qu'il le pourra, mientras lo pueda
tante, *f.*, tía
tapage (nocturne), *m.*, escándalo (nocturno)
taper, *vtr*, *(soleil)* picar
tard, *adv.*, tarde
tarte, *f.*, tarta
tasse, *f.*, taza ; boire la ~, tragar agua
taureau, *m.*, toro
taxe, *f.*, tasa, impuesto
taxi, *m.*, taxi
te, t', *pron.*, te
technicien, *m.*, técnico
télécommande, *f.*, mando (a distancia)
télégramme, *m.*, telegrama
téléphone, *m.*, teléfono ; numéro de ~, número de teléfono

409

téléphoner, *vtr* et *vi*, llamar (por teléfono), telefonear
téléphonique, *adj.*, teléfonico (-a) ; **annuaire, cabine, linge ~**, guía, cabina, línea telefónica
téléspectateur, *m.*, telespectador
télévisé(e), *adj.*, televisivo (-a)
téléviseur, *m.*, televisor
télévision, *f.*, televisión
température, *f.*, temperatura
temps, *m.*, tiempo ; **un ~ de chien**, un tiempo de perros ; **de ~ en ~**, de vez en cuando
tenailles, *f. pl.*, tenazas
tenir, *vtr*, tener ; cumplir *(promesse)* ; dirigir *(un commerce)* ; • *vi*, **~ dans**, caber
tennis, *m.*, tenis
terminer, *vtr*, terminar
terrain, *m.*, terreno ; **~ de sports**, campo de deportes
terrible, *adj.*, terrible ; tremendo (-a) *(impressionnant(e)*
tes, *adj. poss.*, tus
texte, *m.*, texto
thé, *m.*, té
théâtre, *m.*, teatro
thèse, *f.*, tesis
tilleul, *m.*, tila
timbre, *m.*, sello
tir, *m.*, tiro ; **~ à l'arc**, tiro con arco
tire-bouchon, *m.*, sacacorchos
tissu, *m.*, tela
toast, *m.*, *(pain grillé)* tostada
toi, *pron.*, tú ; *(après prép.)* ti
toile, *f.*, tela ; lienzo *(peinture)*
toilettes, *f. pl.*, servicios
tomber, *vi*, caer, caerse
ton, adj. poss., tu
tonalité, *f.*, tono ; *(téléphone)* tono de marcar
tonnerre, *m.*, trueno
tortue, *f.*, tortuga
tôt, *adv.*, temprano ; pronto *(vite)*
toucher, *vtr*, tocar ; *(de l'argent)* cobrar
toujours, *adv.*, siempre
tour, *m.*, vuelta ; **faire un ~**, dar una vuelta
tourisme, *m.*, turismo
touriste, *m.* et *f.*, turista
tournage, *m.*, *(film)* rodaje
tournée, *f.*, ronda
tourner, *vtr* et *vi*, girar, dar vueltas ; torcer, doblar *(voiture, etc.)* ; rodar *(un film)*
tournoi, *m.*, torneo
tout, toute, *adj.*, todo, toda ; cada *(chaque)* ; • *adv.*, **~ de suite**, en seguida, ahora mismo
toutefois, *adv.*, sin embargo ; **si ~**, siempre que + *subj.*
traduction, *f.*, traducción
traduire, *vtr*, traducir
train, *m.*, tren
trajet, *m.*, recorrido
tranquillité, *f.*, tranquilidad
transat, *m.*, tumbona
transport, *m.*, transporte

travail, *m.*, trabajo ; labor ; **débordé de ~**, agobiado de trabajo
travailler, *vtr* et *vi*, trabajar
travailleur, *m.*, trabajador
traverser, *vtr*, cruzar
treize, *num.*, trece
trente, *num.*, treinta
très, *adv.*, muy
triste, *adj.*, triste
trois, *num.*, tres
trois cents, *num.*, trescientos (-as)
troisième, *adj.* et *s.*, tercero (-a) *(tercer devant un m.)*
tromper (se), *vp*, equivocarse
trop, *adv.*, demasiado
trottoir, *m.*, acera
trouver, *vtr*, encontrar, hallar
tu, *pron.*, tú

U

un, une, *art. ind.*, un, una ; • *num.*, uno *(devant un m. : un)* una
unique, *adj.*, único (-a)
unir, *vtr*, unir
unité, *f.*, unidad ; *(téléphone)* pasos
université, *f.*, universidad
urgent(e), *adj.*, urgente
usager, *m.*, usuario
usine, *f.*, fábrica
utile, *adj.*, útil
utiliser, *vtr*, utilizar

V

vacances, *f. pl.*, vacaciones
vague, *f.*, ola
valise, *f.*, maleta
valoir, *vtr* et *vi*, valer ; • *v. impers.*, **il vaut mieux**, más vale
veilleuses, *f. pl.*, luces de posición
vendre, *vtr*, vender
vendredi, *m.*, viernes
venir, *vi*, venir ; **~ de + *inf.***, acabar de + *inf.* ; **~ à bout (de quelqu'un)**, poder con (alguien)
vent, *m.*, viento
ventre, *m.*, barriga, vientre ; **prendre du ~**, echar barriga
vérifier, *vtr*, comprobar
vérité, *f.*, verdad
vermouth, *m.*, vermut
verre, *m.*, vaso, copa *(à pied)*
vers, *prép.*, hacia
vert(e), *adj.*, verde
veste, *f.*, chaqueta, americana ; *(Amér.)* saco
vestibule, *m.*, vestíbulo
vêtements, *m. pl.*, ropa
vêtir, *vtr*, vestir ; *vp*, vestirse
viande, *f.*, carne
victoire, *f.*, victoria
vieille, *adj.* et *f.*, *voir* **vieux**
vieillir, *vi*, envejecer

vieux (vieil), vieille, *adj.*, viejo, vieja ; *m.* et *f.*, viejo, vieja ; anciano, anciana
vigueur, *f.*, vigor ; **en ~**, vigente
village, *m.*, pueblo
ville, *f.*, ciudad ; **vieille ~**, casco antiguo
vin, *m.*, vino ; **~ doux**, **sec**, vino dulce, seco ; **~ blanc**, **rosé**, **rouge**, vino blanco, rosado, tinto ; **~ mousseux**, cava
vingt, *num.*, veinte
violence, *f.*, violencia
violet(te), *adj.*, morado, morada ; violeta
virage, *m.*, curva
virement, *m.*, transferencia
virgule, *f.*, coma
visa, *m.*, visado
visage, *m.*, cara
vite, *adv.*, de prisa, pronto, rápidamente ; **au plus ~**, cuanto antes
vitesse, *f.*, velocidad
vitrine, *f.*, escaparate
vivre, *vtr* et *vi*, vivir
voici, **voilà**, aquí + tener *conjugué*
voie, *f.*, vía ; **~ rapide**, autovía
voilier, *m.*, velero
voir, *vtr* et *vi*, ver ; *vp*, notarse ; **ça se voit**, se nota
voisin(e), *adj.*, cercano (-a) ; próximo (-a) ; *m.* et *f.*, vecino, vecina
voiture, *f.*, coche
vol, *m.*, *(avion)* vuelo
voler, *vi*, *(avion)* volar
volume, *m.*, volumen
votre, *adj. poss.*, vuestro (-a)
vouloir, *vtr* et *vi*, querer

vous, *pron.* *(sujet)*, T.P. vosotros (-as), V.S. Ud, V.P. Uds ; *(objet direct)* T.P. os, V.S. le, la, V.P. los, las ; *(objet indirect)* T.P. os, V.S. le, se, V.P. les, se ; *(réfléchi)* T.P. os, V.S. V.P. se
voyage, *m.*, viaje
voyager, *vit*, viajar
voyageur, *m.*, viajero
vrai(e), *adj.*, verdadero (-a) ; **c'est ~**, es verdad ; **il est ~ que**, es verdad que
vraiment, *adv.*, de verdad, de veras
vu(e), *adj.* et *p.p.*, visto, vista
vue, *f.*, vista ; **avec ~ sur**, con vistas a

W

wagon, *m.*, vagón ; **~-lit**, coche cama ; **~-restaurant**, coche restaurante
western, *m.*, película del oeste
weed-end, *m.*, fin de semana

X

xérés, *m.*, jerez

Y

yeux, *m. pl. de œil*

Z

zapping, *m.*, zapping
zapper, *vi*, hacer zapping

INDEX GRAMMATICAL

Les chiffres renvoient aux pages (ceux en **gras** particulièrement à celles du Précis grammatical).

INDEX THÉMATIQUE

Les chiffres renvoient aux pages.

Achevé d'imprimer en février 2009
par Maury-Imprimeur
Dépôt légal : mars 2009
Imprimé en France

POCKET - 12, avenue d'Italie - 75627 PARIS Cedex 13